W9-AWC-561

REMEDIOS NATURALES

Nota del editor

Este libro es sólo informativo. La información no constituye asistencia médica y no debería interpretarse como tal. No podemos garantizar la seguridad o eficacia de ningún medicamento, tratamiento o asesoramiento mencionado en el libro. Algunos de estos consejos pueden no ser efectivos para todo el que lea el libro.

Un buen médico es el indicado para decidir cuál es el tratamiento adecuado para ciertas afecciones médicas o enfermedades. Recomendamos que siempre consulte a su médico de cabecera o a su proveedor de atención médica antes de tomar o dejar de tomar cualquier medicamento o antes de automedicarse de cualquier manera.

FC&A Medical Publishing®
103 Clover Green
Peachtree City, GA 30269

Producido por el personal de FC&A

ISBN 978-1-932470-81-9

Por nada estéis afanosos, sino sean conocidas vuestras peticiones delante de Dios en toda oración y ruego, con acción de gracias. Y la paz de Dios, que sobrepasa todo entendimiento, guardará vuestros corazones y vuestros pensamientos en Cristo Jesús.

Filipenses 4:6-7

El principio de la sabiduría es el temor de Jehová; Buen entendimiento tienen todos los que practican sus mandamientos; Su loor permanece para siempre.

Salmos 111:10

Índice

Colesterol

Dolor crónico

Resfríos y gripe

Cáncer de colon

Constipación

Depresión

Diabetes

Introducción

La medicina moderna es realmente milagrosa. En este siglo, particularmente en las últimas décadas, los médicos y los científicos han descubierto medicamentos y procedimientos que han curado muchas enfermedades y han permitido prolongar la vida de las personas.

No obstante, hay que pagar un precio por estos avances y el costo no es sólo económico. Los medicamentos modernos han salvado muchas vidas, pero también se han cobrado vidas. Según un estudio publicado en la *Journal of the American Medical Association*, más de 100.000 personas mueren por año a causa de reacciones adversas a los medicamentos. Esto lo posiciona entre la cuarta y la sexta causa de muerte en los Estados Unidos.

Las cirugías también pueden salvar su vida, pero todos los años se realizan muchas cirugías innecesarias. Un estudio halló que los pacientes cardíacos que se sometían a la cirugía de revascularización tenían una probabilidad significativamente mayor de morir o de sufrir otro ataque cardíaco que los pacientes tratados sin cirugía.

Entonces, ¿cómo sabe cuándo debe aprovechar la tecnología médica moderna y cuándo debe optar por una alternativa? Su médico es una excelente fuente de asesoramiento, por supuesto, pero él necesita su ayuda para comprender sus problemas de salud específicos. Nadie conoce a su cuerpo mejor que usted y cuanto más aprende a cuidarlo, mejor puede controlar su propia salud.

Comprar este libro es un primer paso importante para tratar los problemas de salud más frecuentes de hoy en día. *Remedios naturales que funcionan mejor que los peligrosos medicamentos o las riesgosas cirugías* le brinda el conocimiento que necesita para tomar decisiones sobre su propia salud.

Recopilamos información de revistas médicas de buena reputación de todo el mundo y entrevistamos docenas de expertos para compilar una enciclopedia de las últimas noticias y conocimientos médicos sólo para usted. Encontrará consejos prácticos de cosas fáciles que puede hacer en su hogar para mantener cada parte de su cuerpo fuerte y vital, desde los huesos hasta el cerebro.

Este libro está organizado alfabéticamente según la afección para facilitarle la búsqueda de su inquietud o interés. Si tiene un problema de salud — desde acné a cardiopatía a verrugas — encontrará información para ayudarlo a tratarlo en *Remedios naturales.* Si es saludable como un caballo, y desea seguir así, también puede encontrar los últimos conocimientos sobre la prevención en estas páginas. De cualquier manera, seguramente descubrirá algo útil para usted o un ser querido.

Nos complace que confíe en nosotros para proporcionarle información médica confiable que lo ayudará a disfrutar de una vida más larga y plena. ¡A su salud!

Los redactores de FC&A

Acné

La verdad sobre los mitos del acné

Pijamadas, geometría, graduación, campamento de verano — y acné. Reuniones de gerentes, pagos de la cuota del auto, reuniones con los maestros — y acné. No es necesario ser adolescente para tener espinillas y puntos negros. Una encuesta reciente halló que el 81 por ciento de las personas con acné tenía entre 15 y 44 años. Si usted tiene más de 30 años y está luchando contra las erupciones, no desespere. En primer lugar, conozca la verdad que hay detrás de los mitos del acné — luego arme un plan de ataque.

Mito Nº 1: El acné desaparecerá por sí solo. Algunas personas piensan que si dejan sin tocar las espinillas, con el tiempo desaparecerán. Si bien es verdad que muchas erupciones se curarán, si trata el acné de inmediato es menos probable que le queden cicatrices tanto emocionales como físicas.

Si busca un tratamiento sin químicos, pruebe un antibacteriano natural de Australia llamado aceite de árbol de té. Se probó un gel de aceite de árbol de té al 5% contra el tratamiento popular para el acné, la loción de peróxido de benzoilo, y el gel resultó ser el ganador. El aceite de árbol de té fue tan efectivo como el peróxido de benzoilo para reducir las erupciones, pero produjo menos efectos secundarios. Busque la loción y el jabón de aceite de árbol de té en su tienda local de productos para el cuerpo y el baño.

Mito Nº 2: El acné es causado por la suciedad. Las espinillas se forman cuando la grasa o sebo que producen las glándulas sebáceas hiperactivas se mezcla con células muertas de la piel y tapona los poros. Para mantener la cara limpia, lávesela dos veces al día con jabón suave y sin perfume y agua tibia. Restregarse la cara constantemente y utilizar jabones fuertes no eliminará el acné. De hecho, puede empeorar la afección.

Aquí hay un limpiador nattural que puede fabricar en casa. Caliente un poco de jugo de limón hasta que esté ligeramente tibio y agregue dos claras de huevo. Bata esta mezcla hasta que forme una pasta espesa. Guarde lo que no utilice en el refrigerador.

Mito Nº 3: El acné es causado por los alimentos que ingiere. Si bien muchos elementos saludables, como las frutas y los vegetales frescos, son importantes para la salud de la piel, comer chocolate y pizza no producirá acné. Simplemente coma una dieta balanceada y beba mucha agua.

Mito Nº 4: La luz solar es buena para el acné. Broncearse o utilizar una lámpara solar en la cara puede esconder el acné, pero sólo temporariamente. Los efectos a largo plazo de la exposición al sol, el envejecimiento y el cáncer de piel superan ampliamente los beneficios inmediatos. Utilice pantalla solar, pero elija una que no sea grasosa.

Mito Nº 5: Apretar las espinillas las ayuda a curarse más rápidamente. La verdad es exactamente lo opuesto. Si las toca, es más probable que se produzca enrojecimiento e inflamación, incluso cicatrización. Si quiere hacer algo, pruebe algunos de estos tratamientos naturales para las erupciones:

- Envuelva un cubo de hielo en un paño suave y manténgalo sobre la espinilla durante unos minutos cada una hora.
- Frote una rodaja de papa pelada suavemente sobre la piel recientemente lavada.
- Coloque una pequeña cantidad de pasta dental en la espinilla a la noche antes de irse a la cama.
- Sostenga una rodaja de limón sobre las erupciones durante unos minutos.

Aquí encontrará la forma en que los expertos tratan el acné

El acné es causado principalmente por glándulas sebáceas hiperactivas en la cara, la región dorsal y el pecho. Si decide buscar la ayuda de un dermatólogo, éste puede recetar uno o más de estos productos, según la gravedad de su acné.

Agentes exfoliantes. Éstos incluyen lociones o ungüentos que se aplican en forma de una capa delgada. Secan la piel y a menudo producen enrojecimiento. Si tiene un acné leve, muy probablemente el dermatólogo le recomendará comenzar con algunos de estos productos.

- El peróxido de benzoilo (Benoxyl, Oxy 10) está disponible sin receta o, si necesita dosis más fuertes, con receta. Ayuda a reducir las bacterias que causan el acné y destapa los poros obstruidos.

- La tretinoína, el ácido retinoico o el ácido de vitamina A (Renova, Retin-A) previenen la formación de espinillas y puntos negros. Le dejarán la piel muy sensible a la luz solar. Para reducir la irritación de la piel, evite utilizar otras lociones astringentes, limpiadores medicinales o cosméticos, o productos con alcohol para la piel.
- El ácido salicílico, el sulfuro o el resorcinol ayudan a eliminar las células muertas de la piel. Estos ingredientes se encuentran en muchos productos para el acné de venta libre.

Antibióticos de uso tópico. Estas cremas o ungüentos reducen la cantidad de bacterias en la piel o eliminan las bacterias de las glándulas sebáceas. Puede utilizar estos productos solos o en combinación con otros, como antibióticos orales.

Pueden causar enrojecimiento, cosquilleo o picazón y a menudo secan mucho la piel. Algunos antibióticos de uso tópico pueden hacer que su piel parezca más grasosa. Si los utiliza con otros tratamientos para el acné o con jabones, cosméticos o productos para afeitarse que contienen alcohol, se puede producir una irritación de la piel. Los antibióticos de uso tópico producen mayor sensibilidad de la piel al sol.

Algunos ejemplos son la crema de ácido azelaico, el fosfato de clindamicina, la eritromicina, el metronidazol y el hidrocloruro de tetraciclina.

Medicamentos orales. Estos fármacos se recetan para los casos de acné que no desaparece con los tratamientos más suaves. Puede utilizarlos solos o en combinación con productos tópicos.

- El hidrocloruro de tetraciclina (Achromycin) es un antibiótico para el acné moderado. Este fármaco puede dejar a su piel muy sensible al sol. Otros antibióticos de la familia de las tetraciclinas son la doxiciclina hidrocloruro y el hidrocloruro de minociclina.
- A menudo se recetan pastillas anticonceptivas para las mujeres con acné. Éstas disminuyen los efectos de las hormonas masculinas, que estimulan las glándulas sebáceas.
- La isotretinoína (Accutane) se receta para el acné grave. Achica las glándulas sebáceas y cambia la consistencia del sebo producido, por lo que es menos probable que tapone los poros. Consulte a su médico sobre los posibles efectos secundarios de la isotretinoína. Éstos incluyen depresión, dolores de cabeza, fatiga, ojos y labios secos, piel sumamente seca y niveles de colesterol y triglicéridos elevados. Este fármaco también puede causar defectos de nacimiento graves si se toma durante el embarazo.

Alergias

Las mejores formas de evitar los irritantes del aire

Si el mismo aire que lo rodea parece ser su enemigo, probablemente sufra de alergias, pero puede encontrar consuelo al saber que no está solo. Es la enfermedad crónica más frecuente y representa una de cada 40 consultas al médico.

La fiebre del heno, o la rinitis alérgica, es una enfermedad estacional si es alérgico al polen, pero es un problema que se presenta durante todo el año si es alérgico al polvo, al moho o a la caspa animal.

Cuando estos diminutos alergenos que hay en el aire ingresan en su sistema, causan inflamación en el revestimiento de la nariz y los senos nasales. Esto puede producir estornudos, nariz tapada o goteante, comezón, tos y dolor de garganta.

Puede resultar difícil combatir algo tan pequeño que ni siquiera se puede ver, pero no es imposible. Aquí hay algunos consejos para mantener las alergias bajo control.

Utilice el sol para combatir los ácaros del polvo. Los ácaros del polvo son pequeños insectos que viven en la ropa de cama, las alfombras y los colchones. Se alimentan de células muertas de la piel humana que se desprenden y producen material de desecho que puede desencadenar reacciones alérgicas. Cuando cambia las sábanas o aspira, este material de desecho flota en el aire durante aproximadamente 30 minutos, e inhalarlo puede iniciar un episodio de nariz tapada, estornudos y tos.

La luz solar puede ayudar a combatir estos molestos insectos. Un estudio en Australia halló que dejar tapetes infestados de ácaros al aire libre durante varias horas un día soleado y caluroso eliminaba el 100% de los ácaros y los huevos. Probablemente esto también funcionaría para la ropa de cama, las cortinas y las almohadas.

Pruebe el ácido tánico. Para las alfombras y los tapetes que no puede sacar al aire libre, una solución de ácido tánico puede ser lo que necesita. Los investigadores hallaron que un tipo de esta solución, Allersearch ADS, redujo los ácaros del polvo en las alfombras hasta en un 92%.

Controle el moho. Trate de mantener su casa tan seca como sea posible para evitar el crecimiento del moho. Controle las áreas que tienden a ser húmedas, como debajo de las piletas y alrededor de los inodoros, bañeras y lavarropas, y limpie estos lugares con lejía y agua. Las plantas de interior y los acuarios también juntan moho. Si quiere tener plantas, puede comprar retardadores de moho en su vivero local.

Quédese adentro. Si es alérgico al polen, quedarse adentro cuando los niveles de polen son altos puede ayudar. La primavera y el otoño son las estaciones con más probabilidad de causar problemas. El polen del césped y de los árboles convierte a la primavera en una estación de nariz tapada, y en el otoño, la ambrosía inicia los estornudos otra vez. Los niveles de polen también tienden a ser más elevados durante la mañana, por lo tanto, quedarse adentro hasta la tarde puede ayudar.

Utilice una máscara. Si tiene que trabajar en el jardín, utilice una máscara que le cubra la nariz y la boca, especialmente mientras corta el césped. Bloqueará al menos algunos de los alergenos. Si es alérgico al polvo, utilice una máscara cuando tenga que quitar el polvo y pasar la aspiradora en su casa.

Dúchese. Después de las actividades al aire libre, dúchese rápidamente para eliminar los residuos de polen de la piel y el cabello. El cabello puede juntar mucho polen, especialmente si es largo; por lo tanto, es particularmente importante lavarlo antes de ir a la cama.

Cierre las ventanas. Asegúrese de que las ventanas de su habitación estén cerradas a la noche para que no entren los alergenos y que pueda descansar mejor.

Utilice el aire acondicionado. Los aires acondicionados reducen los niveles de humedad y polen en su casa y le permiten mantener las ventanas cerradas y aún así estar cómodo cuando hace calor.

Deje las mascotas afuera. La caspa de los animales domésticos (células de piel muerta) es una de las principales causas de las alergias. Las pulgas de su mascota también pueden agravar su fiebre del heno. Si tiene mascotas lanudas o con plumas de las cuales no se puede desprender, trate de dejarlas afuera. Si no es posible, asegúrese de bañarlas a menudo y utilice algo para controlar las pulgas.

Deshágase de los aerosoles. Utilice atomizadores siempre que sea posible porque los aerosoles pueden irritar las vías aéreas.

Cubra la ropa de cama. Poner las almohadas y los colchones en fundas de vinilo con cierre puede ayudar a que no se junten los ácaros del polvo.

Despeje su vida. Es posible que se sienta emocionalmente vinculado a una cantidad de adornos, pero cuanto más cosas que junten polvo tenga en su casa, más empeorarán sus alergias. Las persianas venecianas y los candelabros son otros recolectores de polvo domésticos que debe eliminar de su hogar.

Derribe a los alergenos con vacunas antialérgicas

Si tiene alergias, mantener alejados a los "desencadenantes" puede ser un trabajo arduo. Es posible que no desee tomar medicamentos debido a sus efectos secundarios indeseables, como el adormecimiento.

Pero si usted es como otros miles de estadounidenses, es posible que ni siquiera esté al tanto de una alternativa efectiva — las vacunas antialérgicas.

Un motivo por el que muchas personas no aprovechan este tratamiento puede ser su nombre — inmunoterapia. La Academia Americana de Alergia, Asma e Inmunología (ACAAI) considera que el término confunde e incluso asusta a las personas. El grupo recomienda que los médicos comiencen a llamar a las vacunas antialérgicas "vacunas" en lugar de "inmunoterapia" para que las personas se sientan más cómodas.

Las vacunas contra la alergia requieren que, en primer lugar, usted se realice pruebas para detectar los alergenos específicos. Luego su médico le inyecta una pequeña cantidad del alergeno purificado y con el tiempo aumenta gradualmente la dosis hasta desarrollar su inmunidad. Generalmente el proceso continúa durante varios años, pero si padece alergias graves, notará una mejoría radical en su vida.

Levante su vaso para aliviar las alergias

Los pájaros cantan y los capullos florecen. Pero el momento en que pone un pie afuera para disfrutar de la belleza de la primavera, la nariz se le tapa y com. El alivio para su angustia puede estar más cerca de lo que cree — de hecho, tan cerca como en la pileta de la cocina. Los síntomas de alergia pueden ser en realidad un signo de sed.

Así opina el doctor Fereydoon Batmanghelidj, autor del libro *Los numerosos pedidos de agua por parte del cuerpo.* El médico sugiere evitar las molestias de las alergias bebiendo más agua.

La sustancia que regula el modo en que su cuerpo utiliza el agua se llama histamina. Si no bebe suficiente agua y se deshidrata, su cuerpo quiere corregir el problema. Lo hace liberando una dosis extra de histamina que fue almacenada para otros usos.

Esto causa ojos llorosos y nariz goteante. Puede estar tentado de tomar un antihistamínico para secarlos, pero estos medicamentos pueden producir efectos secundarios desagradables — como boca seca, adormecimiento, dolor de cabeza y náuseas.

De hecho, Batmanghelidj considera que los antihistamínicos pueden resultar peligrosos porque interfieren con los intentos naturales del cuerpo de corregir el problema subyacente. En vez de tomar una pastilla, pruebe estos consejos del Dr. B (como él mismo se llama en su sitio web www.watercure.com).

Beba de seis a ocho vasos de 8 onzas de agua por día. De agua pura — no alcohol, té, café o una bebida cola. Restringa el jugo de naranja a uno o dos vasos al día y no lo incluya en el cálculo del agua. "El contenido de potasio del jugo de naranja es alto", señala el Dr. B. "Las cantidades elevadas de potasio en el cuerpo pueden favorecer una producción de histamina mayor de la usual ".

Abra la alacena de la cocina, no su botiquín. Busque algo menos costoso que el antihistamínico que compra en la farmacia. "La sal" es un antihistamínico natural", señala Batmanghelidj. "Las personas con alergias deben comenzar a aumentar su ingesta de sal para evitar la producción excesiva de histamina".

Sea paciente. Probablemente encontrará que le lleva de una a cuatro semanas comenzar a notar un cambio. No trate de acelerar el proceso bebiendo más de los seis a ocho vasos de agua recomendados.

"Primero y principal", dice el Dr. B,"no piense que puede revertir la situación si ahora se ahoga en agua. No es así". Lleva un tiempo a las células absorber el agua y volver a hidratar el cuerpo.

Según el Dr. B, la mayoría de las personas han perdido la habilidad de decir cuándo están sedientas. Una vez que el cuerpo se adapta a tener mucha agua, notará que le vuelve la sed natural. Entonces puede darse cuenta de que necesita más de ocho vasos al día. Eso está bien — pero deje que suceda en forma natural.

Beba la mayor cantidad cerca de horario de las comidas. Si bien debe tomar agua en cualquier momento cuando tiene sed, el Dr. B. sugiere que beba un vaso media hora antes de las comidas. Beba otro vaso dos horas y media después de cada comida. Agregue dos vasos más cerca de su comida más fuerte o antes de irse a dormir.

Toda esta agua evita que la sangre se concentre demasiado después de digerir mucha comida. Sin la cantidad de agua suficiente circulando en el cuerpo, la sangre más espesa toma agua de las células que la rodean y usted se deshidrata. Y, como señala el Dr. B., las alergias son sólo una afección entre muchas otras causadas o agravadas por la deshidratación.

Utilice una provisión de agua que esté siempre a mano. El agua de la canilla de la cocina puede ser su mejor fuente de agua potable. Si depende de agua embotellada, es posible que se le acabe. Y entonces es posible que usted espere más tiempo y no beba lo suficiente.

Si existe la posibilidad de que el agua esté contaminada, solicite que le hagan una prueba. Es posible que deba instalar un filtro de agua. Si el gusto a cloro lo desanima, deje reposar agua en una jarra abierta hasta que se evapore el cloro.

No permita que el polen u otros alergenos le arruinen la diversión. Simplemente siéntese y beba esos vasos de agua adicionales. En poco tiempo, podrá respirar fácilmente cuando salga al aire libre.

¿Usted es alérgica al sexo?

Es verdad — en realidad algunas mujeres tienen esa alergia inusual. Generalmente estos casos no son alergias al propio acto sexual sino a algún elemento del sexo — más frecuentemente, el semen. Un porcentaje relativamente pequeño de mujeres es alérgico a las proteínas que se encuentran en el semen y esta sensibilidad puede causar una gran variedad de problemas.

Aunque no son muy frecuentes, las alergias sexuales pueden ser muy graves. "Es muy poco habitual", señala el Dr. Jonathan Bernstein de la Facultad de Medicina de la Universidad de Cincinnati, quien ha investigado las alergias sexuales durante más de 10 años. "Pero también es difícil obtener cifras confiables en algo tan personal. Calculo que una mujer en mil está afectada por este problema".

Las reacciones al semen pueden ser tan simples como dolor vaginal leve, inflamación y comezón, o tan drásticas como brotes de urticaria y dificultad para respirar. Pero si usted es una de las víctimas desafortunadas de este tipo de alergias, no significa que es el fin de su vida sexual.

Bernstein y sus colegas de la Universidad de Cincinnati han desarrollado métodos que utilizan vacunas para el tratamiento exitoso de dichas alergias, lo que permite a las personas afectadas retomar su vida sexual normal. Los médicos que trabajan con el mismo problema en California han desarrollado una crema para utilizar antes de la relación sexual y que ha demostrado que evita totalmente las reacciones, aún en mujeres sumamente alérgicas.

El problema con las vacunas es que son muy costosas. "Está mejorando", dice Bernstein. "Hemos podido reducir el costo del tratamiento de $5.000 a aproximadamente $2.000. Pero para la mayoría de las personas, aún no es práctico". No obstante, lo que es práctico — y económico — es una opción aparentemente obvia que al parecer muchas personas no consideran.

"Se sorprendería", señala Bernstein, "por el gran número de personas a quienes ni siquiera se les ocurre utilizar un preservativo. O lo utilizan incorrectamente. Es económico, es seguro, es práctico, y, siempre que se utilice en forma adecuada, funciona". Si usted sabe que es alérgica al semen, el simple hecho de utilizar un preservativo durante las relaciones sexuales puede evitar el contacto y las reacciones. "Desde un punto de vista práctico, probablemente continúa siendo la mejor opción", agrega.

También hay tratamientos farmacológicos disponibles para tratar este problema, y su médico le puede ayudar a decidir cuál de estas opciones es la adecuada para usted. Por lo tanto, si tiene dificultades o siente dolor antes, durante o después de una relación sexual, no lo postergue — consulte a su médico de inmediato.

Mal de Alzheimer

Diez formas de detectar el Alzheimer en forma temprana

Cada vez que se olvida de dónde dejó las llaves de su auto, ¿piensa que está comenzando a desarrollar Alzheimer? Probablemente esté demasiado preocupado, pero debe conocer los factores de riesgo de la enfermedad. Es más probable que padezca Alzheimer si es mujer, mayor de 65 años, tiene antecedentes familiares de la enfermedad, padece el síndrome de Down o ha tenido una lesión en la cabeza grave en el pasado.

Detectar el Alzheimer precozmente puede ayudar a lentificar el progreso, por lo tanto debe tener conocimiento de estos signos que aparecen en forma temprana y que advierten que usted o un ser querido tiene la enfermedad.

Falta de memoria. La señal más conocida de que usted podría padecer Alzheimer es simplemente la falta de memoria. Si bien es normal olvidar nombres o perder las llaves de vez en cuando, la falta de memoria frecuente puede ser una bandera roja. El ejemplo clásico es que es normal olvidarse de las llaves, pero si no puede recordar para qué son las llaves, es hora de preocuparse.

Problemas del habla. A veces tiene una palabra en la punta de la lengua, pero simplemente no le sale. Todos han experimentado esto ocasionalmente, pero si a menudo tiene dificultades con palabras simples, o si no se le entiende cuando habla, es posible que tenga un problema.

Dejar cosas en el lugar equivocado. Algunas personas no encuentran las llaves o el control remoto de la TV casi todos los días. Pero encontrar objetos perdidos en un lugar extraño, como el microondas o el refrigerador, sí debe preocuparnos.

Cambios de la personalidad. Todas las personas sufren cambios en la vida. Algunas personas son más despreocupadas y relajadas a medida que envejecen, mientras otras parecen convertirse en hombres y mujeres viejos y malhumorados. No obstante, el Alzheimer puede producir cambios profundos en la personalidad, y convertir a una persona calmada y dulce en alguien temeroso, paranoico o confundido.

Falta de criterio. Puede pensar que algunos jóvenes no demuestran un bien criterio en la elección de la ropa, pero si no puede decidir qué ropa es adecuada para usted, es posible que usted tenga el problema. Por ejemplo, si se pone las medias en las manos o usa pantalones cortos cuando está nevando, ha perdido la capacidad de juicio.

Falta de interés. Todos pueden perder interés en una película lenta, pero si no está interesado en todas las cosas que solían producirle placer, eso es un poco más grave.

Problemas con tareas familiares. Las personas ocupadas son a menudo distraídas y pueden olvidar de terminar algo que comenzaron. Alguien con Alzheimer puede preparar una comida y no sólo olvidarse de servirla, sino ni siquiera recordar que la preparó en primer lugar. O puede tener problemas para recordar cómo la preparó.

Cambios de humor. Aunque la mayoría de las personas a veces está malhumorada, ir de un extremo al otro rápidamente sin un motivo evidente es causa de preocupación.

Desorientación. Si se pierde en una ciudad extraña, nadie lo acusaría de tener Alzheimer. Si se pierde en su propio vecindario, es otra historia. La desorientación en el tiempo o el espacio es un síntoma temprano del Alzheimer. Si olvida fácilmente qué día es o cómo llegar a un lugar familiar, debe consultar al médico.

Dificultades para "sumar". Quizás la matemática fue su peor materia en la escuela. Aún así, si resolver problemas matemáticos simples resulta cada vez más difícil, es posible que tenga un problema. La matemática requiere el pensamiento abstracto, conectar símbolos (o números) con un significado. El pensamiento abstracto es una de las primeras habilidades que se pierden con el Alzheimer.

Llegar a la raíz del Alzheimer

Parece como que cada día alguien presenta una nueva teoría sobre la causa del mal de Alzheimer. Si bien aún nadie ha establecido con exactitud una causa específica, los investigadores continúan realizando esfuerzos para comprender la raíz del problema. Y han presentado varias posibilidades promisorias que pueden ayudarlo a evitar esta enfermedad que produce pérdida de la memoria.

Las apoplejías leves pueden ser dañinas. Las apoplejías pueden matarlo o paralizarlo, pero las nuevas investigaciones han descubierto que aún las leves que no causan daños tan obvios pueden contribuir con el Alzheimer.

Los investigadores hallaron que si sufre una o dos apoplejías leves en ciertas regiones del cerebro, el riesgo de Alzheimer aumenta drásticamente. Estudiaron más de 100 mujeres para encontrar las lesiones delatoras del mal de Alzheimer. Entre las mujeres que tenían muchas lesiones, las que tenían las apoplejías leves tenían una probabilidad 20 veces mayor de sufrir demencia que las mujeres que nunca habían sufrido una apoplejía.

Ciertos trabajos pueden ser riesgosos. Las personas que tienen trabajos que requieren herramientas con motores eléctricos tienen más probabilidad de desarrollar Alzheimer. Estas herramientas pueden emitir campos electromagnéticos que pueden contribuir al desarrollo de la enfermedad.

Los costureros, los modistos y los sastres, que trabajan inclinados sobre máquinas de coser eléctricas, tienen una probabilidad tres veces mayor de padecer Alzheimer que la mayoría de las personas. Las únicas ocupaciones con un riesgo mayor de Alzheimer son los trabajadores de líneas de alta tensión y los soldadores.

Los peligros ambientales presentan un riesgo. Las personas que están expuestas a soluciones solventes en el trabajo, como los pintores, tienen más probabilidades de padecer Alzheimer. Y algunas investigaciones indican que los pesticidas, como el DDT, pueden contribuir con la enfermedad. Si tiene que manejar solventes químicos o pesticidas en el trabajo o en el hogar, manipúlelos con cuidado.

Es posible una relación causal con un virus/una bacteria. Algunos científicos consideran que una infección en el cerebro puede causar el Alzheimer. Esta infección puede ser causada por un virus o una bacteria. Cuando los científicos analizaron los cerebros de personas que murieron de

Alzheimer, encontraron una bacteria llamada *Chlamydia pneumoniae* en zonas dañadas por el Alzheimer. No obstante, aún no saben si la bacteria podría haber producido el Alzheimer o si ingresó en el cerebro después que éste fue dañado.

Los minerales comunes pueden ser tóxicos. En el tejido cerebral de personas con el mal de Alzheimer se han encontrado pequeñas cantidades de ciertos elementos traza, como el zinc y el aluminio. Los investigadores no están seguros de si dichas sustancias causaron la enfermedad o fueron originadas por la misma.

- **Zinc.** Si presenta factores de riesgo de Alzheimer, es una buena idea verificar la etiqueta de los suplementos que esté tomando. Las investigaciones hallaron que grandes cantidades del mineral de zinc pueden causar placas similares a las encontradas en el cerebro de las personas con Alzheimer. Se desconoce si el exceso de zinc puede causar realmente el Alzheimer, pero sería recomendable limitar su ingesta a no más que la ración recomendada de 8 a 11 mg por día.
- **Aluminio.** Este mineral es uno de los factores de riesgo de Alzheimer más controvertidos. Puede obtenerlo de muchas fuentes, que incluyen los elementos de cocina de aluminio y los antitranspirantes, pero también se encuentra habitualmente en el suministro de agua. Los expertos aún están en desacuerdo sobre si contribuye al Alzheimer o no, pero la mayoría no cree que el aluminio en el agua potable plantee una amenaza seria a su memoria. No obstante, si desea ser cauteloso, puede solicitar que le hagan una prueba, o simplemente compre agua embotellada.

Un aminoácido puede aumentar el riesgo. El aminoácido homocisteína ha sido asociado con un mayor riesgo de cardiopatías y apoplejías, y ahora también ha sido asociado con el Alzheimer. Los investigadores han hallado que las personas con Alzheimer tienen más probabilidad de tener niveles de homocisteína elevados en la sangre.

Se necesitan más investigaciones para determinar si el exceso de homocisteína puede ser una causa o un resultado de la enfermedad. Pero si resulta ser un factor, en realidad serían buenas noticias. Los investigadores han hallado que las vitaminas del complejo B, particularmente el ácido fólico, resultan muy efectivas para reducir los niveles de homocisteína.

Siete pasos simples para prevenir el Alzheimer

Una de cada diez personas mayores de 85 años padece el mal de Alzheimer. Y se calcula que 14 millones de estadounidenses lo desarrollarán antes de mediados del próximo siglo a menos que se encuentre una cura. Si desea evitar convertirse en una estadística del Alzheimer, debe iniciar el camino de la prevención ahora.

Tome una aspirina y aférrese a sus recuerdos. Algunos médicos consideran que el tejido cerebral inflamado podría contribuir al Alzheimer. Eso significaría que los AINE (antiinflamatorios no esteroides), como la aspirina y el ibuprofeno, podrían ayudar a prevenir o tratar la enfermedad al reducir la inflamación.

Las investigaciones indican que esto podría ser verdad. Un estudio de 50 gemelos de edad avanzada halló que el gemelo que utilizó AINE tenía menos probabilidad de desarrollar Alzheimer, o lo desarrolló más adelante, que el gemelo que no utilizó AINE.

Estos remedios prometedores y económicos pueden ser justo lo que necesita para detener el avance del mal de Alzheimer. No obstante, tomar demasiados fármacos antiinflamatorios puede producir efectos secundarios, principalmente irritación o sangrado del estómago; por lo tanto, consulte a su médico antes de iniciar cualquier tratamiento.

Reduzca la velocidad del Alzheimer de un modo fácil. Una vitamina simple puede ayudarlo a ganar algo de tiempo antes de que el Alzheimer le quite su salud. Esta vitamina milagrosa, que según un estudio reciente puede disminuir la progresión del Alzheimer, es la vitamina E, el antioxidante tan promocionado.

Los investigadores dividieron a las personas con Alzheimer en cuatro grupos. A un grupo le administraron 2.000 UI de vitamina E por día. Otro grupo recibió selegilina, un fármaco que se utiliza para tratar el mal de Parkinson. Los otros grupos recibieron una combinación de vitamina E y selegilina o un placebo.

Las personas que recibieron la vitamina E o la selegilina fueron capaces de cuidarse sin ayuda durante mucho tiempo y el ingreso a un asilo de ancianos se postergó por aproximadamente siete meses, en comparación con las personas que recibieron el placebo.

Una dosis de 2.000 UI es mucho más elevada que la que se encuentra en los suplementos y podría causar problemas de sangrado; por lo tanto, consulte a su médico antes de tomar vitamina E. Un simple complejo multivitamínico que contenga este poderoso antioxidante puede ser todo lo que necesita para mantener su independencia durante más tiempo.

Descubra un modo natural de dejar atrás el Alzheimer. Una hierba que supuestamente mejora su memoria seguramente ayudará a combatir una enfermedad que gradualmente le quita todos sus recuerdos, ¿no es así?

Según una nueva investigación, si lo es. Un estudio halló que un extracto hecho con los frutos, las hojas y las ramas de la planta del ginkgo biloba puede retrasar el curso del mal de Alzheimer en algunas personas. En el estudio, un número importante de personas con Alzheimer que tomó el extracto retrasó la progresión de la enfermedad por un período de entre seis meses y un año.

Este efecto es casi el mismo que el obtenido con los dos medicamentos de venta con receta aprobados por la FDA para tratar el Alzheimer (Aricept y Cognex) y no produjo efectos secundarios significativos.

Deje de fumar y el Alzheimer se hará humo. Usted sabe que fumar es malo para los pulmones, pero, ¿qué efecto tiene sobre el cerebro? Algunos estudios anteriores llegaron a la sorprendente conclusión de que fumar puede protegerlo contra el Alzheimer. Estos informes se basaban en el hecho de que hay más personas no fumadoras que padecen Alzheimer.

Pero un estudio reciente halló que en realidad, fumar aumenta sus posibilidades de Alzheimer y otras formas de demencia. Se realizó un seguimiento durante más de dos años a más de 6.000 personas de 55 años o mayores. Casi 150 personas desarrollaron Alzheimer u otra forma de demencia durante ese período. Según los investigadores, fumar duplicó el riesgo de la enfermedad.

¿Por qué esa diferencia en los resultados? Puede ser que los no fumadores viven más, y, por lo tanto, tienen más tiempo para desarrollar la enfermedad. El hábito de fumar es la causa número uno de muerte prematura en los países desarrollados como los Estados Unidos. Dado que el Alzheimer afecta principalmente a las personas mayores, es posible que los fumadores no se vean afectados porque mueren por cáncer de pulmón u otras causas antes de que se pueda desarrollar el Alzheimer.

Busque la ayuda de las hormonas. Las mujeres tienen el doble de probabilidad de desarrollar el mal de Alzheimer que los hombres. No obstante, un estudio con una gran cantidad de pacientes realizado por el Instituto Nacional de la Vejez halló que las mujeres posmenopáusicas que utilizaban estrógenos tenían un 54% menos de probabilidad de desarrollar Alzheimer que las mujeres que nunca habían tomado estrógenos.

Otro estudio halló que el estrógeno también puede ayudar a aliviar los síntomas del Alzheimer. Las mujeres que ya tenían la enfermedad fueron tratadas con estrógeno. En una semana, estas mujeres mostraron signos de mejoría, mientras que las mujeres que no recibieron estrógeno no lo hicieron.

Aprenda algo nuevo cada día. La educación puede ser la clave del éxito, pero también puede ser la clave para eludir el Alzheimer. Los estudios recientes han hallado que cuanto mayor sea su nivel de educación, menor será su riesgo de Alzheimer.

La educación puede proteger su cerebro indirectamente al hacer que usted coma mejor, se ejercite y obtenga buena atención médica. Sin embargo, lo más importante que hace es aumentar las conexiones entre sus células cerebrales. El mal de Alzheimer destruye las líneas de comunicación, llamadas sinapsis, entre las células cerebrales. Cada vez que aprende algo nuevo, crea nuevas conexiones, y así fortalece su memoria y combate el Alzheimer.

Para mantener al Alzheimer bien lejos, trate de aprender algo nuevo cada día. Un crucigrama, un juego de palabras, un rompecabezas o un libro nuevo interesante lo ayudará a mantener en movimiento.

Angina

Alivio del dolor de angina

Finalmente llegó la primavera y usted está trabajando en su jardín por primera vez después de meses. En realidad disfruta del trabajo duro hasta que siente una pequeña opresión en el pecho, que luego se convierte en franco dolor. Ya sea si es la primera vez que siente dolor de angina, o si es una vieja sensación que le resulta familiar, saber cómo manejar el problema de la mejor manera es de gran ayuda.

La angina se presenta cuando una parte del músculo del corazón no recibe suficiente sangre y, por lo tanto, no recibe suficiente oxígeno. Esto sucede habitualmente cuando la necesidad de oxígeno del corazón aumenta de pronto, como por ejemplo, durante la actividad física. El estrés, una comida pesada, el calor o el frío extremo y los cigarrillos también pueden desencadenar este problema cardíaco.

Ejercítese con moderación. Quizás no parezca lógico recomendar ejercicio físico a alguien con angina cuando el ejercicio es el principal factor desencadenante. Pero el ejercicio regular y moderado fortalecerá su corazón y hará más saludables a los vasos sanguíneos para que éstos transporten el oxígeno. Colabore con su médico para desarrollar un programa de ejercicios adecuado para usted. Generalmente se recomienda caminar, comenzando con caminatas cortas de cinco minutos y aumentando gradualmente el tiempo hasta 30 minutos, al menos dos o tres días por semana.

Abandone el hábito. Si fuma y tiene angina, tiene otro excelente motivo para abandonar al hábito. La próxima vez que esté por encender un cigarrillo, piense en cuánto le duele el pecho durante un ataque de angina, y en cambio, solicite ayuda para abandonar el hábito. Su médico puede recomendarle estrategias para ayudarlo a dejar de fumar.

Disminuya el estrés. Todos sufren de estrés en la vida, pero si usted aprende a manejarlo de mejor manera, puede mejorar la angina. Piense qué tipos de situaciones le producen tensión y trate de evitarlas. Por supuesto que es imposible evitar todas las situaciones estresantes, entonces trate de aprender técnicas para manejar el estrés. (Consulte el capítulo *Estrés* para obtener más información.)

Limite las grasas y pierda peso. Demasiada grasa en la dieta y en el cuerpo contribuye a obstruir las arterias, lo que produce la angina. A muchas personas les sucede que cuando pierden esos kilos de más, la angina desaparece.

Tome una aspirina. Quizás ya sabe que una aspirina al día puede ayudar a prevenir ataques cardíacos y apoplejías, pero, ¿sabe qué? — también puede ayudar a disminuir la angina. La dosis recomendada para la angina es de 75 a 325 mg por día, pero consulte a su médico antes de comenzar el tratamiento con aspirina.

Tenga la nitro a mano. Si le han diagnosticado angina, es posible que su médico le haya recetado nitroglicerina. No obstante, no será de gran ayuda si está en el botiquín cuando tiene un ataque de angina en el campo de golf. Llévela con usted en todo momento.

Contrólese la presión arterial. Cuanto más baja es la presión arterial, menor será la carga de trabajo del corazón y menor será la cantidad de oxígeno que necesita. Controle su ingesta de grasas y sal y evite los medicamentos de venta libre que pueden elevar su presión arterial. Si su médico le ha recetado medicamentos para disminuir la presión arterial, asegúrese de tomarlos según las indicaciones. (Consulte el capítulo *Presión arterial alta* para obtener más información.)

Coma poca cantidad. Comer una comida pesada puede producir un ataque de angina porque su digestión demanda demasiada cantidad de sangre. Comer comidas más pequeñas y con más frecuencia puede ayudar a evitar esa situación.

Aprender más sobre la angina lo ayudará a comprenderla y controlarla mejor. Para obtener más información comuníquese con:

- American Heart Association, 7272 Greenville Ave., Dallas, TX, 75231, teléfono: (800) AHA-USA1
- National Heart, Lung, and Blood Institute Information Center, P.O. Box 30105, Bethesda, MD, 20824-0105, teléfono: (301) 592-8573
- The Mended Hearts, Inc., 7272 Greenville Ave., Dallas, TX, 75231-4596, teléfono: (214) 706-1442

Nuevos y sorprendentes tratamientos para la angina

A veces los cambios del estilo de vida alivian los síntomas de la angina, pero cuando subir una pequeña cuesta se convierte en una terrible experiencia que requiere varias paradas y varias pastillas de nitroglicerina, es posible que necesite un tratamiento médico importante. En ese caso, debe saber que ahora hay nuevas opciones disponibles.

Si bien muchos factores pueden desencadenar un ataque de angina, los verdaderos culpables del dolor son generalmente los depósitos grasos que obstruyen las arterias. Esta obstrucción en las arterias dificulta el paso de la sangre hacia el corazón. Los tratamientos convencionales que los médicos generalmente recomiendan para desbloquear las arterias son la angioplastia con globo o la cirugía de revascularización.

La angioplastia consiste en insertar un catéter con un globo en un extremo en la arteria obstruida y luego inflarlo, lo que abre las paredes de la arteria. No obstante, cerca del 30 por ciento de las angioplastias fracasan porque la arteria vuelve a cerrarse. La cirugía de revascularización también puede fracasar, y es una cirugía sumamente traumática.

Afortunadamente, los investigadores están descubriendo constantemente más opciones para el tratamiento de la angina. Algunas técnicas nuevas y apasionantes pueden hacer que el cuerpo realice un tipo de revascularización natural — hacer crecer vasos sanguíneos nuevos para reemplazar los obstruidos.

Revascularización de arterias viejas con genes nuevos. En una técnica llamada terapia génica, los médicos inyectan el gen que codifica para una proteína llamada factor de crecimiento endotelial vascular, o VEGF, en el corazón. Sorprendentemente, esta proteína estimula el crecimiento de nuevos vasos sanguíneos desde los existentes. Estos nuevos vasos pasan por algo los vasos obstruidos y transportan más sangre rica en oxígeno al músculo del corazón. Y la mejor noticia es que tienen menos probabilidad que las arterias originales de obstruirse en el futuro.

Un efecto secundario potencial es el crecimiento de hemangiomas, es decir, masas de tejido vascular anormal. Un estudio en ratas halló que algunas ratas desarrollaron hemangiomas, pero hasta el momento, esto no se ha observado en seres humanos. El problema principal es que a veces el tratamiento no es efectivo, aunque la tasa de éxito ha sido bastante alta. De los primeros 82 pacientes que recibieron la terapia génica, 60 mostraron signos de crecimiento de nuevos vasos.

El tratamiento aún está en una etapa experimental, pero los resultados son promisorios. Es mucho menos traumático para el paciente que la cirugía de revascularización y probablemente será menos costoso, lo que es una buena noticia para las personas que padecen angina.

Estimulación de vasos nuevos con brazaletes inflables. Un nuevo tratamiento llamado contrapulsación externa puede estimular el crecimiento de nuevos vasos sanguíneos de la misma manera que la terapia génica, pero sin las inyecciones.

En la contrapulsación externa se colocan brazaletes inflables alrededor de las pantorrillas, los muslos y los glúteos. Luego, se inflan y desinflan, lo que impulsa el flujo de sangre hacia el corazón. Esto hace que los pequeños vasos alrededor del corazón se expandan y transporten más sangre. Después de varios tratamientos, los pequeños vasos se convierten en abastecedores permanentes del corazón.

Es posible que su médico no esté familiarizado con la EECP, pero está disponible en estos centros médicos importantes: Clínica Mayo, Rochester, Nueva York; Hospital de la Fundación Ochsner, Nueva Orleáns, Louisiana; centros médicos de la Universidad de San Diego y San Francisco en California; y los centros médicos de la Universidad de Florida, la Universidad de Pittsburgh y la Universidad de Virginia.

Perfore su corazón para obtener un alivio inmediato. En esta técnica, llamada revascularización transmiocárdica, los médicos utilizan un láser para hacer pequeñas perforaciones en el músculo del corazón. Suena espeluznante, pero no hay de qué preocuparse. Las perforaciones se cierran en la parte externa del corazón casi de inmediato, mientras que los canales creados por el láser permanecen abiertos en el interior del músculo.

Estos canales se llenan de sangre que trae el tan necesitado oxígeno al corazón. Probablemente es por eso que las personas a menudo sienten un alivio inmediato de la angina con este método. Sin duda alguna ofrece un alivio a corto plazo, pero también puede mantener su eficacia a largo plazo. Un estudio halló que después de casi tres años, las personas que habían sido tratadas con la revascularización transmiocárdica aún mantenían su mejoría.

Gracias a estos tratamientos poco comunes la cirugía a corazón abierto ya no es necesaria para muchos pacientes cardíacos. Si su médico le recomienda la angioplastia o la cirugía de revascularización para su angina, pregúntele por estas opciones nuevas antes de tomar una decisión.

Aumente el poder curativo de su medicamento

En el humor, el momento oportuno es lo más importante. Cuando se trata de tomar su medicamento, el momento también puede ser importante, y los resultados de un momento no oportuno podrían no ser una cuestión divertida, especialmente cuando se trata de su corazón.

Su cuerpo tiene ciertos ritmos, lo que significa que los medicamentos pueden afectarlo en forma diferente en los distintos momentos del día. Si toma sus medicamentos en el momento adecuado, puede aumentar su efectividad y mejorar las posibilidades de sentirse mejor. Por otro lado, si los toma en un momento no oportuno, puede evitar que el medicamento actúe con todo su poder y no obtener todos los beneficios.

Una o dos horas después de levantarse es el momento en que más probablemente sufra un ataque cardíaco o una apoplejía. Si sufre de angina, también es el momento en que más probablemente tenga un ataque de dolor en el pecho. La mayoría de los pacientes con angina se siente peor a la mañana y gradualmente mejora a medida que el día avanza.

Existen varias razones posibles para esto. El volumen sanguíneo para el corazón tiende a disminuir a la mañana, la sangre tiende a coagular más y las arterias son más estrechas. La presión arterial también desciende naturalmente a la noche a medida que el cuerpo se prepara para dormir y aumenta en cerca de un 20 por ciento inmediatamente después de despertarse.

Debido a esto, algunos medicamentos para la angina son de liberación prolongada, de manera que si se toman a la noche actúan con la máxima efectividad a la mañana, cuando más se necesitan.

No obstante, los medicamentos para la presión arterial pueden actuar mejor si se los toma inmediatamente después de despertarse, y no después de ducharse, afeitarse, vestirse y hacer el desayuno.

Las cardiopatías no son las únicas afecciones que pueden beneficiarse al tomar los medicamentos en el momento oportuno. En un estudio, los niños con leucemia que tomaban su medicamento de mantenimiento a la noche tenían una probabilidad tres veces menor de tener una recaída que los niños que tomaban su medicamento a la mañana.

Otras afecciones que pueden beneficiarse con la administración de los medicamentos en el momento oportuno incluyen:

- **Asma.** Algunos fármacos utilizados para tratar el asma actúan mejor cuando se toman a últimas horas de la tarde en vez de en la mañana.
- **Artritis.** Si siente más molestias por la artritis a la mañana, los antiinflamatorios no esteroides (AINE) actúan mejor si se toman a la noche. Si siente más dolor a la noche, los AINE actúan mejor si se los toma cerca del mediodía.
- **Úlceras.** Los medicamentos para las úlceras, como la cimetidina (Tagamet) y la famotidina (Pepcid), actúan mejor si se los toma una vez al día con la comida de la noche.

Siempre que su médico le de una receta, asegúrese de preguntarle si es mejor tomar el medicamento en un momento del día en particular. Incluso sería recomendable fijar una alarma diaria para aprovechar el "poder curativo" adicional que le proporcionará el momento oportuno.

Cómo descifrar el código de la receta

Cuando el médico le escribe una receta, ¿parece como que estuviera escrita en griego? En realidad, es latín. La mayoría de las indicaciones en la receta se basa en una palabra o frase en latín. Si desea entender el sentido, aquí hay algunas abreviaturas frecuentes.

Abreviatura	*Significado*
a.c.	antes de las comidas
ad lib	la cantidad que desee
b.i.d.	dos veces al día
h.	hora
h.s.	a la hora de acostarse
p.	después
p.c.	después de las comidas
p.o.	por boca
p.r.n.	según sea necesario
q.	cada
q.4 h.	cada cuatro horas
q.d.	todos los días
q.i.d.	cuatro veces al día
q.o.d.	día por medio
Rx	receta
stat.	inmediatamente
t.i.d.	tres veces al día

Artritis

Domine el dolor de la artritis cambiando lo que come

Si le duele el estómago, lo primero que piensa es: "Debe ser algo que comí". Probablemente nunca asociaría un dolor articular con la dieta, pero las investigaciones indican que los alimentos que consume pueden mejorar o empeorar su artritis. Para encontrar un alivio para el dolor, pruebe cambiando su dieta.

Sirva más pescado en su plato. Si le resulta difícil levantarse de la cama a la mañana por el dolor articular, es posible que deba comer más pescado. Varios estudios han hallado que los ácidos grasos omega3, que se encuentran en los pescados grasos, pueden ayudar a aliviar el dolor y la rigidez articular causados por la artritis.

Comer pescado también puede ayudarlo a protegerse contra el desarrollo de la artritis. Un estudio con una gran cantidad de pacientes halló que las mujeres que comían al menos una o dos porciones de pescado por semana tenían un 22 por ciento menos de probabilidades de desarrollar artritis, en comparación con las que comían menos pescado.

Los tipos de pescado ricos en omega3 incluyen el atún, las sardinas, el salmón, el arenque, el pescado azul, la caballa, la trucha, las anchoas y el pescado blanco de lago. Si el pescado no le atrae mucho, puede obtener ácidos omega3 en cápsulas de aceite de pescado. La dosis más efectiva para aliviar los síntomas de la artritis es de entre 3 y 5 gramos por día, pero pueden pasar varias semanas antes de notar alguna mejoría.

Saboree algunos aceites de plantas. Si tiene artritis reumatoidea, reemplazar algunas de las grasas de su dieta por el aceite de oliva puede beneficiar a sus articulaciones doloridas. Un estudio halló que una dieta mediterránea rica en aceite de oliva redujo la producción de una sustancia que causa inflamación en la artritis reumatoidea.

Algunos aceites poco comunes también pueden ayudar a reducir la inflamación articular en las personas con artritis reumatoidea. Estos aceites incluyen el aceite de primavera nocturna, de linaza, de colza y de semilla de borraja. Contienen un ácido graso similar al omega3 llamado ácido gamalinolénico. Dado que estos aceites no se encuentran habitualmente en los alimentos que come, puede obtenerlos de los suplementos. La dosis efectiva es de 1 a 2 gramos por día.

Otro estudio reciente halló que una combinación inusual de aceites de plantas puede reducir el dolor de la osteoartritis. Los investigadores administraron un extracto de aceite hecho de granos de soja y aguacate, llamado aceite no saponificado de soja/aguacate, o un placebo a las personas con osteoartritis grave de la cadera o la rodilla. Después de dos meses, las personas del grupo con aceites no saponificados de soja/aguacate tenían significativamente menos dolor e incapacidad que las personas que tomaron el placebo. No se informaron efectos adversos y las personas en el estudio que tomaron las cápsulas de aceite no saponificado de soja/aguacate continuaron sintiendo algunos beneficios durante dos meses después del fin del estudio.

Sáciese con verduras. Los estudios indican que una dieta vegetariana puede reducir los síntomas de la artritis reumatoide. No está claro por qué el vegetarianismo parece ser bueno para la artritis — si es un efecto positivo de los alimentos que consume o de los alimentos que no consume, como la carne roja. Los científicos piensan que la carne afecta el tipo de ácidos grasos en la sangre, lo que puede producir inflamación.

Si decide evitar la carne, asegúrese de obtener las proteínas suficientes de otras fuentes. Las alubias, las arvejas, el pan, el maíz, los frutos secos y el germen de trigo son buenas fuentes de proteína.

Coma uvas. Habrá escuchado que beber cantidades moderadas de vino tinto puede ser bueno para su corazón. Se cree que una sustancia de la piel de uva utilizada para hacer el vino — trans-resveratrol — es responsable de ese beneficio para la salud. Ahora las investigaciones indican que el trans-resveratrol también puede ayudar a reducir la inflamación que contribuye al dolor de artritis.

Un estudio en tubos de ensayo halló que el trans-resveratrol bloquea la activación de un gen que contribuye a la producción de una enzima que participa en la producción de las prostaglandinas. Las prostaglandinas son sustancias como las hormonas que causan inflamación. Aunque la investigación es aún preliminar y no ha sido probada en seres humanos, es probable que pronto se entere de que el trans-resveratrol se puede utilizar para reducir la inflamación en las personas con artritis.

Dado que no hay certeza sobre el efecto del trans-resveratrol para aliviar la artritis, no comience a beber alcohol ni aumente la cantidad que bebe, especialmente si actualmente está tomando medicación para el dolor causado por artritis. Existe un modo saludable e inofensivo para obtener el trans-resveratrol, que combate la inflamación — coma más uvas.

Agregue sabor a su vida. Si disfruta de la picante comida hindú, puede estar obteniendo ayuda adicional para el dolor de artritis. La cúrcuma, el ingrediente principal del curry, contiene una sustancia antioxidante natural y antiinflamatoria llamada curcumina. La curcumina le da a la cúrcuma su color amarillo y los investigadores piensan que puede bloquear la liberación de compuestos que causan inflamación articular.

Recurra al jengibre. Esta especia puede actuar como antiinflamatorio natural ya que reduce la inflamación y el dolor en las articulaciones artríticas. En un estudio realizado en Dinamarca, los investigadores dieron jengibre a las personas con dolor de artritis o muscular y hallaron que aliviaba las molestias musculares, el dolor y la inflamación en un 75% de las personas. Estas personas recibían un promedio de 5 gramos de jengibre fresco o 1 gramo de jengibre en polvo por día.

Elimine a los responsables. En la artritis reumatoidea, el mismo sistema inmunológico del organismo envía células que atacan las articulaciones, lo que causa una inflamación muy dolorosa. Cuando consume un alimento al que es alérgico, su sistema inmunológico libera células para combatir la sustancia agresora, pero en lugar de eso, esas células pueden terminar atacando sus articulaciones.

Para averiguar si las alergias a los alimentos están causando su artritis, trate de eliminar ciertos alimentos de su dieta de a uno hasta que note una mejoría. Sólo recuerde que los síntomas de la artritis tienden a aparecer y desaparecer, y el alivio que siente después de eliminar un alimento en particular puede ser una coincidencia. Pruebe comiendo nuevamente el alimento que produce el problema para ver si causa los síntomas.

Generalmente se considera que los siguientes alimentos agravan la artritis: leche, camarones, productos del trigo, ciertas carnes y las verduras solanáceas como los tomates, las papas, la berenjena y los pimientos.

Las vitaminas de múltiples propiedades previenen el dolor de artritis

Así como sólo una dosis de abono de buena calidad le puede dar plantas exquisitas y florecientes, los alimentos cargados de nutrientes le darán un cuerpo fuerte y sano. Pero ciertos nutrientes pueden hacer más que simplemente mejorar su bienestar general — pueden combatir las enfermedades y el dolor. Según una investigación médica reciente, la artritis es una de las enfermedades que puede responder a las vitaminas.

El ácido fólico y las vitaminas B12, C y D se han convertido en parte de la defensa de primera línea contra la osteoartritis, una afección dolorosa de las articulaciones que afecta a más de 50 millones de personas en los Estados Unidos. La osteoartritis hace que el cartílago en las articulaciones se deteriore. Las articulaciones ya no pueden moverse suavemente y es posible que sienta mucho dolor. Afortunadamente, estas vitaminas increíbles pueden ayudar.

Diga no al dolor con las vitaminas del complejo B. Un grupo de investigadores en Missouri estudió a las personas con osteoartritis en las articulaciones de las manos. Las personas que recibieron una combinación de dos vitaminas del complejo B, ácido fólico (vitamina B9) y cobalamina (vitamina B12) tenían la misma capacidad para asir cosas que las personas que recibieron AINE (fármacos antiinflamatorios no esteroides), como la aspirina o el ibuprofeno. Además, las personas que tomaban los suplementos vitamínicos tenían menos articulaciones doloridas que las que tomaban AINE. El dolor no desapareció por completo en las personas que tomaban las vitaminas, pero se podía controlar fácilmente con paracetamol (Tylenol) en los casos necesarios.

Un beneficio importante de tomar las vitaminas del complejo B para la artritis es que no tienen los efectos secundarios no saludables que tienen los AINE. Las personas del estudio tomaron 6.400 mcg (microgramos) de ácido fólico y 20 mcg de cobalamina por día.

Si desea probar estas vitaminas para aliviar el dolor de artritis, solicite a su médico que le haga una receta. Esto le permitirá obtener una dosis lo suficientemente grande en forma práctica y económica.

Proteja sus articulaciones con vitamina C. Esta conocida vitamina es abundante en muchas de los alimentos que consume, como las naranjas, las frutillas, los cantalupos, los pimientos rojos dulces, los tomates, los repollitos de Bruselas y las hojas de berza. También es un suplemento común disponible en todas las farmacias y la mayoría de las tiendas de descuento y de alimentos.

La vitamina C es importante por sus propiedades antioxidantes — combate naturalmente las enfermedades y los daños en muchas partes de su cuerpo. Según un estudio reciente en el Centro Médico de la Universidad de Boston, una de las áreas en las que ayuda es el cartílago de las rodillas.

Se estudió un grupo de 640 personas para analizar si una ingesta alta de vitamina C prevendría la pérdida del cartílago y la osteoartritis en la articulación de la rodilla. En las personas que consumieron la menor cantidad de vitamina C, la enfermedad progresó tres veces más rápido que en las que tuvieron la ingesta más alta.

Las personas que recibieron grandes cantidades de vitamina C también sintieron menos dolor en las rodillas. Considerando los beneficios, no hay nada que perder y mucho que ganar al aumentar la ingesta de vitamina C. Algunos expertos recomiendan consumir al menos dos veces la ración diaria recomendada (RDA) de 75 miligramos (mg) para las mujeres y 90 para los hombres. Un vaso de jugo de naranja fresco tiene aproximadamente 120 mg.

Si bien los alimentos de origen natural son mejores, generalmente es seguro tomar un suplemento si es necesario.

Fortifique sus cartílagos con vitamina D. Aquí es donde participa la vitamina D. El calcio constituye los componentes básicos de los huesos, pero se necesita la vitamina D para que el cuerpo lo absorba. Los médicos que recientemente investigaron el rol de la vitamina D en la osteoartritis piensan que el cartílago de las articulaciones puede protegerse con la vitamina. Consideran que también es posible que la vitamina D verdaderamente mantenga intactos los huesos de las articulaciones. No importa cómo actúa — los resultados son claros. Si tiene osteoartritis, asegúrese de que está obteniendo suficiente vitamina D. Si su ingesta es baja, el riesgo de que su artritis empeore es tres veces mayor.

La mejor fuente de este valioso nutriente es simplemente el sol. Cuando se expone a la luz solar, el cuerpo produce vitamina D. Si se expone al sol durante aproximadamente 30 minutos todos los días, obtendrá lo que necesita. También puede encontrar la vitamina D en la leche fortificada, los camarones hervidos, los huevos y los pescados grasos como el salmón, el atún y las sardinas. Sólo tome suplementos de vitamina D bajo supervisión médica — el exceso puede ser tóxico. Si vive en un clima más nublado que soleado, o no puede salir mucho al aire libre, ésta puede ser una buena opción para usted.

Ahora que sabe lo que el ácido fólico y las vitaminas B12, C y D pueden hacer para la osteoartritis, no hay razón para no aprovechar estos poderosos nutrientes y mantener el dolor y la rigidez articular bajo control.

Haga frente a la artritis con estos 10 consejos

Una gran parte de la vida consiste en aprender a manejar los desafíos y averiguar cuáles estrategias funcionan y cuáles no funcionan para usted. Si tiene artritis, aquí hay algunos modos en que puede adaptar su entorno para que le resulte más fácil enfrentar los desafíos.

- Para poder asir un lápiz o una lapicera con más facilidad, solicite a alguien que enrolle una banda elástica justo debajo del área donde reposan los dedos. O quite el centro de plástico de un rulero de gomaespuma e introduzca un lápiz en el centro de la gomaespuma. También puede obtener una empuñadura para lápiz hecha de goma blanda donde se venden insumos escolares. Una birome es más fácil de usar que un marcador o un lápiz.
- Solicite a alguien que lo ayude a levantar la cama. No tendrá que inclinarse cuando la haga. Utilizar sábanas tejidas que se estiran también ayudará a que pueda hacer la cama con facilidad.
- Para ayudarlo a meter las sábanas y frazadas debajo del colchón, utilice una pala de pizza de madera.
- Contemple la posibilidad de comprar un teléfono con parlante y altavoz para reemplazar su teléfono común, de manera de no desarrollar dolor o rigidez en el cuello y los hombros por sostener el auricular durante mucho tiempo.
- Cuando lea, coloque el libro sobre varias almohadas en su falda para levantarlo hasta una altura cómoda. Para dar vuelta las páginas de un libro, utilice el extremo con goma de un lápiz o un dedo de goma. Sople suavemente en los bordes para separar las páginas.
- Para jugar a las cartas sin que le duelan las manos, inserte las cartas en el costado de una caja cerrada de papel de aluminio o papel encerado. También puede poner el fondo de una caja de zapatos en la tapa y colocar las cartas en el espacio entre la caja y la tapa.
- En la cocina, cree un espacio de trabajo más bajo para poder sentarse mientras trabaja. Saque un cajón y coloque una placa para horno sobre la apertura. Haga rodar los frascos y botellas sobre la

mesada en lugar de agitarlos. Podrá abrir una botella o un frasco con más facilidad si solicita a alguien que enrolle una banda elástica alrededor de la tapa.

- Si tiene dificultad para asir la manija de la puerta de su automóvil, especialmente cuando está frío o húmedo, pegue un pedazo de goma (como el que utiliza para abrir los frascos) en el lado de abajo de la manija. El volante será más fácil de asir si lo acolcha con una cubierta de espuma (disponible en las tiendas para automotores). Y agregue más almohadones al asiento del automóvil para que la espalda, las caderas y las piernas estén cómodos mientras maneja.
- Si tiene dificultades para estar parado para ducharse, haga la prueba de poner una silla de jardín con asiento entramado en la ducha para poder sentarse mientras se baña. Es más fácil secarse después de una ducha poniéndose una bata de toalla. Y si está bañando a un bebé en una pileta o en la bañera, utilice un guante de algodón suave en la mano con que lo sostiene para evitar que se le resbale.
- Cuando se vista, primero póngase la prenda en su miembro más débil. Cuando se desvista, primero quítese la prenda del miembro más fuerte. Utilice medias hasta la rodilla o hasta el muslo para eliminar la complicación de ponerse una pantimedia.

Libere las articulaciones doloridas de las rodillas con tai chi

Hace años, los médicos no aconsejaban hacer actividad física a las personas con artritis. Creían que demasiada actividad empeoraría la artritis. Pero ahora los estudios demuestran que si no utiliza los músculos, perderán fuerza, y las articulaciones que no mueve serán cada vez más rígidas.

La actividad física puede reducir la cantidad de medicamentos que necesita para controlar el dolor y aumentar la fuerza y la flexibilidad. Incluso puede demorar o prevenir que se desarrolle artritis en otras articulaciones. No obstante, el ejercicio inadecuado puede dañar sus articulaciones aún más y empeorar su artritis. ¿Qué debe hacer una persona?

Quizás sea hora de probar un tipo diferente de actividad física — tai chi. Este arte marcial "suave" (distinto del karate, con patadas y puñetazos agresivos) ha sido comparado con la danza por sus movimientos lentos y suavemente rítmicos, que se continúan uno después del otro. Y los pasos siempre se practican en el mismo orden — como una coreografía de baile. Esto hace que sea rápido de aprender y fácil de recordar.

Y lo mejor de todo, el tai chi ha probado ser de gran ayuda a las personas con artritis. Es un ejercicio que involucra las principales articulaciones del cuerpo y es bueno para cualquier edad. Puede hacerlo a su propio ritmo y comenzar a notar los resultados de inmediato.

Pregúntele al Dr. Paul Lam, un médico de familia de Sydney, Australia. Comenzó a practicar tai chi hace más de 20 años cuando se dio cuenta de que tenía síntomas de artritis. Controló su artritis y siguió participando en competencias de tai chi, incluso ganó una medalla de oro.

Mientras enseñaba a otras personas a practicar tai chi a lo largo de los años, el Dr. Lam adaptó las formas tradicionales para que resultara más fácil a las personas con problemas de salud. Finalmente desarrolló un programa de 12 movimientos específicamente para las personas que sufren artritis. Su programa *Tai Chi para la artritis* es considerado por la Fundación para la Artritis de Australia como un método seguro y terapéutico.

"Tenemos muchos grupos", señala el Dr. Lam, "y aproximadamente el 90 por ciento informa una mejoría significativa en pocas semanas. A menudo recibo correos de mis estudiantes por "video" que me cuentan sobre resultados asombrosos".

Con la práctica, el tai chi mejora la flexibilidad y el rango de movimiento de las articulaciones. También fortalece y tonifica los músculos. El Dr. Lam considera que eso es particularmente importante porque los músculos fuertes protegen las articulaciones.

Y las personas que comienzan a practicar tai chi en los primeros años de vida pueden evitar el dolor de la artritis posteriormente. Aunque aún no hay pruebas, el Dr. Lam es optimista. "Consideramos que el tai chi ayuda a evitar el desarrollo de la osteoartritis, por lo menos. Existen pruebas indirectas de este efecto".

Si está interesado en probar esta suave arte marcial, averigüe en su hospital local, gimnasio o departamento de recreación comunitaria si se ofrecen clases. Si prefiere la comodidad de su hogar, puede pedir el video del Dr. Lam, *Tai Chi para la artritis* a través de su sitio web <www.taichiproductions.com> o comprarlo en una librería importante como Borders.

Aquí hay algunas sugerencias para aprovechar al máximo su programa de tai chi:

- Antes de comenzar, consulte a su médico. Él le puede aconsejar sobre el nivel de actividad que usted puede realizar.
- Busque un maestro que dispondrá un tiempo para planificar con usted y lo ayudará a desarrollarse a su propio ritmo.
- Aliente a un amigo o su pareja a intentarlo con usted. Hacer las cosas con una compañía o en grupo lo hará más placentero ya que se apoyarán los esfuerzos mutuamente.
- Si le duelen los pies, utilice zapatillas bien acolchadas y trate de distribuir el peso en forma pareja cuando se realiza los distintos movimientos.
- Escuche a su cuerpo. Si una postura o un movimiento en particular le resulta doloroso, adáptelo. Si se cansa, deténgase y descanse. No hay necesidad de exigirse demasiado.

Si bien está aumentando su fuerza, flexibilidad y resistencia, también se sorprenderá de sentirse más relajado. Según el Dr. Lam, el tai chi tiene el beneficio agregado de aliviar la ansiedad y la depresión que a veces acompaña a la artritis.

"Cuando las personas comienzan a mejorar y a recuperar su estilo de vida, dignidad y libertad, aumentan su confianza para superar su ansiedad y depresión. El ejercicio", afirma, "eleva el espíritu de las personas".

Dos suplementos "novedosos" que debe conocer

Si sufre de dolor articular, probablemente se ha visto tentado a probar un suplemento dietético. Tenga cuidado — algunos suplementos son de eficacia comprobada por investigaciones, mientras que otros aún no se han comprobado. Aquí hay información exclusiva sobre dos de los suplementos más populares para la salud de las articulaciones.

Aflójese con glucosamina. Es posible que haya oído sobre este nuevo suplemento "de actualidad" para el tratamiento de la artritis. En realidad, la glucosamina se ha utilizado durante décadas para tratar la artritis de los caballos y los perros, y desde la década de 1980 se vende en Europa para uso del ser humano. Pero en los Estados Unidos, recién se popularizó después de la publicación del libro *Cómo curar la artritis* (St. Martin's Press, 1997) de Jason Theodosakis, un médico y profesor de medicina preventiva.

La glucosamina es un compuesto natural de glucosa y aminoácidos. Forma el ingrediente principal para la mayor parte del tejido conectivo y cartilaginoso en el cuerpo. Es la degradación de estos tejidos — como el cartílago y los líquidos sinoviales — lo que causa el dolor y la inmovilidad de la artritis.

La teoría que apoya los suplementos de glucosamina es que si reemplaza este importante componente, el tejido de las articulaciones comenzará a generarse nuevamente. Y varios estudios han hallado pruebas de que la teoría podría funcionar.

De hecho, la glucosamina puede ser al menos tan efectiva como los AINE para controlar el dolor y la rigidez de la osteoartritis, pero puede llevar más tiempo notar los resultados. En un estudio, las personas con artritis recibieron ibuprofeno o glucosamina. Las personas que recibieron ibuprofeno informaron un alivio mayor del dolor en la primera y la segunda semana que las personas que recibieron glucosamina, pero en la cuarta semana, ambos grupos tenían casi el mismo nivel de alivio del dolor. Antes de la octava semana, la glucosamina resultó ser ligeramente más efectiva que el ibuprofeno. Además, la glucosamina causó menos efectos secundarios, como dolor estomacal, que el ibuprofeno.

Puede comprar diversas formas de suplementos de glucosamina. El más común, y probablemente el más efectivo, es el sulfato de glucosamina. La dosis recomendada, según los resultados de los estudios, es de 1.500 miligramos (mg) por día, tomados en tres dosis de 500 mg cada una.

Vaya a los hechos sobre el MSM. Otro suplemento "de actualidad" que se está utilizando para tratar los síntomas de la artritis es el metilsulfonilmetano (MSM). Está químicamente relacionado con el DMSO (dimetilsulfóxido), que fue un nuevo suplemento "de actualidad" hace 20 años.

Tanto el MSM como el DMSO contienen sulfuro, que su cuerpo necesita para formar puentes disulfuro. Estos puentes mantienen unidos a los tejidos del cuerpo como el cabello, la piel, las uñas y las articulaciones. Usted puede recibir sulfuro de su dieta. Se encuentra en carnes, pescados, huevos, leche, legumbres, frutos secos, ajo y aves.

Dado que el sulfuro es importante para los tejidos de su cuerpo, si se incluye el cartílago necesario para amortiguar el contacto en la articulación, es posible que el MSM ayude a aliviar los síntomas de la artritis. Pero las investigaciones sobre los suplementos del MSM para el dolor articular son escasas, y no existen estudios importantes que confirmen su efectividad.

Aun así, los fabricantes de MSM afirman que alivia el estrés, el asma, la artritis, la inflamación, la constipación, los calambres musculares y el dolor de espalda, y aumenta la circulación de la sangre, la energía, la conciencia, la paz mental y la capacidad para concentrarse. Generalmente, las aseveraciones de que un suplemento sea la solución a tantos problemas diferentes es un alerta de que no debe gastar su dinero. No obstante, muchas personas compran MSM y creen que es beneficioso para ellos. Hasta el momento no se han informado efectos secundarios.

Calme las articulaciones doloridas con curas naturales

¿No le gustaría encontrar una alternativa natural a los analgésicos de venta libre para el dolor de la artritis? Una flor de dulce aroma y un ají rojo pueden brindar alivio natural.

Dé alivio al dolor con el calor de la capsaicina. Las investigaciones demuestran que la capsaicina, el ingrediente activo en los pimientos rojos, es efectiva para aliviar el dolor de la artritis. Pero no es necesario que cultive los pimientos en su jardín. En su farmacia más cercana encontrará un alivio listo para usar en una crema de venta libre. Hecha de pimientos de Cayena secos, la crema de capsaicina se absorbe a través de la piel y anestesia los nervios locales.

El uso de la capsaicina puede hacer que el ejercicio sea menos doloroso y permitirle seguir un programa de ejercicios regular. Si tiene osteoartritis, el ejercicio ayuda a aliviar el dolor, aumentar la movilidad y evitar la pérdida muscular.

Aun si la capsaicina no alivia totalmente el dolor de artritis, puede ayudar a reducir la cantidad de los otros fármacos que toma. Se aplica directamente a la piel, lo que significa que no interactuará con otros fármacos que tome por boca.

La capsaicina parece no tener efectos secundarios adversos, incluso después de un uso prolongado. Según parece, es tan segura y efectiva ahora como lo era hace siglos, cuando los indios mayas y los incas la utilizaban para tratar la artritis.

Absorba el suave alivio de la árnica. Estas hermosas flores amarillas y naranjas se han utilizado durante siglos como un tratamiento externo seguro y efectivo. El árnica tiene muchos beneficios curativos: alivia del dolor causado por contusiones y torceduras, calma el dolor causado por hemorroides, ayuda a cicatrizar raspones y cortes; alivia la picazón causada por picaduras de insectos y calma el dolor de la artritis.

El árnica acelera la cicatrización en parte porque tiene un efecto antibiótico natural y en parte porque aumenta la circulación en los vasos sanguíneos pequeños. Según los investigadores, utilizar compresas de árnica en las articulaciones artríticas trae alivio del dolor y la rigidez porque tiene efecto analgésico.

Para hacer una compresa de árnica, diluya una cucharada grande de tintura de árnica en dos tazas de agua. Empape una almohadilla de gasa u otro material absorbente y aplíquelo sobre el área afectada.

Puede conseguir la tintura de árnica en las tiendas de productos naturales o las farmacias que venden medicamentos naturales y homeopáticos.

Una advertencia — el árnica es para uso externo solamente. Si se ingiere, es tóxica, ya que produce un aumento de la presión arterial y paro cardíaco. Además, algunas personas son sensibles a un componente del árnica y pueden desarrollar una erupción cutánea al utilizar la compresa.

Si bien estos dos remedios quizás no calmen totalmente el dolor de la artritis, pueden ofrecer cierto alivio sin los efectos secundarios de la mayoría de los medicamentos orales.

Ayuda de emergencia para los dolores

El dolor de los ataques agudos de artritis requiere descanso. Muchos médicos y fisioterapeutas lo dejarán decidir si el calor o el hielo alivian sus articulaciones doloridas. Dé a su cuerpo un descanso y dedíquele tiempo a mimarlo con una compresa caliente o una bolsa de hielo caseras. Dígale adiós a los dolores musculares y de la artritis y dé la bienvenida a estos remedios rápidos y sin costo.

Aumente el calor. El calor relaja los músculos doloridos, estimula la circulación sanguínea y alivia la rigidez de las articulaciones en un día frío. Evite combinar la terapia con calor y las cremas analgésicas; podrían producirse quemaduras graves.

- Humedezca una toalla de mano o una toallita y colóquela en el microondas hasta que esté caliente y húmeda. Tenga cuidado de no calentarla demasiado.
- Malcríe sus articulaciones con una bolsa de agua caliente y coloque una toalla entre la bolsa y la piel.
- Llene un calcetín viejo limpio con arroz o sal y ate o cosa el extremo. Caliéntelo en el microondas hasta que esté caliente, pero no demasiado, y colóquelo sobre la articulación que le duele.

- Moje la almohadilla de un pañal descartable y colóquela en el microondas. Deje que se enfríe si la calienta demasiado, luego envuelva los lugares que le duelen con extraña almohadilla de calor.

Relájese. El frío alivia el dolor al adormecer los nervios que transmiten el dolor y reducir la inflamación.

- Prepare una bolsa de hielo medio derretida para moldearla sobre cualquier lesión. Mezcle una parte de alcohol de fricción con tres partes de agua en una bolsa de cierre hermético. El alcohol evitará que se congele totalmente, lo que resultará en hielo medio derretido. Envuélvala en un trapo y aplíquela sobre la lesión.
- Coloque granos de maíz para palomitas sin explotar en una bolsa de cierre hermético y guárdela en el congelador.
- Llene un globo no inflado o un guante de goma descartable con agua y congélelo.
- Moje un calcetín limpio, colóquelo en una bolsa de cierre hermético y congele.

No se deje engañar por los impostores de la artritis

Las articulaciones doloridas e inflamadas generalmente indican artritis, pero a veces el dolor articular puede ser causado por las siguientes afecciones temporarias y reversibles:

Parvovirus humano B19. Este virus puede producir dolor de artritis prolongado. Otros síntomas incluyen una enfermedad similar a la gripe con fiebre, dolor de cabeza, dolores musculares, y a veces náuseas y vómitos. Muchas veces estos primeros síntomas son seguidos por la aparición de una erupción cutánea, aunque la erupción cutánea es mucho más frecuente en los niños que en los adultos. Los síntomas de la artritis causados por el parvovirus generalmente desaparecen en el término de un mes, pero algunas personas sufren dolor articular durante varios meses.

Las personas con más probabilidad de infectarse por el parvovirus B19 son las personas con un sistema inmunológico debilitado, como las personas con SIDA, anemia crónica o drepanocitosis. Los científicos están trabajando con una vacuna para ayudar a prevenir las complicaciones de las personas con un alto riesgo.

Intoxicación con comida. Sus articulaciones doloridas pueden ser el resultado de lo mismo que le causó dolor de estómago, náuseas y diarrea hace unos días. A veces, la bacteria *salmonela*, que causa un tipo de intoxicación con comida, también puede causar artritis reactiva unas semanas después de la infección.

La fuente más frecuente de *salmonela* es el huevo crudo, pero también se la puede encontrar en carnes crudas, aves, leche y productos lácteos, pescados, camarones, aderezos para ensalada, mezclas para tortas, postres rellenos con crema, manteca de maní y chocolate. Para protegerse, nunca coma alimentos que contengan huevos crudos y cocine bien todas las carnes. Si pide un plato en un restaurante que puede contener huevos crudos o no bien cocidos, como la salsa holandesa o el aderezo para la ensalada César, asegúrese de que el restaurante utilice huevos pasteurizados.

Efectos secundarios de los fármacos. Algunos fármacos de venta con receta producen dolor articular como efecto secundario. Si cree que su medicamento le puede estar causando el dolor, consulte a su médico. No interrumpa el medicamento sin indicación médica.

Aquí hay una lista incompleta de los fármacos que pueden causar dolor articular.

Nombre genérico del fármaco	Marcas comerciales conocidas	Afecciones que el fármaco trata
aciclovir	Zovirax	virus, especialmente el herpes zoster (culebrilla)
amilorida	Midamor, Moduretic	presión arterial alta, insuficiencia cardiaca congestiva
carbamazepina	Carbatrol, Tegretol	convulsiones
doxiciclina	Doryx, Vibramycin	infecciones
famotidina	Pepcid, Mylanta AR	úlceras
hidroclorotiazida	Aldoril, Dyazide, Inderide, Lopressor	presión arterial alta
hidroflumetiazida	Diucardin	insuficiencia cardiaca congestiva
isotretinoina	Accutane	acné
lovastatina	Mevacor	colesterol alto
metilfenidato	Ritalin	trastorno por déficit de atención, narcolepsia
mexiletina	Mexitil	ritmo cardíaco irregular
minociclina	Dynacin, Minocin, Vectrin	infecciones

neostigmina	Prostigmin	miastenia gravis
nicotina	Habitrol, Nicoderm, Nicotrol, Prostep	adicción al cigarrillo
nifedipina	Adalat, Procardia	angina
paroxetina	Paxil	depresión
pergolida	Permax	Mal de Parkinson
sulfametoxazol	Bactrim, Septra	infecciones
verapamil	Calan, Covera-HS, Isoptin SR, Verelan	angina, ritmo cardíaco irregular, presión arterial alta

Un sustituto del azúcar que calma el dolor

Si bebe gaseosas dietéticas o utiliza un sustituto del azúcar en el café, puede ayudar a calmar el dolor de artritis. Las investigaciones han hallado que el aspartamo, el popular endulzante artificial, puede servir como un sustituto efectivo para ciertos calmantes.

Allen Edmundson, un investigador de la Fundación de Investigaciones Médicas de Oklahoma, sospechó que el aspartamo de las gaseosas dietéticas que consumía era el responsable de la disminución de su dolor de artritis. Probó su teoría y halló que las personas con osteoartritis que tomaron aspartamo podían caminar más lejos con menos dolor, subir las escaleras más rápido y asir cosas con más facilidad.

Otro estudio halló que el aspartamo era tan efectivo como los fármacos antiinflamatorios no esteroides (AINE) para reducir la fiebre en las ratas de laboratorio.

Si bien estos estudios preliminares son pequeños, los resultados han dado esperanzas a los investigadores porque muchas personas que toman AINE sufren efectos secundarios graves. La mayoría de las personas normalmente no tienen efectos secundarios por el aspartamo si lo toman en las cantidades pequeñas que se encuentran en una lata llena o en media lata de gaseosa dietética.

Algunas personas sostienen que el aspartamo puede causar problemas de salud o empeorar ciertas afecciones como el lupus o la fibromialgia. No existen pruebas científicas que apoyen dichos efectos, pero si tiene inquietudes sobre el uso del aspartamo, asegúrese y hable con su proveedor de atención médica.

Asma

Respire profundamente y aliviará su asma

Durante su vida debe haber respirado más de cien millones de veces. Y seguramente no le ha prestado atención la mayoría de las veces, a menos que tenga un problema respiratorio — como el asma. En ese caso, notará la sibilancia y el temor que siente cuando no puede inhalar suficiente aire.

Pero puede respirar más fácilmente con asma si aprende a respirar mejor. Se entrevistaron 4.741 personas sobre los tratamientos alternativos que habían probado. La respuesta más frecuente fue técnicas de respiración, especialmente las personas con asma grave. Y la mayoría de las personas con asma dijo que los ejercicios le resultaron útiles.

Los estudios científicos demuestran que se puede mejorar la función pulmonar y reducir la necesidad de medicamentos si se aprende a respirar mejor. También se puede mejorar la actitud mental y pasar más tiempo físicamente activo.

El psicólogo y experto en respiración, el Dr. Gay Hendricks, ha enseñado la "respiración conciente" a muchas personas con asma. Para aprender esta técnica, lea *Elimine el estrés mejorando su respiración* en el capítulo *Estrés*, pero verifique con su médico antes de comenzar. Para las personas con asma, ofrece estas sugerencias adicionales.

Comprométase para toda la vida. Hendricks afirma: "El asma puede parecer un problema alarmante y complejo, pero generalmente las soluciones son bastante simples". Según Hendricks, entrenar a las personas a respirar profundamente es el modo más rápido de obtener el máximo beneficio. Luego, cuando obtiene resultados, él lo alienta a pensar en una respiración conciente como una práctica para toda la vida.

Déjelo salir todo. Hendricks afirma que la mayoría de las personas con asma no vacía sus pulmones cuando exhala. "Tienden a retener aire", dice, "particularmente en la parte superior del pecho".

Considera que probablemente ésta sea una respuesta emocional al temor de que, si dejan salir todo el aire de una inhalación, quizás no vuelvan a tener otra buena inhalación. Pero con la práctica, se puede aprender a sentir una mayor confianza al exhalar todo el aire. Usted sabe que habrá otra, como dice Hendricks, "en forma gratuita".

Beba mucha agua. "Mantener la humedad es importante", señala Hendricks, "especialmente en los climas en que el aire es muy seco. Pero aun si vive en un clima húmedo, la respiración adicional puede secar los pasajes de las vías aéreas". Tenga un vaso de agua a mano y beba a menudo cuando practique la respiración conciente.

Deténgase si se siente mareado. Mientras realiza los ejercicios de respiración, su cuerpo adapta a obtener más oxígeno. Puede sentir mareos u otra sensación extraña. Esto puede significar que se está esforzando demasiado. "Descanse hasta que haya pasado", señala Hendricks, "o retome las actividades en otra ocasión. Es mejor realizarlas sin apuros y con más facilidad".

Téngase paciencia. El Dr. Hendricks afirma que los ejercicios de respiración profunda pueden requerir mucho esfuerzo a las personas con asma. Dado que la frustración puede desencadenar un ataque de asma, es importante mantenerse calmado.

Practique durante unos minutos, luego descanse. Si tiene a alguien que lo ayude mientras practica le puede resultar más fácil. Si la impaciencia interfiere con los ejercicios, sería mejor que trabajara con un psicólogo, como Hendricks, u otro profesional que lo entrene en la respiración.

Para conocer los ejercicios de respiración diseñados especialmente para los asmáticos, consulte el libro de Hendricks, *La respiración conciente*, publicado por Bantam Books. Puede encontrarlo en su biblioteca o librería local. O puede pedir el libro y sus cassettes y videos a través de su sitio web <www.hendricks.com>.

Tres "recetas" naturales para aliviar el asma

Es fácil dar por sentada la respiración, pero si tiene asma, no siempre resulta fácil respirar. Para obtener un alivio natural, tenga en cuenta la hierba ginkgo, la cúrcuma o el magnesio — un mineral esencial.

Respire cómodamente con ginkgo. Durante más de mil años, las personas en Asia consideraron al árbol de ginkgo como una fuente de sanación. En los últimos años, los científicos han descubierto cómo el ginkgo puede hacer que las personas con asma respiren con más comodidad.

La misma sustancia que hace que la sangre coagule después de un corte puede desencadenar un ataque de asma. Se denomina PAF o factor activador de plaquetas. El PAF puede causar respuestas alérgicas, incluso broncoespasmos. Este estrechamiento repentino de los pasajes de aire principales desde la tráquea a los pulmones puede sentirse como una opresión o compresión en el pecho y resulta difícil respirar. El ginkgo puede prevenir esta situación al bloquear el PAF.

El extracto de ginkgo biloba, a veces llamado GBE o GBX, se vende como suplemento a base de hierbas en las tiendas de productos naturales. Puede obtenerlo como jarabe, comprimidos o cápsulas.

El extracto debe contener un 24 por ciento de flavoglicósidos, un 10 por ciento de los cuales deben contener quercetina. También debe contener un 6 por ciento de terpenoides. Verifique que en la etiqueta diga "sin tanino" y "concentración 50:1". La proporción 50:1 significa que se utilizaron 50 gramos de hojas para producir un gramo de extracto.

La dosis recomendada es de 40 miligramos (mg) tres veces al día. Quizás deba tomar el suplemento durante cuatro a seis semanas antes de notar algún efecto.

No se han informado efectos secundarios graves, pero algunas personas sienten dolor de cabeza o problemas digestivos leves.

Domine la sibilancia con cúrcuma. La cúrcuma longa es una planta salvaje que crece en Java, pero probablemente usted tiene en su despensa alguna especia que proviene de su rizoma tubular.

La especia es la cúrcuma, el ingrediente principal del polvo de curry. La curcumina, el pigmento en la cúrcuma, es lo que da al curry el color amarillo. Según los investigadores de la Facultad de Medicina de la Universidad de Nihon en Tokio, este pigmento también puede ayudar a prevenir los ataques de asma. La curcumina inhibe la liberación de sustancias que causan los síntomas del asma, como la sibilancia y la opresión en el pecho.

Si bien el estudio no especificó una cantidad determinada, la dosis habitual de cúrcuma para las otras afecciones es de 1,5 a 3 gramos por día. Puede obtener suplementos en comprimidos o en jarabe en las tiendas de productos naturales. No se conocen efectos secundarios de la curcumina, excepto malestar de estómago ocasional después de un uso prolongado. Si tiene cálculos en la vesícula u obstrucción del conducto biliar, no debe utilizarla.

Detenga los espasmos musculares con magnesio. El aguacate, las semillas de girasol y las alubias pintas contienen mucho magnesio, que puede ayudar a sus pulmones a combatir los espasmos musculares de los ataques de asma. De hecho, a menudo los médicos tratan el asma con sulfato de magnesio.

La ración diaria recomendada (RDA) de magnesio es de 320 mg para las mujeres de más de 30 años y de 420 mg para los hombres de más de 30 años. Hay suplementos disponibles, pero su cuerpo puede absorber el mineral mejor si lo obtiene naturalmente de los alimentos. Los frutos secos, las legumbres, los mariscos y las verduras verde oscuro son buenas fuentes de magnesio. Dado que se pierde con facilidad si se lava, se pela y se procesa, elija alimentos frescos o mínimamente procesados.

Cuando se trata del magnesio, la palabra clave es moderación. Demasiada cantidad puede enfermarlo gravemente, y producirle náuseas, vómitos, o incluso parálisis o muerte. Obtener demasiado magnesio de los alimentos que ingiere generalmente no es un problema. Pero el magnesio es un ingrediente importante en algunos medicamentos de venta libre, entre los que se encuentran los laxantes y los antiácidos.

Si consume regularmente una gran cantidad de esos fármacos, puede estar intoxicándose. Verifique la etiqueta de todos los medicamentos que toma.

Un chapuzón frío detiene el asma en seco

La sola idea de poner un pie en un baño frío puede cortarle la respiración. Pero si se siente molesto por la sibilancia y la opresión en el pecho de los ataques de asma, puede encontrar alivio en un chapuzón frío.

Las investigaciones muestran que los baños de agua fría pueden mejorar la respiración — pero no se quede mucho tiempo. Los mejores resultados se obtuvieron con un baño rápido con agua fría durante un minuto solamente o una ducha fría de 30 segundos todos los días.

Por lo tanto, abra el agua fría, prepárese y sumérjase — y disfrute de poder respirar con facilidad.

Pie de atleta

Ponga al pie de atleta de patitas en la calle

El pie de atleta realmente no tiene nada que ver con los deportes, sólo su fama de contagiarse en los vestuarios. En realidad, esta afección es causada por un hongo que crece en la piel de todos.

Los hongos se desarrollan con el calor y la humedad, y es por eso que les encantan los pies sudorosos. Si usa zapatos y medias apretados, especialmente en un clima cálido, o no se seca los pies enseguida y minuciosamente después de bañarse, usted es el blanco perfecto para que el pie de atleta lo ataque.

Esta afección cutánea frecuente puede causar un simple enrojecimiento y erupción cutánea en la planta y los laterales de los pies o ampollas y piel agrietada y descamada entre los dedos. En algunos casos, las infecciones de las uñas pueden partir o despegar la uña.

No se sabe por qué algunas personas desarrollan el pie de atleta y otras no. Lo que sí se sabe es qué se puede hacer para prevenirlo.

- Lávese los pies todos los días y séquelos minuciosamente, prestando especial atención a la piel entre los dedos.
- No use zapatos apretados y medias gruesas. Las sandalias son excelentes, pero caminar descalzo es aún mejor.
- Cuando usa zapatos, elija medias hechas de una fibra natural, como el algodón. El algodón alejará la humedad de la piel. Si las medias están sudadas, cámbieselas lo más pronto posible.
- De vez en cuando, espolvoree los zapatos con algún polvo antimicótico. Ayuda a mantenerlos secos y combatirá los hongos que estén al acecho, esperando para trepar a sus pies.

- Si debe permanecer en vestuarios o lugares de ese tipo, no entre descalzo. Consígase chanclas de baño u ojotas. Si bien el pie de atleta no es tan contagioso como cree la mayoría de las personas, las duchas y los baños comunitarios no son un lugar adecuado para entrar descalzo. El calor y la humedad constante, sumados a la intensa circulación, se combinan para crear el caldo de cultivo ideal para los hongos de los pies.

La buena noticia sobre esta plaga que causa comezón es que se trata fácilmente con cremas antimicóticas de venta libre. Pero antes de automedicarse, aun con cremas, asegúrese de que la erupción que tiene en el pie sea el pie de atleta. No todas las erupciones cutáneas son causadas por el pie de atleta, y utilizar un medicamento incorrecto en una erupción puede empeorar el problema.

En los casos más graves, consulte a su médico. Puede recetarle baños para los pies o medicamentos orales. Para evitar que vuelva la infección, no deje de utilizar la crema o el medicamento inmediatamente después de que la erupción cutánea desaparece y la comezón se detiene. Esos signos por sí solos no significan que la micosis ha desaparecido.

Estos dos consejos pueden ayudarlo a prevenir ataques futuros.

- Deseche los zapatos que usó sin calcetines mientras tenía la micosis. Ésta puede parecer una manera costosa de prevenir una reinfección, pero considérela una inversión en la salud de su pie. Si el hongo está vivo en esos zapatos, los zapatos se lo transmitirán una y otra vez.
- De vez en cuando, frótese alguna crema antimicótica entre los dedos, sobre las uñas y en las plantas de los pies. Esto evitará que a algún hongo persistente o a algún hongo nuevo se le ocurra instalarse en el vecindario.

Dolor de espalda

Siete formas de escapar del dolor de espalda

La mayoría de las personas no valora su espalda hasta que algo anda mal. No espere hasta convertirse en una más del 80 por ciento de las personas afectadas por problemas en la espalda. Comience a cuidar su espalda hoy para evitar problemas mañana.

Cuide su postura. Practique una buena postura en todo momento — mantenga su espalda recta, no arqueada, y ambos hombros a la misma altura. No se recueste ni aun cuando está descansando. Si tiene que estar parado durante mucho tiempo, descanse un pie en un banco bajo y cambie su peso de un pie a otro a menudo. Use zapatos cómodos con un buen apoyo y tacos bajos. Cambie de posición frecuentemente, independientemente de lo que esté haciendo.

Siéntese derecho. Elija una silla que le brinde un buen apoyo a la región lumbar. Agregue un pequeño almohadón o una toalla enrollada en la región lumbar, aun cuando maneje. Siéntese bien con ambos pies en el piso o en un banco bajo y mantenga la cadera y las piernas en un ángulo recto. Acerque la silla al escritorio para no tener que inclinarse hacia delante. Si pasa mucho tiempo sentado, levántese de vez en cuando para estirarse.

Levante peso de forma segura. Mantenga la columna recta. Póngase en cuclillas, doblando las rodillas, o inclínese doblando las caderas — no la cintura. Utilice los brazos y piernas para levantar el objeto y manténgalo cerca del cuerpo.

Disfrute de un sueño tranquilo. Si duerme boca arriba, coloque una almohada debajo de las piernas. Si duerme de costado, mantenga las rodillas dobladas.

Realice ejercicios. Un simple programa de ejercicios, que combine ejercicios aeróbicos, de flexibilidad y de fuerza, lo ayudará a mantener la espalda en buena forma. Trate de ejercitarse por lo menos durante 30 minutos día por medio. Y recuerde consultar a su médico antes de comenzar un programa de ejercicios.

No fume más. El hábito de fumar se ha asociado a muchos trastornos de la espalda. Los investigadores dicen que fumar debilita los huesos al disminuir la producción de células óseas nuevas. Los huesos débiles pueden producir dolor de espalda.

Mantenga un peso saludable. Si está excedido de peso, baje esos kilos de más. Agregan más presión a su columna.

Controle el dolor de espalda con ejercicios simples

La mejor manera de evitar el dolor y las lesiones de la espalda es fortaleciendo los músculos que rodean y dan sostén a la columna. Aquí hay cuatro ejercicios que lo ayudarán a evitar el dolor de espalda. Realice los ejercicios para la espalda al menos tres veces a la semana, comenzando con dos o tres repeticiones y aumentando hasta diez para cada ejercicio.

Recuéstese en el piso con las rodillas dobladas y los pies bien apoyados. Ajuste los músculos abdominales y levante los glúteos. Comenzando a la altura de los hombros, relaje la espalda y lentamente apóyela sobre el piso. Mantenga la espalda bien apoyada mientras cuenta hasta cinco y luego relaje.

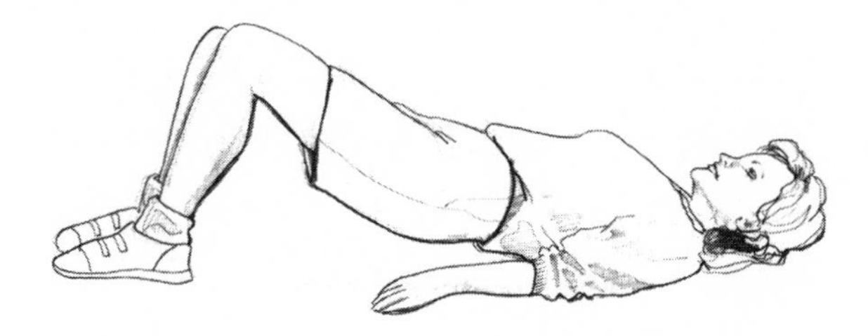

Comenzando en la misma posición, cruce los brazos sobre el pecho. Levante la cabeza y los hombros lentamente hasta un ángulo de 45 grados; trate de sentir la fuerza en los músculos abdominales, no en el cuello. Cuente hasta cinco y luego relaje.

Recuéstese sobre la espalda con las piernas derechas. Con las manos, lleve una rodilla hasta el pecho. La punta del pie debe apuntar a su cabeza.

Cuente hasta cinco y luego repita con la otra pierna.

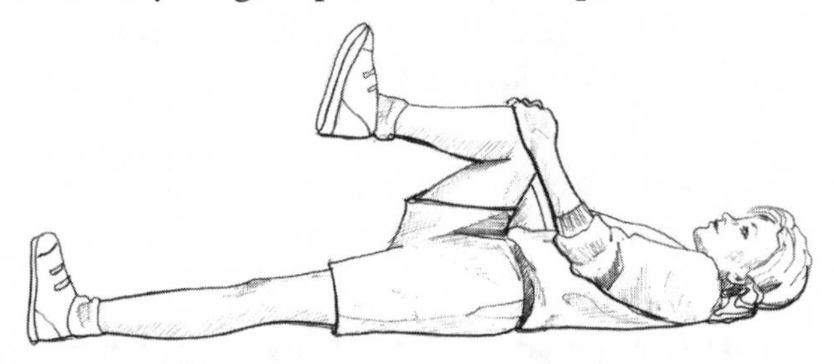

Recuéstese de espaldas con las piernas derechas. Levante una pierna hacia el techo con la rodilla derecha y la punta del pie hacia su cabeza. Extienda la pierna lo más que pueda sobre su cabeza y cuente hasta cinco. Relaje y repita con la otra pierna.

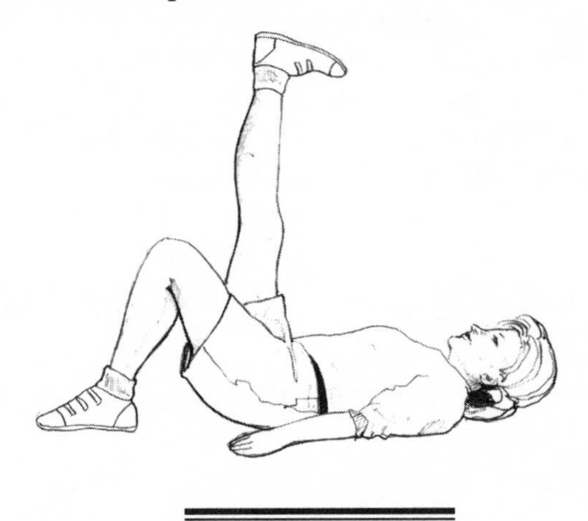

No tome el dolor de espalda a la ligera

Muchas veces una espalda dolorida es simplemente una advertencia para cambiar el modo en que se sienta, se para y levanta peso — un aviso de que las cosas podrían empeorar. Pero a veces el dolor de espalda es un signo de un problema grave.

Si su dolor de espalda fue causado por una caída o una lesión, o está acompañado por debilidad o adormecimiento de las piernas, fiebre o un dolor punzante debajo de la rodilla, consulte a su médico de inmediato.

El dolor de espalda que no calma después de varias semanas de autotratamiento es otra buena razón para buscar ayuda profesional.

El dolor de espalda crónico podría ser un síntoma de alguna de estas afecciones graves:

- **una infección o un cálculo renal**
- **problemas reproductivos en las mujeres**
- **problemas de próstata en los hombres**
- **tumor de la espina dorsal, el intestino o el páncreas.**
- **escoliosis (curvatura de la columna)**

No dude en consultar a un especialista si su médico de familia tiene problemas para diagnosticar la causa de su dolor.

Tres consejos para calmar una espalda dolorida

A menudo el dolor de espalda es signo de una afección grave, pero si está seguro de que no tiene un problema de salud que necesita atención profesional, probablemente su molestia sea producto de una exigencia excesiva.

En primer lugar, deje de hacer lo que sea que cause el ataque. No continúe trabajando con dolor, no le darán un trofeo por ser resistente. Luego pruebe estos consejos que alivian el dolor y en menos de lo pensado podrá retomar su ritmo normal.

Recurra a un comprimido y una almohada. Tomar aspirina o ibuprofeno es un modo rápido de calmar el dolor. Estos analgésicos de venta libre no sólo alivian las molestias, sino que también tienen poder antiinflamatorio para disminuir la inflamación de los músculos. Relájese recostándose boca arriba con una almohada debajo de las rodillas o de costado con una almohada entre las rodillas.

Enfríelo o caliéntelo. Una compresa de hielo y un masaje suave en la espalda pueden ayudar a calmar su dolor agudo. Aquí hay un remedio de cocina simple que combina ambos tratamientos. Llene un vasito descartable con agua y congélelo. Pídale a su cónyuge o a un amigo que quiten el fondo del vaso y que luego utilicen el hielo para masajear sus músculos doloridos. Trate de soportarlo durante aproximadamente 10 minutos y repítalo cada hora. Si el calor lo calma más, mime su espalda con una almohadilla de calor. Pero asegúrese de desconectarla antes de quedarse dormido.

Descanse un poco — luego siga. Cuando realmente le duele la espalda, quizás lo que necesita y merece es un día de reposo en cama, pero no se quede demasiado. Un estudio reciente mostró que las personas que sufrían de dolor de espalda y que continuaban con sus actividades cotidianas mejoraban más rápidamente que las personas que se ejercitaban o se quedaban en la cama. Levántese cuando se sienta con ganas, aun por poco tiempo. Retome sus actividades normales, pero tómese las cosas con tranquilidad durante un tiempo. Deje ese partido de tenis para después, cuando su cuerpo responda tan bien como la pelota.

Dé se un masaje para calmar la espalda

¿No le alcanza el presupuesto semanal para un masajista? Pruebe este modo fácil de darse un agradable masaje en la espalda en su propio hogar.

Coloque cuatro pelotas de tenis en un calcetín largo. Acuéstese de manera que la región lumbar esté apoyada sobre el calcetín. Ruede suavemente hacia arriba y hacia abajo y de lado a lado. El peso de su cuerpo hará suficiente presión sobre las pelotas de tenis para dar un buen masaje a sus músculos.

Investigue antes de lanzarse de lleno a una cirugía de espalda

Le comenzó a doler la espalda hace unas semanas. Trata de descansar y relajarse, pero el dolor no se quiere ir. Finalmente, acude al médico y una resonancia magnética (MRI) le indica que tiene un disco roto. Su médico le dice que puede necesitar cirugía.

¡Deténgase! Antes de entrar en pánico y someterse a una riesgosa cirugía de espalda, debe conocer los hechos. No todos los discos rotos provocan dolor y problemas. Un estudio reciente de 98 personas sin dolor de espalda reveló que más de la mitad tenía uno o más discos rotos. Dado que un disco dañado no necesariamente duele, podría ser una coincidencia tener dolor de espalda y un disco roto.

Los discos son cartílagos suaves y redondeados entre los huesos de la columna vertebral. Un disco se rompe cuando el interior gelatinoso del disco sale del lugar habitual y se expande fuera de los huesos de la columna. El disco roto también se denomina disco herniado, desplazado o protuberante. A menudo, los discos rotos se reducen con el tiempo y vuelven a ocupar sus espacios normales nuevamente.

La mayoría de las personas con dolor de espalda mejora sin cirugía. De hecho, los resultados a largo plazo de las personas que se someten a cirugía son iguales a los de las personas que no lo hacen. Vea los resultados de otro estudio de 126 personas con rotura de disco. La mitad del grupo se sometió a cirugía. La otra mitad recibió tratamiento no quirúrgico. Cuatro años después, los dos grupos mostraban una diferencia muy pequeña, de existir alguna.

Generalmente los médicos no saben por qué le duele la espalda. No pueden identificar una causa definida del dolor en el 85 por ciento de las personas que acuden a ellos con problemas de espalda. Además, el número de cirugías en la columna lumbar, o la región lumbar, aumenta con el desarrollo de nuevas técnicas de diagnóstico por imágenes, como la MRI. Cuando una MRI revela un disco roto, seguramente los médicos dirán que ésta es la causa del dolor de espalda. La cura que probablemente sugerirán — una cirugía.

Pero las interpretaciones de una MRI pueden variar de médico a médico. Si su médico le sugiere la cirugía de espalda sobre la base de los resultados del estudio por imágenes, busque una segunda opinión. Recuerde que el 96 por ciento de todas las lesiones en la espalda se curará con reposo y ejercicios de rehabilitación.

Mal aliento

Cómo vencer el mal aliento

Casi todas las personas han sufrido de mal aliento alguna vez. Cuando comemos, quedan atrapados trozos de comida entre los dientes y sobre la lengua. Estos trozos se descomponen y emanan gases con mal olor como el sulfuro de hidrógeno.

Si bien el mal aliento puede resultar incómodo, es fácil de solucionar. Estos consejos lo ayudarán a refrescar su aliento. Si no es así, su mal aliento puede ser un signo de enfermedad que no debe ignorar.

Mantenga limpia su boca. Cepíllese los dientes con un cepillo suave y pasta dental con flúor al menos dos veces al día. Cepíllese bien en el borde de la encía y sobre la superficie de todos los dientes y muelas. Para quitar comida y placa de entre los dientes, use hilo dental todos los días. Pase el hilo alrededor de cada diente para cubrir las superficies laterales.

No se olvide de limpiarse la lengua. Es una importante fuente de bacterias y olor. Si le resulta incómodo cepillarse la lengua, utilice un raspador de lengua especial o el costado de una cuchara para quitar suavemente esa película pegajosa y llena de gérmenes de la lengua. De cualquier manera, hágalo con suavidad.

Las dentaduras postizas son una fuente habitual de bacterias y mal aliento. Si tiene una dentadura postiza completa, una contención o una prótesis dental parcial, manténgala bien limpia. Retírela y cepíllela todas las noches, y sumérjala en una solución desinfectante. Su odontólogo le dirá cuál es la mejor.

Cuidado con el enjuague bucal. Los enjuagues bucales y los aerosoles antisépticos y desodorantes sólo tapan el olor del aliento temporariamente — entre 10 minutos y una hora como máximo

Los enjuagues bucales que contienen alcohol hacen perder el equilibrio químico natural de la boca y la secan, lo que puede causar mal aliento. Hágase buches y gárgaras solamente si su odontólogo se lo recomienda.

Estos enjuagues bucales caseros pueden mejorar su aliento sin secar la boca:

- Mezcle un poco de Listerine o Cepacol con aceite de oliva. Haga gárgaras y elimine el producto de la boca, repita tres veces al día.
- Enjuáguese con una mezcla de peróxido de hidrógeno y agua en partes iguales (no haga gárgaras).

Los enjuagues bucales que contienen clorhexidina parecen ser efectivos para prevenir enfermedades de las encías. Hay estudios que muestran que este enjuague bucal que elimina los gérmenes redujo las bacterias en un 50 por ciento. Si no puede cepillarse y limpiarse los dientes con hilo dental de la manera correcta debido a una discapacidad física, este enjuague puede ayudarlo a evitar problemas dentales.

Acuda al odontólogo. Contrólese la dentadura regularmente y hable con su odontólogo si tiene problemas, como coronas flojas. Si se hace controles y limpiezas dos veces al año, su boca será saludable y no tendrá mal olor. Si tiene caries o enfermedad de las encías, lo que causa mal aliento, su odontólogo puede solucionar el problema.

Absténgase de ciertas comidas. Un almuerzo picante, como pollo con ajo, hígado con cebollas, pescado o un sándwich de pastrami, le puede dar un aliento muy desagradable a la tarde. Pero, ¿sabía que si come carne su aliento será más acre que si come frutas y vegetales? Una vez que los compuestos químicos de ciertos alimentos ingresan en su torrente sanguíneo, sus pulmones excretan el olor. Los aerosoles bucales o las pastillas de menta no lo taparán. El alcohol, el café y el tabaco (ya sea si se fuma o se mastica) también causan mal aliento.

Sirva comidas nutritivas. Coma muchas frutas frescas, vegetales y granos enteros, en lugar de alimentos con mucha azúcar y grasa.

Y no se olvide del calcio — ayuda a que sus dientes sean fuertes. La leche descremada y otros productos lácteos reducidos en grasas son fuentes excelentes de calcio. El brócoli, el repollo, el coliflor, las alubias y los frutos secos también tienen un alto contenido de calcio.

Comer yogur o tomar suero de leche con cultivos activos también evitará el mal aliento. Las lactobacilos son bacterias activas que impiden el crecimiento de otras bacterias que causan el mal olor.

Evitará el aliento por falta de alimento si no saltea comidas. Si saltea comidas, hace dieta o ayuno, no está dando a su cuerpo los nutrientes suficientes y éste comenzará a descomponer su suministro interno de proteínas para obtener energía. Este proceso origina un olor que exhala por los pulmones.

Beba mucha agua. La saliva elimina constantemente de la boca cualquier cosa que cause mal aliento. A medida que se envejece, las glándulas salivales producen menos saliva. Si la boca está demasiado seca, generalmente tiene olor desagradable.

Asegúrese de beber mucha agua, al menos de seis a ocho vasos por día, pero no se enjuague la boca constantemente. Podría eliminar la saliva que ayuda a combatir el mal aliento.

Chupe caramelos duros, especialmente de limón. Coma muchas naranjas, pomelos y otras frutas cítricas. Para estimular el flujo de saliva naturalmente, consuma alimentos con alto contenido de fibras, como el apio, y masque goma de mascar sin azúcar o perejil.

La boca seca también puede ser causada por infecciones de los senos, ejercicio físico, estrés, respirar por la boca, hablar y ciertos medicamentos como los antihistamínicos, los antidepresivos y los anticoagulantes.

Elimine el mal aliento con té verde

El sabor y aroma agradable del té verde, su bajo costo y su papel en las tradiciones orientales lo han convertido en un producto básico en el Extremo Oriente durante más de 2.000 años. Pero ahora, la ciencia moderna está probando que ese té tiene un valor medicinal más tangible. El té verde, que se puede conseguir en cualquier lado, es más que una bebida buena — es una bebida que es buena para usted.

Las investigaciones muestran que el té verde puede ayudar a combatir el cáncer, las cardiopatías, la enfermedad hepática, la diabetes, los resfríos y la gripe. El té verde también puede mantener su boca saludable al controlar el desarrollo de las bacterias que causan caries, placa y mal aliento. ¿Qué más se puede pedir de una simple hojita?

Si no puede imaginarse abandonar su conocido saquito de té negro, tenga esto en cuenta. El té verde es verde y el té negro es negro solamente debido al modo en que son procesados. Las hojas provienen de la misma planta. Para hacer té verde, las hojas solamente se recogen y se cuecen al vapor — casi no se procesan, y es por eso que muchas personas creen que es más saludable. Para obtener té negro, las hojas se deben procesar durante más tiempo y se dejan fermentar. Un té intermedio, llamado Oolong, se fermenta pero durante menos tiempo que el té negro.

Para hacer la mejor taza de té verde, no deje que el agua rompa el hervor — así está demasiado caliente. Remoje las hojas durante aproximadamente dos a tres minutos. Para algunos bebedores de té, eso puede ser demasiado tiempo. Experimente para saber qué tan fuerte le gusta el té. Incluso puede utilizar las hojas de té verde más de una vez.

Como dirían los japoneses: ¡"Que viva 10.000 años"!

Fármacos que pueden causar mal aliento

El mal aliento puede ser un efecto secundario de varios fármacos frecuentemente utilizados. Si está tomando uno de estos fármacos, no lo interrumpa sin el permiso de su médico. Pero si el mal aliento es muy molesto, para usted o su familia, pregunte si existe otra alternativa.

- **Fármacos antineoplásicos: se utilizan para combatir el cáncer; pueden producir úlceras orales, sangrado de las encías o infección por hongos en la boca.**
- **Dimetilsulfóxido (DMSO): se utiliza para tratar problemas de la vejiga y dolores musculares; produce un aliento con olor a ajo. Su cuerpo realmente descompone este fármaco en la sustancia química del ajo, luego la excreta a través de los pulmones y la piel.**
- **Fármacos anticolinérgicos: o fármacos con efectos anticolinérgicos, le secarán la boca. Incluyen los antidepresivos (para la depresión), los antihistamínicos (para la alergia), los antipsicóticos (para la esquizofrenia y otras enfermedades mentales), los agentes antiparkinsonianos (para el mal de Parkinson) y algunos fármacos para los problemas intestinales, como la diarrea.**
- **Diuréticos: eliminan el exceso de líquido de su cuerpo; a menudo se recetan para la presión arterial alta y la insuficiencia cardiaca congestiva. También secan la boca.**
- **Antihipertensivos: se utilizan para controlar la presión arterial alta; pueden producir boca seca y mal aliento.**

Cuando el mal aliento no se puede eliminar

A veces una enfermedad puede producir mal aliento. Lea estos síntomas con cuidado y consulte a su médico si tiene alguna inquietud.

Insuficiencia renal crónica. Si su aliento siempre huele a pescado o amoníaco y tiene dolor de estómago, comezón en la piel, fatiga, palidez, calambres y dolores musculares, cosquilleo y entumecimiento o ardor en las piernas y los pies, puede tener insuficiencia renal crónica.

Cirrosis hepática. Esta afección produce un aliento con olor a huevo podrido y moho. Si tiene ictericia leve, confusión mental, falta de apetito y pérdida de peso, fatiga y debilidad, náuseas o vómitos de sangre y exceso de líquido en las piernas o el abdomen, podría tener cirrosis hepática. Los antecedentes de hepatitis, daño hepático y consumo de alcohol aumentan su riesgo.

Cetoacidosis diabética. Si es diabético, el aliento con olor a frutas podría significar que tiene cetoacidosis diabética, una afección peligrosa en la cual su nivel de glucosa está sumamente desequilibrado. Otros síntomas incluyen dolor y molestias en el estómago, debilidad, náuseas y vómitos y ritmo cardíaco acelerado. Ésta es una emergencia médica y se debe obtener ayuda de inmediato.

Enfermedad o infección pulmonar. El absceso pulmonar, la bronquitis, la neumonía o el enfisema pueden producirle mal aliento. Esté alerta a estos signos de advertencia — tos crónica con o sin esputo, falta de aliento, fiebre y escalofríos y pérdida de peso.

Periodontitis o abscesos dentales. Estos problemas dentales graves pueden causar un sabor desagradable en la boca y un dolor intenso cuando se mastica en el lado afectado. Acuda a su odontólogo lo más pronto posible para evitar la pérdida de piezas dentales o una infección en el torrente sanguíneo.

Infección del seno. El mal aliento constante, el drenaje del seno, el dolor de cabeza, el dolor alrededor de los ojos y los pómulos, y una sensación de malestar general podrían indicar una infección del seno.

Síndrome de Sjogren. El mal aliento causado por una sequedad extrema de la boca y los pasajes nasales puede ser una indicación del síndrome de Sjogren. Esta enfermedad autoinmune es frecuente en las personas mayores de 50 años. Este síndrome también puede causar dolor en las articulaciones.

Infecciones de la vejiga

Siete formas comprobadas de combatir las infecciones de la vejiga

Su médico la llama cistitis. Quizás usted la conozca como infección urinaria. Sea cual sea el nombre, una vez que ha experimentado la urgencia, el ardor, el cosquilleo y el dolor de una infección de la vejiga, no desea tener otra nunca más en su vida.

Las infecciones de la vejiga, el tipo más frecuente de infecciones del tracto urinario (ITU), constituyen el motivo por el cual más de 10 millones de mujeres consultan al médico cada año.

Las bacterias que causan las infecciones de la vejiga, llamadas *Escherichia Coli*, no provienen de la orina porque la orina es estéril. Eso significa que no contiene bacterias, virus u hongos. Las bacterias ingresan en la uretra, el conducto por el cual la orina pasa cuando sale de la vejiga, desde el área rectal o desde la piel. Pasan de la uretra a la vejiga y allí se multiplican, lo que causa inflamación, enrojecimiento y dolor.

La mayoría de las infecciones de la vejiga se puede evitar si se siguen estos consejos.

No se resista a la urgencia. Vaya al baño cuando sienta necesidad y vacíe la vejiga totalmente cada vez. Puede sentir la tentación de resistirse al deseo de orinar si está demasiado ocupado para molestarse o si cree que será doloroso. Pero recuerde — cuanto más tiempo permanezca la orina en la vejiga, mayor será la probabilidad de que se estanque y permita que se desarrollen las bacterias.

Las mujeres deben tener especial cuidado de limpiarse desde adelante hacia atrás. Si se limpia desde atrás hacia adelante, puede arrastrar bacterias desde el ano hasta la uretra, lo que brinda a los gérmenes la oportunidad de iniciar una infección.

Orine antes y después de las relaciones sexuales. Vaciar la vejiga antes y después de las relaciones sexuales elimina las bacterias de la uretra. También es una buena idea lavarse la zona genital antes de las relaciones sexuales. Esto puede evitar que las bacterias se diseminen de una persona a otra. Si utiliza un diafragma, o si su pareja utiliza un preservativo con espuma espermicida, las investigaciones muestran que es más probable contraer una infección del tracto urinario. Piense en otras formas de anticoncepción.

Opte por la ducha en vez de la bañera. Los baños de inmersión pueden ser relajantes, pero sentarse en una bañera con agua puede dar a las bacterias la oportunidad de penetrar en la uretra. Dúchese siempre que sea posible. Si tiene la piel sensible, mantenga los polvos, jabones, cremas, artículos de tocador u otros productos de higiene personal lejos de su zona genital. Las duchas perfumadas y los aerosoles para la higiene femenina pueden tener un aroma agradable, pero también pueden irritar la uretra.

Evite los alimentos que producen irritación. Ciertos alimentos y bebidas pueden irritar la vejiga. Entre los más habituales se encuentran el café, el té, el alcohol, las bebidas carbonatadas y las comidas picantes.

Beba jugo de arándanos. Si bien beber mucha agua es un consejo atinado para mantener saludable su tracto urinario, el jugo de arándanos finalmente está recibiendo el apoyo de los expertos médicos.

Un estudio de dos grupos de mujeres halló que las mujeres que bebían aproximadamente 10 onzas de jugo de arándanos por día tenían menos infecciones de la vejiga que las que no lo hacían. Los investigadores creen que el jugo de arándanos evita que las bacterias se adhieran a las paredes del tracto urinario. En vez de andar por ahí y producir una infección, son eliminadas del cuerpo.

Deje de fumar. En caso de necesitar otra razón para deshacerse de los cigarrillos, fumar aumenta el riesgo de infecciones de la vejiga.

Consulte a su médico sobre los nuevos tratamientos. Si está en estado posmenopáusico, consulte a su médico sobre el uso de una crema vaginal de estrógeno. Puede ayudar a reducir el riesgo de infecciones del tracto urinario.

Y esté atenta a la vacuna contra esta infección frecuente. Aunque todavía está en estado experimental, los investigadores esperan que evite que la *Escherichia Coli* se adhiera a las paredes del tracto urinario y cause una infección.

Si a pesar de sus mejores esfuerzos contrae una infección de la vejiga, ocúpese de la misma de inmediato. Eso significa consultar a su médico para que le recete una dosis de antibióticos. Posponer el tratamiento podría permitir a las bacterias desplazarse hacia los riñones o ingresar al torrente sanguíneo y causar una infección más grave.

La orina frecuente y dolorosa, así como la fiebre, el dolor en la región lumbar, los escalofríos, las náuseas y la confusión son síntomas de una infección renal. Una infección renal no tratada puede causar daño permanente al riñón.

Asombrosa causa de las infecciones de la vejiga

Algunas parejas que creían que el Viagra les ofrecería una segunda luna de miel están obteniendo más de lo que habían pensado. En la actualidad, las parejas de — los usuarios de Viagra están informando casos de "cistitis de la luna de miel" — una afección dolorosa que padecen algunas mujeres después de la actividad sexual prolongada. Esta molesta afección puede causar:

- Dolor o ardor al orinar
- Orina frecuente o la sensación de tener que orinar
- Orina excesiva durante la noche
- Sensibilidad del hueso púbico, dolor en la zona púbica
- Dolor en la región lumbar

Debe consultar a su médico en cuanto aparecen estos síntomas, aunque se pueden aliviar algunas molestias tomando líquidos adicionales y orinando antes y después de las relaciones sexuales. Si esto no ayuda, su médico puede recetarle antibióticos para aliviar el problema.

Mientras tanto, los médicos enfatizan la importancia de evitar las relaciones sexuales, y el Viagra, hasta que los síntomas desaparezcan.

Cáncer de mama

Fortalezca sus defensas contra el cáncer de mama

Encontrar un bulto en la mama puede ser alarmante — y por una buena razón. Cada año, mueren cerca de 43.000 mujeres por cáncer de mama. La detección temprana aumenta las posibilidades de supervivencia, y es por eso que las mamografías y los autoexámenes mensuales son tan importantes. Pero la mejor solución es prevenir la enfermedad en primer lugar.

Con el objetivo de encontrar el modo de prevenir el cáncer de mama, los investigadores realizaron el Ensayo de Prevención del Cáncer de Mama. Este estudio con un gran número de pacientes concluyó que el tamoxifeno, un fármaco utilizado para tratar el cáncer de mama, ayuda a prevenirlo en las mujeres que presentan un alto riesgo.

Desafortunadamente, el tamoxifeno también aumenta el riesgo de cataratas, aumenta al doble el riesgo de cáncer uterino y triplica el riesgo de coágulos sanguíneos potencialmente mortales. Si debe tomarlo o no, depende de las probabilidades que tenga de desarrollar cáncer de mama.

La decisión de utilizar el tamoxifeno para la prevención del cáncer de mama es tan complicada que el Instituto Nacional del Cáncer desarrolló un programa informático diseñado para ayudarla a usted y a su médico a realizar el cálculo de los riesgos. Si está en la categoría de alto riesgo de cáncer de mama, pregunte a su médico acerca del tamoxifeno y el programa de evaluación proporcionado por el Instituto Nacional del Cáncer.

Mientras tanto, hay varias cosas que puede hacer para reducir el riesgo de cáncer de mama.

Controle su peso. El aumento de peso en la edad adulta, particularmente después de la menopausia, puede aumentar su riesgo de cáncer de mama. Después de la menopausia, su cuerpo obtiene estrógenos de la grasa corporal. Cuanto más peso tenga, más estrógeno circulará en el cuerpo, lo que contribuye a su aumento de la probabilidad de cáncer de mama. En un estudio con un gran número de pacientes, las mujeres que nunca habían recibido terapia de reemplazo hormonal y que habían subido al menos 45 libras tenían el doble de posibilidades de desarrollar cáncer de mama después de la menopausia que las mujeres que habían subido sólo unas pocas libras.

Elija las grasas con inteligencia. Una dieta reducida en grasas puede ayudar a prevenir el aumento de peso, que aumenta el riesgo de cáncer de mama. No obstante, el tipo de grasas que elija para comer también puede jugar un rol en si desarrollará la enfermedad o no. Un estudio reciente halló que las grasas monoinsaturadas, que se encuentran en el aceite de oliva y de canola, reducían el riesgo de cáncer en un 45 por ciento, mientras que las grasas poliinsaturadas, que se encuentran en el aceite de maíz, de cártamo y de girasol, reducían el riesgo en un 69 por ciento. Las grasas saturadas, que se encuentran en la carne y los productos lácteos, no tenían un efecto en el riesgo de cáncer de mama en este estudio.

Coma frutas frescas y vegetales. Comer una dieta rica en frutas y vegetales puede reducir su riesgo de cáncer de mama y de otros tipos de cáncer. Un estudio halló que comer zanahorias y espinacas más de dos veces a la semana estaba asociado de un modo particular con un menor riesgo de cáncer de mama. Otro estudio halló que los suplementos de las vitaminas C y E y de ácido fólico no tenían un efecto en el riesgo, mientras que comer vegetales tenía un efecto protector importante. Esto significa que los suplementos de vitaminas pueden no ser un buen sustituto de las frutas y los vegetales frescos. Según los investigadores, varios componentes diferentes de las frutas y los vegetales pueden actuar en combinación para brindar la protección.

Beba leche. Las mujeres necesitan mucho calcio para mantener fuertes a sus huesos, pero un estudio sugiere que tomar leche puede hacer más que solamente proporcionarle calcio. Podría ayudar a evitar el cáncer de mama. El estudio halló que había una disminución significativa en el riesgo de cáncer de mama entre las mujeres que tomaban más leche con respecto a las que tomaban menos. En este estudio, otros productos lácteos no tenían el mismo efecto protector.

Diga no al alcohol. Incluso una pequeña cantidad de alcohol todos los días puede contribuir al riesgo de cáncer de mama. En un estudio reciente, aun las mujeres que tomaban una bebida al día tenían más posibilidad de desarrollar cáncer de mama invasivo. Las que tomaban de dos a cinco bebidas alcohólicas por día tenían un 41 por ciento más de posibilidad de desarrollar cáncer de mama que las que no bebían nada de alcohol.

Pruebe la linaza. El Instituto Americano para la Investigación del Cáncer está financiando un estudio sobre los efectos de la linaza en el riesgo de cáncer de mama. Si bien todavía no se conocen los resultados de la investigación, esta semillita con sabor a nuez parece ser muy prometedora para prevenir la enfermedad. La linaza tiene un alto contenido de los saludables ácidos grasos omega3, vitamina D y fibras. Agregar un poco a su dieta resultará un cambio saludable y sabroso.

Factores de riesgo de cáncer de mama

- **Edad.** La mayoría de los casos de cáncer de mama se presenta en mujeres mayores de 50 años.
- **Antecedentes familiares.** Si su madre, hija o hermana han tenido cáncer de mama, sus probabilidades de desarrollarlo aumentan.
- **Antecedentes personales.** Si ha tenido cáncer de mama en una mama, es más probable que lo desarrolle nuevamente.
- **La edad del primer período menstrual.** Si comenzó a menstruar antes de los 12 años, su riesgo aumenta.
- **Embarazo tardío.** Tener el primer hijo después de los 30 años, o no tener hijos, aumenta el riesgo.
- **Menopausia tardía.** Si tiene la menopausia después de los 55 años, su riesgo aumenta.

Coma una hamburguesa de cereza para reducir el riesgo de cáncer de mama

Si está preocupada por el cáncer de mama, diga no al bife de carne en la cena y coma brócoli, Las frutas y vegetales pueden reducir el riesgo de cáncer de mama y el beneficio será doble si también ayudan a comer menos carne roja. Según un estudio reciente, las mujeres que comían una mayor cantidad de carne roja tenían un 78 por ciento más de riesgo de desarrollar cáncer de mama que las que comían menos.

Cuán cocida le gusta la carne también puede marcar la diferencia. Las mujeres que preferían la carne bien cocida — quemada o muy dorada — tenían un riesgo cuatro veces mayor de desarrollar cáncer de mama que las mujeres que preferían la carne vuelta y vuelta o a punto. Pero no coma carne a la que le falta cocción o podría terminar con una intoxicación.

Los investigadores dicen que en la superficie de la carne se forman químicos llamados aminos heterocíclicos aromáticos durante la cocción a altas temperaturas. En un estudio reciente, se demostró que estos químicos son cancerígenos.

Pero una pequeña fruta puede permitirnos comer carne. Cuando los investigadores agregaron cerezas a la carne de hamburguesas, se formó una cantidad significativamente menor de aminos heterocíclicos aromáticos. Y las hamburguesas de cereza eran húmedas y jugosas, aunque el contenido de grasa era menor que el de las hamburguesas comunes. Varios estados ya ofrecen hamburguesas de cereza en el menú escolar.

La próxima vez que desee comer una hamburguesa — que sea una hamburguesa de cereza.

Mamografías y cardiopatías

Usted sabe que las mamografías pueden detectar el cáncer de mama mientras es aún tratable, y sin embargo, se resiste a hacerse una. Bueno, ahora tiene otra razón para pedir un turno y hacerse una mamografía — también pueden detectar cardiopatías.

Un estudio reciente halló que las mujeres con calcificaciones arteriales mamarias tenían un 35 por ciento más de probabilidades de morir por cardiopatías que las mujeres sin calcificaciones. Afortunadamente, las calcificaciones arteriales mamarias, acumulaciones de calcio en las arterias de la mama, se pueden ver en una mamografía.

En su próxima consulta, pida a su médico que en la mamografía se verifiquen también las calcificaciones arteriales mamarias además de los tumores mamarios.

Quemaduras

Elimine las quemaduras de su cocina

La próxima vez que corra por la cocina tratando de tener la cena lista, recuerde esto. Los incendios en la cocina son la principal causa de incendios en el hogar. Y las quemaduras son la segunda causa principal de muerte accidental.

Si usted es una persona de edad avanzada, especialmente con visión deficiente o artritis, debe tomar precauciones adicionales. Puede evitar la mayoría de las quemaduras si es previsor y sigue estos consejos.

- ▶ No use ropa suelta cuando use la cocina. Las batas con mangas largas y amplias son especialmente peligrosas.
- ▶ Use ropa que pueda quitarse rápidamente si prende fuego. Los vestidos y las remeras que se abren adelante y tienen cierre de Velcro en vez de botones son más fáciles de quitar.
- ▶ Si su ropa prende fuego, deténgase, siéntese e intente apagar el fuego con palmadas suaves. Los movimientos frenéticos pueden avivar las llamas y resultar en lesiones más graves.
- ▶ Utilice una cocina eléctrica en vez de una a gas para evitar el peligro de las llamas. Siempre que sea posible, utilice electrodomésticos que se enchufan, como pavas y hornos pequeños, en vez de la cocina.
- ▶ Tenga cuidado con los alimentos cocinados en un horno de microondas. Pueden estar fríos en la superficie pero hirviendo en el centro. Además, los recipientes pueden estar tibios pero la comida en el interior puede estar muy caliente.
- ▶ Para evitar las escaldaduras con agua caliente, pida a un plomero o electricista que baje la temperatura del calentador de agua. La mayoría está ajustada a 140 grados. El agua a esa temperatura puede causar una quemadura de tercer grado — la quemadura más grave — en sólo cinco segundos. A 120 grados, esa misma quemadura resulta después de tres minutos de contacto.

Los adultos mayores de 60 años reciben quemaduras más a menudo que los adultos más jóvenes y sus quemaduras son generalmente más grandes. Con cuidado, puede evitar la mayoría de ellas. Pero si se quema, busque ayuda de inmediato. Si está solo, llame al 911.

Remedios infalibles para las quemaduras

La asadera se le resbala cuando está sacando sus galletas con chispas de chocolate del horno. Sin pensarlo, la ataja con la mano descubierta. ¡Ay!

Antes que nada, ponga la mano bajo el agua fría. El agua fría ayuda a calmar el dolor. Además, es la mejor manera de detener la quemadura, lo que previene el daño a la piel y las capas más profundas de tejido.

Mantenga la quemadura debajo del agua corriente — o coloque un trapo frío y mojado sobre el área — hasta que el dolor desaparezca. Puede llevar de 10 a 45 minutos.

Si se quema y no hay agua disponible, utilice cualquier líquido frío que esté lo suficientemente limpio como para beber.

Cuando haya enfriado su lesión, debe decidir si consultará a un médico. Aquí hay algunas pautas para ayudarlo. Son del Dr. Scott Dinehart, dermatólogo y profesor adjunto del Departamento de Dermatología de la Universidad de Arkansas.

- **Preste atención a cómo se siente.** Las quemaduras graves pueden afectarlo en forma integral, no sólo donde tiene la lesión. "Si se quema", dice Dinehart, "y como resultado se siente mal — con fiebre o con un malestar general — debe consultar a un médico".
- **Cuidado con las ampollas.** Si tiene una sola ampolla, probablemente no hay de qué preocuparse. Pero si tiene muchas ampollas llenas de agua en el sitio de la quemadura, Dinehart sugiere consultar al médico.
- **Mida la lesión.** Una quemadura del tamaño de la palma de la mano o mayor puede ser grave. Llame a su médico.
- **Esté atento a las señales de peligro.** "Si nota signos de infección, como mucho calor alrededor de la zona, fiebre o pus, debe consultar al médico", señala Dinehart.

Si necesita atención médica, su médico puede recetarle algún medicamento. Para las quemaduras menos graves, Dinehart señala que los AINE (fármacos antiinflamatorios no esteroides), como la aspirina o el ibuprofeno, pueden ayudar a aliviar los síntomas y reducir la inflamación.

Para cuidar la quemadura, lávela cuidadosamente con un jabón suave y agua tibia y recúbrala con una crema antibiótica. Nunca ponga manteca u otra grasa no estéril sobre la quemadura. Cubra el área quemada con una gasa. Lave la quemadura y cambie el vendaje una o dos veces al día.

Nunca reviente una ampolla. Es la forma en que la naturaleza protege el tejido quemado. Si una se rompe, cubra la zona con una fina capa de algún ungüento antibiótico.

Las ventajas y desventajas de un alivio en base a hierbas

Aunque se utilizan muchas preparaciones a base de hierbas para las quemaduras, el Dr. Scott Dinehart dice que la mayoría no fue probada, al menos no en seres humanos. Si bien algunas han pasado la prueba del tiempo y de estudios científicos, advierte que otras pueden ser peligrosas.

- **Bromelina:** Dinehart dice que este remedio a base de hierbas puede ser útil para las quemaduras porque reduce la inflamación. "Además", añade, "es relativamente económico". Puede comprarlo sin receta en farmacias y supermercados. La bromelina proviene de la piña. Si se está preguntando si comer la fruta ayudará a su quemadura, Dinehart piensa que no es así. "En realidad, la bromelina proviene del tallo de la piña", dice. "No proviene de la fruta. Por lo tanto, no hay razón para pensar que ayudaría". No se conocen efectos secundarios, pero si es alérgico a la piña, es mejor olvidarse de la bromelina.
- **Aloe**: en el interior de las hojas gruesas y carnosas de la planta de aloe, encontrará un gel calmante. Sería bueno tener una planta de aloe en la ventana de la cocina para quemaduras leves y otras lesiones pequeñas. Simplemente corte un pedazo y exprima la refrescante savia gelatinosa sobre la piel quemada. No sólo puede calmar el dolor, prevenir las ampollas y reducir la inflamación, también puede prevenir las cicatrices.
- **Consuelda:** esta hierba controvertida, también llamada sínfito, se utiliza a veces como cataplasma para curar quemaduras

y también torceduras, inflamaciones y magulladuras. Dinehart dice que si se ingiere puede producir cáncer o daño hepático. Hasta que se comprueben su seguridad y efectividad, no aconseja utilizar la consuelda en ninguna de sus formas. "Tópicamente no ha hecho milagros", dice. "Y dado que es tan peligrosa si se ingiere, no es recomendable que las personas la tengan en su hogar".

A Dinehart le gustaría que se hicieran más pruebas con los remedios a base de hierbas. Alienta a las personas a presionar a la Administración de Drogas y Alimentos (FDA) para que establezcan más reglamentaciones sobre los productos a base de hierbas.

¿Cuál es la gravedad es su quemadura?

Quemaduras de primer grado: estas quemaduras son las menos graves, ya que afectan la capa externa de la piel. El área afectada está generalmente enrojecida pero se pone blanca cuando la toca. Pueden haber inflamación, sensibilidad y dolor leves. Generalmente estas quemaduras no dejan cicatrices. La quemadura de sol es la quemadura de primer grado más frecuente.

Quemaduras de segundo grado: éstas se extienden a través de la capa externa hacia la capa interna de la piel. Pueden ser blancas, o blancas con algo de rojo y parecen húmedas o cerosas. Puede tener ampollas, inflamación y mucho dolor.

A menudo estas quemaduras son causadas por llama, aceite o grasa y generalmente dejan una cicatriz. Puede resultar difícil ver la diferencia entre las quemaduras de segundo grado y las de tercer grado.

Quemaduras de tercer grado: éstas son las más graves porque penetran todas las capas de la piel. Incluso pueden llegar a dañar la grasa y el tejido muscular subyacente. La piel tiene una apariencia blanca-grisácea o chamuscada, quizás parecida al cuero. Si presiona sobre la quemadura, no se pone más blanca como en las quemaduras de primer grado.

Con las quemaduras de tercer grado, las terminaciones nerviosas se destruyen, por lo que puede sentir presión en vez de dolor. Si tiene una quemadura de tercer grado, busque atención médica de inmediato.

Síndrome del túnel carpiano

Proteja sus muñecas de la distensión y el dolor

En la variedad está el gusto. Para las personas que sufren el síndrome del túnel carpiano, este dicho se aplica a la perfección. Si su trabajo o su pasatiempo requieren un cierto movimiento repetitivo con las manos, los tendones de la muñeca se pueden hinchar y comprimir un nervio, lo que provoca dolor. Cambiar la forma en que hace las cosas no sólo hará su vida más interesante, sino que puede prevenir el dolor de muñecas.

Existen muchos nombres para esta afección — tendinitis, lesión por movimientos repetitivos, trastorno por trauma acumulado. Ya sea si escribe en un teclado, cose, maneja un autobús, corta el cabello, opera herramientas eléctricas o toca un instrumento musical, corre el riesgo de adquirirla.

Si sus dedos, manos o muñecas se debilitan; si siente entumecimiento, hormigueo o ardor en las manos o en los dedos; o si tiene un dolor que se extiende hacia arriba por el brazo, especialmente a la noche, puede tener el síndrome del túnel carpiano.

Algunas personas recurren a la cirugía para aliviar la presión sobre el nervio, pero la cirugía tiene efectos secundarios y muy a menudo los síntomas vuelven a aparecer. El mejor plan es evitar el síndrome del túnel carpiano en primer lugar.

Pruebe un ejercicio para la muñeca. Los expertos de la Academia Americana de Cirujanos Ortopédicos señalan que el síndrome del túnel carpiano se puede prevenir estirando y ejercitando las muñecas en forma regular. Aconsejan adoptar el hábito de hacer ejercicios como éste varias veces al día.

- Tómese un descanso cada hora y sacuda las manos vigorosamente durante 15 segundos aproximadamente. Esto alivia los músculos acalambrados y restituye el flujo de sangre.
- Sostenga las manos en posición recta hacia adelante, con las palmas hacia abajo. Doble las muñecas hasta que las palmas estén frente a usted y sienta que los antebrazos se estiran sin forzarlos. Repítalo varias veces.

- Cierre el puño bien apretado. Doble la muñeca hacia abajo para estirar el antebrazo. Enderece la muñeca y abra la mano, y separe los dedos lo más que pueda. Sostenga y repita varias veces.
- Siéntese con el antebrazo apoyado sobre el brazo de la silla. Con la otra mano, tome los dedos y tire de manera que la muñeca se extienda suavemente hacia atrás. Mantenga esta posición durante 15 segundos aproximadamente. Luego deje que la muñeca se relaje con los dedos apuntando hacia el piso. Presione suavemente sobre el dorso de la mano para que la muñeca y el antebrazo se extiendan hacia abajo. Sostenga durante 15 segundos. Repita varias veces con cada mano.

Cuide la forma en que se sienta. La mayoría de las personas que sufren del síndrome del túnel carpiano pasan muchas horas en la computadora. Si bien hay cientos de productos diseñados para aliviar la distensión de la muñeca de los usuarios de computadoras, como los teclados y ratones ergonómicos y los apoyos para las muñecas, algunos expertos consideran que esta lesión de la muñeca casi epidémica se debe a la manera de sentarse, no a la posición de las manos.

No importa lo que esté haciendo, cuando se sienta, la posición del cuerpo sigue naturalmente la posición de la cabeza y los brazos. Mantenerlos alineados con la columna vertebral y la cadera obliga a la espalda, los hombros, el abdomen, los antebrazos y las manos a permanecer en una posición no forzada.

Cuando esté sentado, ya sea frente a una computadora o una máquina de coser, no permita que la cabeza o los brazos se inclinen hacia adelante. Mantenga el pecho directamente sobre la pelvis, con los músculos del diafragma y el abdomen tensionados y contraídos.

Cuando utilice un teclado, el peso no debe caer sobre las muñecas. Esto sólo aumenta la presión sobre los nervios de la muñeca. Es por eso que los apoyos para las muñecas pueden no aliviar el síndrome del túnel carpiano. Si su cuerpo está en la posición correcta, no necesitará apoyar la muñecas. Simplemente se deslizarán sobre las teclas con un movimiento relajado y natural de los brazos.

Sea amable con las muñecas. Recuerde, no es necesario sentarse frente a una computadora para sufrir del síndrome del túnel carpiano. Puede aparecer por cualquier actividad que requiera hacer lo mismo con las manos una y otra vez. Incluso algo tan relajante como trabajar en el jardín o en carpintería puede producir esta tensión física. Para evitar convertir un pasatiempo favorito en una actividad dolorosa, siga estos consejos para proteger las muñecas:

- Cambie de tarea cada 30 minutos.
- Tómese un descanso entre las tareas. Haga algunos de los ejercicios para las manos mencionados anteriormente.
- No cargue su peso sobre las manos. Trabaje en una posición donde el peso de su cuerpo esté sostenido por articulaciones más fuertes.
- Compre herramientas que tengan empuñaduras acolchadas o que estén diseñadas ergonómicamente.
- Coloque amortiguadores en las herramientas eléctricas.
- Trate de agarrar los objetos de la manera más floja y relajada posible.
- Cambie de posición con frecuencia.
- Utilice dispositivos eléctricos en vez de las manos, como engrampadoras eléctricas, cultivadores, etc.
- Utilice la menor fuerza posible cuando haga el trabajo. Escribir en un teclado con un suave toque puede corregir el síndrome del túnel carpiano.

Calme el dolor de las muñecas con yoga

Si su médico le receta una férula para la muñeca por su túnel carpiano, dígale que espere. Un estudio de la Facultad de Medicina de la Universidad de Pensilvania mostró que practicar posiciones de yoga simples dos veces a la semana puede mejorar la fuerza de agarre y la flexibilidad y reducir el entumecimiento y el dolor mejor que una férula para la muñeca.

Pruebe estas nueve posiciones de yoga que se concentran en extender las articulaciones y aumentar el flujo sanguíneo.

Dandasana. Siéntese en el piso contra una pared (o en una silla) con el cuerpo derecho y alto. Presione las palmas de las manos sobre el piso al lado de las caderas. Presione los omóplatos contra la pared y sienta que la parte superior de la cabeza se eleva hacia el techo. Sostenga durante 30 segundos. Respire cómodamente por la nariz.

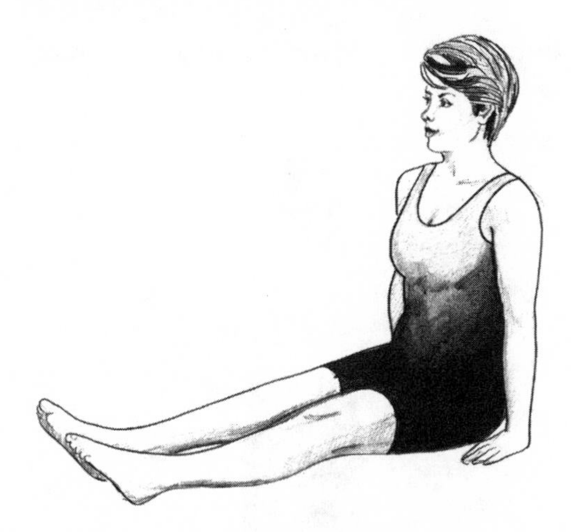

Namaste. Doble los codos y levántelos separándolos de los costados del cuerpo. Presione las palmas de las manos y los dedos, con los dedos lo más separados posible. Sostenga esta presión durante 30 segundos. Luego presione cada "par" de dedos en forma individual. Sostenga cada presión durante 30 segundos. Respire por la nariz.

Garudasana. Párese derecho y mantenga el equilibrio. Doble los codos y cruce los brazos delante del pecho de manera que el codo izquierdo se apoye en la curva interna del brazo derecho. Doble la mano derecha hacia el pecho, en sentido contrario a las agujas del reloj, de manera que los dedos de la mano derecha estén apoyados en la palma izquierda. Los codos deben estar a nivel de los hombros. Extienda las manos y los dedos hacia el techo. Sostenga durante 30 segundos. Relaje y repita cambiando la posición de los brazos.

Bharadvajasana. Siéntese de costado en una silla de manera que la cadera derecha y el muslo derecho estén contra el respaldo de la silla. Continúe respirando y estire la columna vertebral manteniendo los hombros bajos y hacia atrás. Torsione la parte superior del cuerpo hacia la derecha y coloque las manos sobre el respaldo de la silla. Utilice las manos para aumentar suavemente la presión de la torsión — empuje contra la silla con la mano derecha y tire con la izquierda. Mire por sobre el hombro derecho. Sostenga durante 30 segundos, relaje y luego repita con el lado izquierdo.

Tadasana. Párese descalzo con los pies juntos y el peso uniformemente equilibrado. Tense los músculos de los muslos para que se eleven las rótulas. Estire la columna, deje caer los hombros y eleve el pecho. Manteniendo los brazos a los costados, rote los brazos hacia afuera de manera que las palmas apunten lo más atrás posible. Sostenga durante 30 segundos, respirando uniformemente por la nariz.

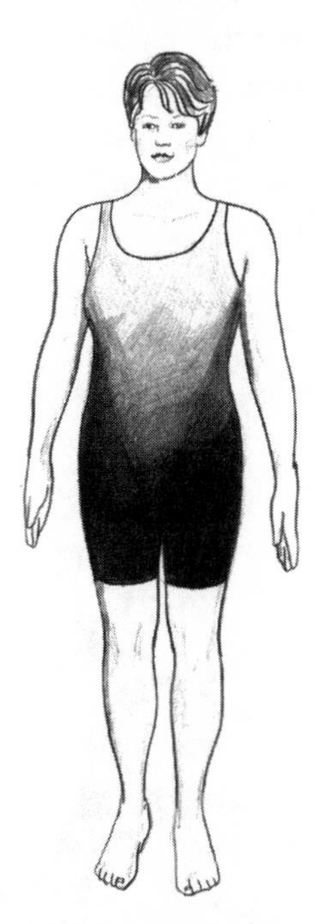

Media Uttanasana. Párese con los pies separados por el ancho de hombros. Coloque las manos sobre las caderas o extiéndalas sobre la cabeza. Manteniendo la columna derecha, inclínese a la altura de las caderas lo más lejos que pueda, mientras se sienta cómodo. Si necesita ayuda con el equilibrio, hágalo frente a una pared o el respaldo de una silla de manera que las manos extendidas toquen la pared o el respaldo de la silla cuando se inclina hacia adelante. Extienda y sostenga durante 30 segundos.

Virabhadrasana (sólo los brazos). Párese con los pies separados por el ancho de hombros. Levante los brazos a los costados hasta la altura de los hombros y rótelos hacia atrás para que las palmas miren hacia arriba. Levántelos sobre la cabeza hasta que se junten las palmas y los codos estén ligeramente detrás de las orejas. Extienda los brazos y los dedos hacia el techo. Levante el pecho, manteniendo los hombros bajos y relajados. Sostenga durante 30 segundos.

Urdhva Mukha Svanasana. Recuéstese boca abajo en el piso. Coloque las manos debajo de los hombros con los dedos bien separados. Enderece los codos de manera que el pecho y la parte superior del cuerpo se eleven del piso. Empuje los talones de las manos hacia el piso. Mantenga la cabeza nivelada y los hombros bajos y hacia atrás. Respire uniformemente. Sostenga esta extensión durante 30 segundos.

Savasana. Recuéstese sobre la espalda para que el cuerpo quede derecho. Apoye los brazos apenas separados del cuerpo con las palmas hacia arriba. Los talones deben estar separados por el ancho de caderas. Relaje los pies de manera que los dedos caigan hacia los costados. Cierre los ojos y relaje todos los músculos. Respire profundamente. Permanezca en esta posición durante 10 minutos aproximadamente.

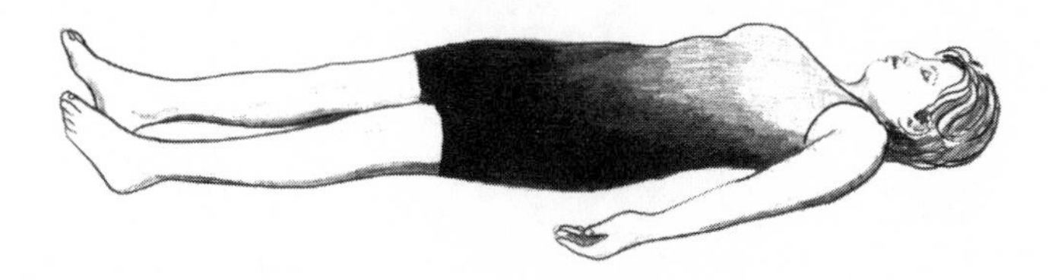

Silencie el dolor del túnel carpiano con ultrasonido

El tratamiento del síndrome del túnel carpiano puede resultar frustrante. Los remedios convencionales, como las inyecciones de esteroides y el uso de una férula a la noche no siempre surten efecto. La cirugía es una opción, pero no es adecuada para todos. Ahora las personas que sufren del túnel carpiano tienen otra opción — los tratamientos con ultrasonido.

El ultrasonido es el uso de ondas sonoras de alta frecuencia, fuera del rango de audición normal, para tratar lesiones a ligamentos, músculos y tendones. Puede reducir la inflamación y acelerar la curación al mejorar el flujo sanguíneo a través de los tejidos. Puede sentir calor u hormigueo durante un tratamiento con ultrasonido, pero casi nunca dolor.

Algunos investigadores de la Universidad de Viena probaron tratamientos con ultrasonido en 34 pacientes con el síndrome del túnel carpiano. El estudio duró siete semanas y tuvo un seguimiento de seis meses. Los pacientes recibieron tratamientos de 15 minutos cinco días a la semana durante dos semanas, luego dos veces a la semana durante otras cinco semanas.

Después de ese período, el 68 por ciento de los pacientes informó que los síntomas habían mejorado o que se habían aliviado por completo. Tenían menos dolor y entumecimiento, más fuerza en la mano y ningún efecto secundario. Y la mejor noticia, en el seguimiento de seis meses, el número de pacientes satisfechos con el tratamiento había subido al 74 por ciento. Esto significa que los efectos curativos del ultrasonido perduran después de los tratamientos originales.

Si está interesado en este último tratamiento, consulte a su médico para ver si es adecuado para usted.

Cataratas

Siete formas de evitar las cataratas

Una buena nutrición y un estilo de vida saludable no sólo disminuirán el riesgo de cardiopatías y cáncer, sino que también pueden proteger sus ojos de las cataratas — la principal causa de ceguera.

Una catarata es un área empañada en la lente. Cuando es pequeña, tiene poco efecto sobre la visión. A medida que la catarata crece, puede notar que se le nubla la visión, como si mirara a través de un vidrio empañado. La luz del sol o de una lámpara pueden parecer demasiado brillantes y encandilarlo. Cuando maneja de noche, puede notar que los focos de los autos que se aproximan lo encandilan más que antes. Los colores parecen desteñidos.

La mayoría de las cataratas se desarrolla naturalmente con el envejecimiento. La mitad de todos los estadounidenses tiene cataratas al llegar a los 50 años y ese número aumenta al 70 por ciento al llegar a los 75. La cirugía de cataratas generalmente mejora la visión, pero a veces, todo lo que necesita es lentes para leer con más aumento o una mejor iluminación cuando hace un trabajo de cerca.

Aun así, ¿no preferiría estar en el grupo más pequeño — el 30 por ciento que nunca tendrá cataratas? Elegir estas opciones saludables puede evitar que las lentes empañadas arruinen su vista.

Contra ataque con antioxidantes. Los antioxidantes pueden ayudar a prevenir las cataratas al combatir los radicales libres, que pueden dañar sus ojos. Pruebe ingiriendo más de estos tres poderosos antioxidantes todos los días para prevenir la pérdida de la visión.

- **Beta caroteno:** se encuentra en alimentos verde oscuro y anaranjado brillante como zanahorias, batatas, damascos, brócoli y espinaca; el betacaroteno se convierte en vitamina A en su cuerpo. Dado que un exceso de vitamina A puede ser peligroso, es mejor obtener estos nutrientes de alimentos en lugar de suplementos. Pero si le resulta difícil comer esos vegetales de colores tan intensos, tomar una vitamina múltiple por día suplementará todo lo que necesita. De hecho, las investigaciones muestran que tomar una vitamina múltiple por día puede disminuir el riesgo de desarrollar cataratas.

- **Vitamina E.** un estudio reciente halló que las cataratas nucleares, el tipo más frecuente, aumentan dos veces más rápido en las personas que no toman suplementos de vitamina E en comparación con las personas que sí lo hacen. Algunos investigadores afirman que se pueden tomar hasta 400 unidades internacionales (UI) de vitamina E por día en forma de suplemento. Para obtener más vitamina E en la dieta, agregue un poco de aceite de germen de trigo, semillas de girasol o almendras secas. En vez de harina blanca y arroz blanco, consuma trigo integral, avenas y arroz integral.
- **Vitamina C.** Algunos investigadores realizaron un estudio con enfermeras entre los 56 y los 71 años. Hallaron que las que tomaban un suplemento de vitamina C durante 10 años o más tenían un 77 por ciento menos de probabilidad de tener siquiera levemente nubladas las lentes de los ojos que las que no estaban tomando suplementos. Parece que la cantidad de vitamina C en el suplemento es menos importante que el número de años que se toma. La ventaja no fue tan grande para las que la tomaron durante menos de 10 años. Para obtener más vitamina C de los alimentos, coma naranjas, limones, mandarinas, frutillas, brócoli, repollitos de Bruselas y pimientos dulces rojos.

Saboree una especia exótica. La curcumina, un antioxidante natural que se encuentra en la especia cúrcuma, puede ayudar a prevenir las cataratas. La cúrcuma es un ingrediente esencial del polvo de curry, que se utiliza en la cocina hindú. Pruebe esta sabrosa especia — sus papilas gustativas se lo agradecerán y también lo harán sus ojos.

No abuse de la sal. Si es sensible a la sal, demasiada sal en su dieta puede elevar la presión arterial e interferir con los vasos sanguíneos de los ojos. La mayoría de las personas debe limitar la ingesta de sal a 2.400 miligramos (mg) por día. Si tiene presión arterial alta, no consuma más de 2.000 mg. Aprenda a cocinar sin sal. Utilice especias para agregar sabor a sus comidas. Elija con inteligencia cuando coma afuera y lea las etiquetas para ver el contenido de sodio cuando vaya a la tienda de comestibles.

Piense en menos grasas. Proteger sus ojos es otra razón para comer menos grasas. Para mantener el porcentaje de grasas en el 30 por ciento o menos de las calorías diarias, evite las comidas fritas, elija versiones reducidas en grasas de sus comidas favoritas ricas en grasa y utilice un aerosol de cocina antiadherente cuando prepare las comidas. Si ingiere más frutas, vegetales y granos enteros, automáticamente comerá menos grasa.

Tire los cigarrillos. El humo del cigarrillo puede hacer más que nublar una habitación. También puede disminuir su visión. Los fumadores tienen el doble o triple de posibilidad de desarrollar cataratas que los no fumadores.

Utilice anteojos de sol con protección UV. Evite pasar mucho tiempo a plena luz del sol. Cuando salga, utilice anteojos de sol y un sombrero de ala ancha y permanezca en la sombra. Esto es especialmente importante si vive cerca del ecuador o a gran altura.

Pregunte a su médico sobre la aspirina. Algunos estudios indican que tomar aspirina puede ayudar a prevenir las cataratas. Pero pruebas más recientes muestran que el uso de la aspirina a largo plazo en realidad aumenta el riesgo. Los investigadores hallaron que las personas que tomaban uno o más comprimidos de aspirina por semana durante un período de 10 años tenían el doble de probabilidad de tener cataratas que los que no tomaban la aspirina tan seguido. Esto parecía ser más cierto para las personas menores de 65 años.

Una advertencia — si está tomando aspirina por su corazón u otra razón médica, no la interrumpa sin la aprobación de su médico.

Cómo comprar anteojos de sol

Probablemente piensa que usar anteojos de sol lo hace lucir espléndido. Pero los anteojos de sol son más que el dictado de la moda — son esenciales para la salud de sus ojos.

No se confunda por la cantidad de estilos, colores, materiales, precios y promesas publicitarias. Considere estos puntos básicos antes de comprar:

Los anteojos de sol deben bloquear la luz ultravioleta. Verifique la etiqueta para asegurarse que los anteojos filtran del 99 al 100 por ciento de toda la luz ultravioleta (tanto UV-A como UV-B). Si la etiqueta dice "absorción de UV hasta 400 nm", es lo mismo.

No se preocupe por la protección contra la luz infrarroja. Las investigaciones no han demostrado ninguna asociación entre los problemas oculares y los niveles relativamente bajos que se encuentran en la luz solar.

Los estilos grandes y envolventes bloquean más rayos. Los marcos comunes permiten que la luz entre por los costados, por la parte de arriba y directamente a los ojos. Los otros marcos ofrecen protección desde todos los ángulos.

La calidad puede variar. Los anteojos sin receta que son pulidos y limpiados por el fabricante son generalmente de mejor calidad. Por otro lado, los que no lo son no dañarán sus ojos.

Para evaluar la calidad de los anteojos de sol, resulta útil mirar algo con un diseño rectangular — puede ser un cerámico del piso. Sosteniendo los anteojos a unos centímetros de la cara, cúbrase un ojo y mueva los anteojos de lado a lado y de arriba a abajo. Las líneas deben mantenerse derechas. Si se ven onduladas, especialmente en el centro, busque otro par.

Más caro no significa mejor. No es necesario gastar mucho dinero para conseguir buenos anteojos de sol. Ese par de $100 puede tener más estilo, pero el par de $10 puede ser tan bueno, o mejor, para sus ojos. Recuerde — la protección UV es lo que más interesa, no el precio.

Cáncer cervical

Optimice sus defensas contra el cáncer cervical

El cáncer cervical es un cáncer solapado de crecimiento lento casi sin síntomas. Es posible que nunca sepa que lo tiene hasta que es demasiado tarde. Es alarmante. Pero hay algo que puede hacer para disminuir el riesgo de desarrollar este cáncer — comer más frutas y vegetales.

Una dieta sin vitaminas y minerales hace que su sistema inmunológico se debilite demasiado y no pueda oponer resistencia a las enfermedades. Los expertos han probado que las frutas y los vegetales son el grupo de alimentos más importante para combatir muchos tipos de cáncer. Y un nutriente puede ser más importante que otros en la guerra contra el cáncer cervical. Es el ácido fólico, una de las vitaminas del grupo B.

Cuando los investigadores de la Universidad de Illinois compararon un grupo de mujeres con cáncer cervical con un grupo sin cáncer cervical, hallaron que el grupo sin cáncer tenía un nivel más alto de ácido fólico en la dieta. La conclusión — más ácido fólico puede significar menos cáncer cervical.

La ración diaria recomendada (RDA) de ácido fólico es de 400 microgramos (mcg) por día. La ración diaria se puede cubrir con sólo una taza de lentejas cocidas y una ensalada de espinacas frescas.

Si utiliza suplementos, no se exceda. Los expertos dicen que no se debe consumir más de 1 miligramo (mg) de ácido fólico por día. Las mejores fuentes de alimentos son las legumbres; los productos integrales enriquecidos, como los cereales, las pastas, el pan y el arroz; las bayas y los vegetales de hoja verde oscuro.

Ahora que come saludable, su segunda línea de defensa es la detección precoz. Si se toma a tiempo, el cáncer cervical es curable en casi el 100 por ciento de los casos. La mejor forma de detectarlo es con una prueba de detección llamada prueba de Papanicolau. Los profesionales de la salud recomiendan que las mujeres se sometan a un examen pélvico y una prueba de Papanicolau cada año, o al menos cada tres años. La prueba consiste en tomar una muestra de células de alrededor del cuello uterino y enviarla al laboratorio para un análisis. Este simple procedimiento ha hecho disminuir el número de muertes por cáncer cervical en un 74 por ciento en los últimos 40 años.

Recuerde estos otros factores de alto riesgo — fumar, numerosas parejas sexuales, anticonceptivos orales y tener muchos hijos. Si considera que está en riesgo, no espere. Acuda a su médico para someterse a una prueba de Papanicolau y recoja un poco de espinaca en el camino.

Colesterol

Déle una paliza al colesterol con estas estrategias naturales

Su cuerpo necesita el colesterol. Es un componente de la membrana externa de las células. Es un ingrediente fundamental de la bilis, un líquido que ayuda a la digestión. Está presente en la vaina grasa que recubre los nervios y ayuda con la producción de hormonas.

La mayor parte del colesterol en el cuerpo es producido en el hígado, pero del 20 al 30 por ciento proviene de los alimentos que ingiere. Demasiado colesterol puede tapar sus arterias y resultar en cardiopatías y apoplejías.

Si sus niveles de colesterol son elevados, consulte a su médico sobre un tratamiento para el colesterol y pruebe estas estrategias naturales para disminuirlo.

Desinfle su "salvavidas". Si está excedido de peso, baje esos kilos de más. Perder peso, especialmente alrededor de la cintura, disminuye los triglicéridos y el colesterol LDL malo y aumenta el colesterol HDL bueno. Esto disminuye el riesgo de cardiopatías. Realizar ejercicio físico tiene el mismo resultado. Si se ejercita y pierde peso, aumentará el HDL aún más.

Elija las grasas con inteligencia. Existen tres tipos de grasas — saturadas, poliinsaturadas y monoinsaturadas.

Las grasas saturadas aumentan el nivel de colesterol. Se encuentran en la carne, la yema de huevo, la crema, la leche, la manteca y el queso y en algunas grasas vegetales como el aceite de coco, el aceite de palma y las margarinas vegetales hidrogenadas.

Las grasas poliinsaturadas disminuyen el colesterol LDL, lo que es bueno, pero también disminuyen el colesterol HDL, lo que es malo. Un poco de este tipo de grasa en la dieta está bien — pero no se exceda. El aceite de cártamo, de girasol y de soja son ricos en grasas poliinsaturadas.

Las grasas monoinsaturadas disminuyen el colesterol LDL y pueden aumentar el colesterol HDL. El aceite de oliva y el aceite de canola son ricos en grasas monoinsaturadas. Muchos estudios han probado que el aceite de oliva disminuye el colesterol LDL malo y aumenta el colesterol HDL bueno. De hecho, agregar aceite de oliva a una dieta reducida en grasas produce mejores resultados que solamente disminuir la ingesta de grasa.

Coma menos grasa. El cuerpo necesita algo de grasa. Es una de las mejores fuentes de energía, es necesaria para crecer y transporta las vitaminas solubles en grasa A, D, E y K a través del cuerpo. ¿Y sabía que en realidad un poco de grasa ayuda a controlar su apetito? Es por eso que una dieta muy reducida en grasas puede hacer que tenga apetito todo el tiempo.

El Departamento de Salud y Servicios Humanos de los Estados Unidos recomienda una ingesta total de grasa en la dieta de no más del 30 por ciento de las calorías totales. Eso significa que si tiene una dieta de 2.000 calorías por día, no debe consumir más de 600 calorías de grasa por día. Y mantenga su ingesta de grasas saturadas lo más baja posible. La Asociación Estadounidense del Corazón señala que las grasas saturadas no deben ser más del 7 por ciento de sus calorías diarias totales. Si no le gusta registrar números, simplemente elimine los alimentos ricos en grasa o consuma las versiones reducidas en grasa.

Ofrézcase un festín de fibras. La fibra ayuda a bajar el colesterol LDL malo e incluso puede aumentar el colesterol HDL bueno. La fibra también satisface, lo que deja menos espacio para las carnes y los productos lácteos ricos en colesterol y grasa. El salvado, las avenas, la cebada, el arroz salvaje, el maíz molido y la linaza son buenas fuentes de fibra. Las legumbres, como las arvejas partidas, las alubias de cabecita negra, las lentejas, las alubias con forma de riñón y los granos de soja son otra forma económica de agregar fibra a sus comidas. Y no olvide las frutas y los vegetales. Son bocadillos excelentes y tienen una gran cantidad de fibra.

Dígale adiós a la manteca. La manteca tiene una gran cantidad de colesterol y grasa saturada. Por otro lado, la margarina generalmente se hace con aceite vegetal líquido no saturado y no tiene colesterol. Pero la margarina no es perfecta. Cuando los aceites vegetales se endurecen durante la hidrogenación, se forman ácidos grasos trans. Las investigaciones muestran que los ácidos grasos trans son tan malos para el colesterol como las grasas saturadas.

Para ayudarlo a decidirse, considere las últimas recomendaciones de la Asociación Estadounidense del Corazón:

- Elija una margarina con no más de 2 gramos de grasa saturada por cucharada.
- Busque una margarina con aceite vegetal líquido mencionado como primer ingrediente.
- Compre margarinas blandas en vez de en barra.

¿Y qué tal los dos nuevos sustitutos de margarina que ayudan a bajar el colesterol? Uno está hecho con éster de sitostanol, un producto derivado de la industria de la madera. Los estudios muestran que esta margarina resultó en una reducción del 20 por ciento del colesterol LDL porque bloquea parte de la absorción del colesterol en el flujo sanguíneo. Es comercializada por Johnson & Johnson con el nombre comercial Benecol.

Otra pasta para untar saludable para el corazón se hace con esteroles vegetales extraídos de los granos de soja. Esta pasta, llamada Take Control, es un producto alimenticio de Lipton.

No tema a los huevos. Últimamente la yema de huevo ha sido muy vapuleada porque contiene colesterol. La Asociación Estadounidense del Corazón recomienda que la mayoría de las personas limite su ingesta de colesterol a 300 miligramos (mg) por día y un huevo grande promedio contiene aproximadamente de 213 a 220 mg de colesterol.

Esto no significa el fin de las tostadas francesas y las tortillas de huevo. Siga adelante y dése el gusto de comer esa tortilla con tres huevos en el desayuno tardío del domingo siempre que elimine la carne y los productos lácteos enteros el resto de la semana. De hecho, la Asociación Estadounidense del Corazón dice que aproximadamente cuatro yemas de huevo a la semana está bien para las personas con colesterol normal. Lo difícil es contar los huevos escondidos en la comida. Una porción de un alimento horneado cuenta como media yema de huevo.

Coma ajo. Esta modesta y pequeña hierba, que se ha utilizado para cocinar y curar durante miles de años, puede devolver la elasticidad a sus arterias.

Existen docenas de estudios que muestran que el ajo evita la acumulación de grasa y colesterol en las arterias, reduce los triglicéridos y aumenta el colesterol HDL. En uno de esos estudios, comer un diente de ajo fresco todos los días durante 16 semanas produjo una sorprendente reducción del colesterol de un 20 por ciento.

Si el colesterol le preocupa, planifique unas comidas con ajo y algún pescado grasoso, como el salmón. Consumir esta combinación parece disminuir mejor el colesterol que consumir uno solo de estos productos.

Consuma vitamina C. Los estudios han hallado que la vitamina C aumenta el colesterol HDL bueno y ayuda a evitar que el colesterol LDL malo se oxide y se convierta en placas que obstruyen las arterias.

La ración diaria recomendada (RDA) de vitamina C es de 75 miligramos (mg) por día para las mujeres y 90 mg por día para los hombres. Simplemente un vaso de jugo de naranja servirá. Otras excelentes fuentes de vitamina C son los pimientos rojos dulces, los pimientos verdes, el kiwi, las frutillas, los cantalupos, los repollitos de Bruselas, el jugo de tomate, las hojas de berza, el brócoli y el repollo.

La dieta asiática — comer modestamente para tener un corazón sano

Se necesitó el estudio más grande en su tipo, pero los resultados son indiscutibles. Si desea vivir más tiempo y de manera más saludable, coma como un campesino asiático.

Hace tiempo que los investigadores saben que las personas que viven en países como China, Japón, Tailandia, India, Corea e Indonesia tienen un menor riesgo de cáncer, obesidad y cardiopatías. Pero no tenían pruebas concluyentes para explicar por qué. Ahora sí las tienen.

En un estudio chino sobre la dieta, llamado China-Cornell-Oxford Diet and Health Project, los investigadores recopilaron información sobre los hábitos alimenticios de más de 10.000 chinos desde 1983. Hallaron que los "campesinos" asiáticos de las clases más bajas tienen una dieta humilde y tradicional — con gran cantidad de granos y vegetales ricos en fibras y pocos productos de origen animal. Afirman que ésta es la razón de su buena salud. Los niveles de colesterol son bajos — tan bajos en realidad que su promedio de colesterol total es casi equivalente al límite inferior de los Estados Unidos. Y sólo un promedio del 15% de las muertes de Asia se debe a cardiopatías, comparado con más del 40% en los Estados Unidos.

Esta súper dieta asiática para ayudar al corazón ha ganado la aprobación de muchos expertos en nutrición debido a que hace hincapié en los alimentos de origen vegetal más que en aquellos de origen animal. Seguir este tipo de patrón de alimentación puede ser su camino hacia una buena salud y una larga vida.

Aquí están los grupos básicos que conforman la pirámide alimenticia asiática. Existen muchas formas de incluir estos alimentos en la dieta diaria sin tener que abandonar sus propias tradiciones. Por otro lado, si está cansado de la misma y vieja rutina de carne y papas, compre un libro de cocina china y aprenda el arte de saltear los alimentos.

Cereales. La mayor parte de su dieta consiste en el consumo de arroz sin refinar, trigo, mijo, maíz, cebada y otros cereales. Generalmente los comen junto otros platos, pero sólo en pequeñas cantidades, para agregar variedad y gusto. Busque arroz sin refinar, basmati, jazmín o integral. Estos tipos de arroz tienen mucho sabor, perfume y fibras.

Vegetales. Ya sea provenientes de la tierra o del mar, los vegetales tienen un rol importante en la dieta asiática de todos los días. Entre los que puede encontrar en las recetas asiáticas tradicionales se encuentran la col china, las hojas de mostaza china, el amaranto, la espinaca acuática, las castañas de agua, los brotes de bambú, la raíz de lotus y el melón amargo. Sin embargo, las verduras como el brócoli, la espinaca, el apio, las zanahorias y los pimientos se adaptan a las recetas asiáticas tradicionales con facilidad.

Legumbres. Las arvejas y las alubias son una gran fuente de fibra y proteína. Deben estar incluidas en una comida al día como mínimo. Además de los granos de soja, otras legumbres que puede probar para obtener el auténtico sabor chino son las alubias mungo, los garbanzos y las lentejas.

Frutos secos y semillas. Las almendras, las castañas de cajú, las nueces, los piñones y las castañas son ingredientes populares en la cocina asiática. Muchos se muelen y se mezclan con agua para hacer leche de nuez, que se utiliza en salsas, postres y aderezos. Trate de comer un puñado de frutos secos o semillas todos los días.

Grasas y aceites. Puede consumir a diario pequeñas cantidades de aceites de maní, de sésamo dorado, de soja y de maíz.

Mariscos. Si bien generalmente es más costoso que el pollo o la carne roja, vale la pena pagar esos centavos extras por el pescado. El pescado contiene muchos ácidos grasos omega3 y proteínas, pero tiene poca cantidad de colesterol.

Carnes. Para mantener sus arterias sanas, algunos expertos recomiendan comer carne roja sólo una vez al mes y disminuir el consumo de aves y huevos — no más de una porción promedio por semana.

Hierbas. Ningún plan alimentario estaría completo sin las hierbas y las especias únicas de esa cultura. Muchas de ellas no sólo le dan sabor y condimentan los alimentos sino que algunas, como el ajo, la cúrcuma y el fenogreco, también brindan una poderosa protección al corazón.

Dulces. Si desea seguir la dieta asiática, debe reducir la ingesta de azúcar y dulces. En Asia, para el postre se sirven frutas frescas y no dulces.

El ketchup puede despedir al colesterol malo

Un perro caliente no le hará a su corazón ningún favor, pero lo que le pone encima sí podría. Algunos estudios han demostrado que el licopeno, que se encuentra naturalmente en los tomates, puede disminuir el riesgo de enfermedad cardiaca y ciertos tipos de cáncer. Pero, según un estudio reciente, los tomates no son la mejor fuente de licopeno, sino el ketchup.

Investigaciones aprobadas por la Fundación para la Investigación del Cáncer de los Estados Unidos revelan que los tomates cocidos, como los que se utilizan para fabricar el ketchup, proporcionan cinco veces más de licopeno que los tomates frescos.

Este antioxidante natural protege su corazón al evitar la oxidación del colesterol LDL malo en sus arterias. El licopeno no disminuye la cantidad de colesterol en la sangre. Simplemente evita que haga daño.

En un estudio de la Universidad de Toronto, las personas consumieron de una a dos porciones por día de productos a base de tomates, como jugo de tomates, salsa para espaguetis y licopeno concentrado. Después de sólo una semana, los niveles de licopeno se duplicaron en los participantes y sus niveles de colesterol LDL oxidado disminuyeron significativamente.

Entonces, ¿cuánto ketchup se necesita para cosechar esos maravillosos beneficios? Cerca de 40 miligramos (mg) de licopeno por día es suficiente para ayudarlo a defenderse de las cardiopatías. Desafortunadamente, tendría que cubrir su perro caliente con aproximadamente una taza de ketchup para obtener esa cantidad. Pero hay otras buenas formas de obtener licopeno. Casi todos los productos a base de tomates es una fuente rica. Sólo dos tazas de jugo de tomate o 3/4 taza de salsa para espaguetis servirán. También puede obtener licopeno de la guayaba, la sandía, el escaramujo y el pomelo rosado.

La perilla tiene un efecto saludable

Los ácidos grasos omega3 ayudan a disminuir el colesterol LDL y aumentar el colesterol HDL. Los peces que viven en aguas profundas y frías, como el salmón, la caballa y las sardinas, son ricos en omega3. El omega3 también se encuentra en la linaza, las nueves y el germen de avena, pero en menores cantidades.

Ahora un aceite vegetal que se ha utilizado durante siglos en el oriente se está popularizando en el occidente. Se llama aceite de perilla y es sumamente rico en ácidos grasos omega3. Mejor aún, no cae mal al estómago y al intestino como a veces lo hacen otros aceites ricos en omega3.

El aceite de perilla proviene de las hojas de perilla (Perilla frutescens). Tiene el aspecto del cóleo y es pariente de la menta. A principios del siglo XX, era popular como planta decorativa. Su aceite de semilla se ha utilizado en esmaltes, pinturas, linóleos, lacas y tintas, pero no se preocupe — ha sido utilizado para cocinar en las cocinas coreanas durante generaciones. Las hojas de perilla frescas, llamadas "shiso," se utilizan como adorno en los platos japoneses y su delicado sabor y fragancia son muy apreciados. La planta ha sido utilizada como hierba medicinal en el oriente durante años.

Los investigadores están analizando los beneficios específicos del aceite de perilla para tratar el cáncer, las cardiopatías, las alergias, la obesidad y las enfermedades intestinales, y también para mejorar la función cerebral.

Su mejor opción para encontrar aceite de perilla hoy en día es en una tienda de comestibles oriental, en una tienda de productos naturales y en la Internet.

Todavía no hay conclusiones sobre la perilla como fármaco. Pero por ahora, el aceite de perilla parece ser otra buena opción para agregar omega3 a su dieta.

Dolor crónico

Solución sin cirugía para el dolor crónico

¿Siente dolor constantemente? ¿Ha abandonado la esperanza de sostener una raqueta de tenis, caminar por el parque o simplemente dormir bien a la noche? Si es así, la proloterapia, un tratamiento revolucionario, puede aliviar o incluso curar su dolor crónico y a la vez fortalecer su cuerpo y hacerlo más estable — todo sin fármacos ni cirugía.

Desde que la proloterapia fue desarrollada por primera vez en la década de 1950, miles de personas han sido tratadas con éxito por una variedad de afecciones, como osteoartritis, fibromialgia, migrañas, codo de tenista, lesiones en las rodillas y la espalda, síndrome del túnel carpiano y traumatismo cervical. El Dr. Ross Hauser, un médico que se especializa en medicina física y rehabilitación, y uno de los principales expertos en el campo de la proloterapia, descubre el misterio que rodea a este procedimiento fuera de lo común en su libro, *Prolo Your Pain Away!*

La proloterapia trata los dolores musculoesqueléticos, que involucran los músculos y los huesos. Según Hauser, se producen porque el tejido débil o dañado ya no mantiene juntos a los huesos de la manera correcta. Los huesos se tocan unos con otros o los músculos adyacentes hacen un esfuerzo demasiado grande para mantenerlos unidos. Eso duele — a veces, no sólo en el lugar donde hay tendones y ligamentos débiles, sino que el dolor se extiende por toda la pierna, hasta los hombros o a los dedos de las manos. Esto se denomina dolor referido de ligamentos, un dolor que se transmite según determinados patrones desde el lugar donde se origina a otras partes del cuerpo.

Si su médico desconoce los patrones de dolor referido de ligamentos, es posible que no pueda ubicar con exactitud dónde se origina realmente el dolor. Esto significa que usted puede recibir un diagnóstico erróneo, ser tratado con medicamentos no adecuados e incluso ser sometido a cirugía — y seguir sintiendo dolor.

Un proloterapeuta, con capacitación en estos patrones de dolor referido, puede atacar el origen del dolor. Inyecta sustancias naturales al área lesionada, y a veces una pequeña cantidad de anestesia, para alertar al sistema inmunológico de que algo anda mal. La sangre y los nutrientes se dirigen al lugar y trabajan para producir tejido nuevo y saludable. Los resultados son ligamentos más fuertes y gruesos que proporcionan mejor apoyo a los huesos y articulaciones.

La rutina de tratamiento normal dura seis semanas y comienza con una evaluación exhaustiva. Usted recibe las inyecciones y le da a su cuerpo la posibilidad de curarse. Al final de la sexta semana, su proloterapeuta vuelve a evaluar su dolor. "Generalmente se requieren cuatro tratamientos para eliminar el dolor", señala Hauser. "Dado que cada ser humano es único, algunas personas sólo requieren un tratamiento mientras otras pueden requieren hasta ocho. Normalmente no se necesitan más".

Si la proloterapia es tan exitosa, ¿por qué nunca oyó hablar de ella? Quizás porque la base del tratamiento es contraria a lo que la mayoría de los médicos, entrenadores, fisioterapeutas y quiroprácticos recomiendan. Para las lesiones de los tejidos blandos, como las esguinces, siempre le han dicho que combatiera la inflamación con reposo, hielo, compresión y elevación (RICE). Pero Hauser explica: "El resultado a corto plazo de este tratamiento es una reducción del dolor. No obstante, el tratamiento RICE disminuye el flujo sanguíneo, lo que evita que las células inmunológicas se dirijan al área lesionada. Esto perjudica el proceso de curación, causa más dolor a largo plazo y aumenta la posibilidad de que el ligamento lesionado no se cure del todo".

Hauser ofrece un enfoque diferente: movimiento, ejercicio, analgésicos y tratamiento (MEAT). "El movimiento y los ejercicios con poco rango de movimiento mejoran el flujo al área afectada. Si el movimiento de la articulación es doloroso, entonces deben realizarse ejercicios isométricos. Los ejercicios isométricos consisten en contraer un músculo sin mover la articulación afectada. Un ejemplo es el apretón de manos. Ambas partes aprietan, lo que crea una contracción muscular sin movimiento de las articulaciones".

Recomienda sólo analgésicos naturales o analgésicos que no disminuyen la inflamación, como el paracetamol. Los AINE (fármacos antiinflamatorios no esteroides), como el ibuprofeno y la aspirina, disminuyen la inflamación. "La inflamación indica al cuerpo, especialmente al cerebro, que una parte del cuerpo ha sido lesionada. El sistema inmunológico es activado para enviar células inmunológicas al área afectada. En el caso de una lesión en un tejido blando, la inflamación es la cura para el problema".

Y por último, recomienda tratamientos que aumentan el flujo sanguíneo y el movimiento de células al área afectada, como fisioterapia, masajes, quiropraxia, ultrasonido y estimulación eléctrica.

El uso de MEAT permite la curación completa de la lesión, señala Hauser. La proloterapia se utiliza a menudo después de que los tratamientos tradicionales dejen el área débil y dolorida.

El Dr. C. Everett Koop, ex Cirujano General de los Estados Unidos, es una de las personas que encontraron alivio con la proloterapia. De hecho, estaba tan impresionado con sus propios resultados que recibió capacitación para administrar tratamientos. Dice que un diagnóstico preciso es esencial y que el tratamiento debe ser administrado por alguien capacitado en proloterapia. Pero advierte que la proloterapia no es una cura para todos los dolores.

Para encontrar un proloterapeuta en su área, consulte la lista de referencias al dorso del libro de Hauser o llame a la Asociación Estadounidense de Medicina Ortopédica al 1-800-992-2063. Se aplican tarifas por esta información.

También puede solicitar una lista estatal de proloterapeutas enviando un sobre con respuesta postal paga a: American College of Osteopathic Pain Management & Sclerotherapy (ACOPMS), 303 S. Ingram Court, Middletown, DE 19709. O llame al 1-800-471-6114.

Para solicitar una copia de *Prolo Your Pain Away!* de Beulah Land Press, llame al 1-800-797-7656.

Cúrese con el humor

"Patch Adams," una película que protagoniza Robin Williams, trata sobre un médico fuera de lo común que utiliza el humor para hacer que sus pacientes se sientan mejor. Aun antes del éxito de esa película, los hospitales estaban comenzando a adoptar este aspecto de la curación. Algunos ofrecen salas de humor o carritos de humor para sus pacientes. La Universidad de Loma Linda, donde se han realizado muchas investigaciones sobre el poder curativo del humos, tiene una "biblioteca de la risa", con artículos de humor que los pacientes pueden utilizar.

En verdad el humor puede ayudar a mantener una actitud positiva en tiempos difíciles, como cuando se está pasando por una enfermedad grave. Pero las investigaciones demuestran que el humor y la risa también pueden prevenir enfermedades e incluso ayudar a vivir más.

Según David Weeks, autor de *Eccentrics: A Study of Sanity and Strangeness* (Kodansha Globe 1996), los excéntricos viven entre 20 y 25 años más que el promedio. Es quizás porque estas personas inteligentes y creativas no se toman en serio a ellas mismas y generalmente están bendecidas con un gran sentido del humor.

Aquí hay cuatro formas en que la risa lo puede hacer sentir más saludable.

- **Ejercita su cuerpo.** La risa ha sido llamado el trote para los órganos internos. Cuando ríe, usted respira más profundamente, lo que aumenta el oxígeno en su flujo sanguíneo y el diafragma se contrae y se relaja. Su frecuencia cardiaca y su presión arterial también aumentan cuando ríe, como cuando hace ejercicio. No obstante, después de reír, su frecuencia cardiaca y su presión arterial disminuyen a niveles inferiores a los que tenían antes de reír. El Dr. William Fry, un investigador especializado en los efectos físicos de la risa en el cuerpo, dice que 20 segundo de buena "risa en el estómago" beneficia su corazón tanto como tres minutos de remar fuerte.
- **Estimula su sistema inmunológico.** Los estudios muestran que la risa puede aumentar la actividad de su sistema inmunológico, lo que podría ayudarlo a combatir la enfermedad. El Dr. Lee Burk de la Universidad de Loma Linda halló que la risa aumenta varias mediciones de la actividad del sistema inmunológico, inclusive de los linfocitos citolíticos naturales, que atacan virus y células tumorales; la inmunoglobulina A, que protege el tracto respiratorio superior; el interferón gama, que ayuda a activar diferentes partes de su sistema inmunológico; y las células T, que constituyen un tipo específico de leucocito.
- **Calme el estrés.** Cuando está estresado, una buena risa lo hace sentir mejor. Las investigaciones confirman que la risa realmente reduce la producción de cortisol y otras hormonas relacionadas con el estrés. El exceso de estas hormonas en su cuerpo puede ser perjudicial, ya que contribuye a las cardiopatías, cáncer, depresión, osteoporosis y pérdida de la función cerebral.

- **Ahuyenta el enojo.** ¿Alguna vez estuvo tan enojado que pensó que iba a estallar, y luego pasó algo gracioso, y en cambio, estalló en risas? Es difícil reír y estar enojado al mismo tiempo. Por lo tanto, la próxima vez que alguien lo cierre con el auto, en vez de sacudir el puño, simplemente ríase. Se sentirá mejor y quizás viva más. Recuerde, el que ríe — último.

Descubra el poder curativo de los imanes

Cuando el caballo de Michelle Wendall comenzó a cojear, una amiga le prestó un extraño aparato para atarle a la pata. Tenía imanes, según dijo, y le ayudaría a aliviar el dolor en la rodilla sin medicamentos. "Al principio, creí que era una locura", admitió Michelle. "Pero valía la pena probar para no tener que pagar a un veterinario. En pocos días, mi caballo estaba corriendo y saltando como si tuviera 10 años menos. Estaba impresionada".

Los imanes tuvieron tanto éxito con su caballo, que Michelle se preguntó si podrían ayudar a aliviar el dolor de espalda de su esposo. Investigó un poco y descubrió que el uso de imanes terapéuticos estaba creciendo rápidamente. Son utilizados y avalados por atletas profesionales y celebridades, entre los que se incluyen Hank Aaron, Dan Marino y el jugador de golf Bob Murphy.

Además, el campo de los imanes terapéuticos se está convirtiendo en una industria que mueve mucho dinero. Las ventas brutas de uno de los principales productores, una compañía japonesa llamada Nikken, son de más de 10.000 millones de dólares. Los aparatos pueden costar desde unos pocos dólares a más de mil.

A pesar de todo el despliegue publicitario, las pruebas científicas que respaldan el poder curativo de los imanes son escasas. La Administración de Drogas y Alimentos no ha aprobado el uso de los imanes, pero tampoco ha sido prohibido. Si bien gran parte de la comunidad científica es escéptica acerca de los imanes, las investigaciones clínicas sobre el tema recién están comenzando y los resultados iniciales parecen promisorios.

En la Facultad de Medicina Baylor en Houston, el Dr. Carlos Vallbona y sus colegas probaron los imanes en 50 personas con síndrome pospoliomelitis. Trataron 29 personas con imanes, mientras que el resto de los voluntarios utilizaron imanes falsos en las zonas doloridas. El dolor disminuyó en un 76 por ciento de las personas tratadas con imanes reales, mientras que sólo el 19 por ciento de las personas tratadas con imanes falsos informaron un alivio del dolor.

Nadie sabe con seguridad por qué los imanes actúan. Algunos científicos piensan que actúan sobre partículas de hierro en la sangre o interactúan con el sistema eléctrico del cuerpo para estimular un mejor flujo sanguíneo. Otros creen que los campos magnéticos activan la acción curativa de las células a nivel molecular, interfieren con la percepción del dolor o estimulan la liberación de químicos que alivian el dolor llamados endorfinas.

Si decide probar los imanes para su dolor, no es cuestión de pegarse el imán con forma de frutilla que hay en la puerta del refrigerador a su dolorida espalda. La potencia de los imanes se mide en gauss. El típico imán de heladera tiene aproximadamente 60 gauss, mientras que los imanes terapéuticos tienen una potencia de 300 a 4.000 gauss. Las personas del estudio de Baylor fueron tratadas con imanes de 300 a 500 gauss durante 45 minutos.

Los expertos hacen hincapié en la necesidad de realizar más estudios para confirmar si los imanes actúan para aliviar el dolor. Si bien no se han informado efectos secundarios del uso de estos dispositivos, no se ha descartado la posibilidad de efectos secundarios perjudiciales.

Resfríos y gripe

Nueve formas de aliviar la tos y los resfríos

Un resfrío ocasional es normal, pero no es necesario soportar la nariz tapada, los estornudos, la tos y la necesidad de acostarse porque está dolorido. Aquí hay nueve formas de evitar un resfrío o aliviar los síntomas.

Hágase una sopa. La sopa de pollo es el remedio clásico de las madres para los resfríos y la gripe, y las investigaciones demuestran que mamá tenía razón. Un estudio halló que aún cuando la sopa de pollo estaba diluida 200 veces, seguía interfiriendo con las sustancias que causan los resfríos. Otros estudios hallaron que la sopa caliente puede eliminar la congestión y hacer que las secreciones mucosas sean menos espesas.

Lávese las manos. No es necesario contagiarse todos los resfríos que andan dando vueltas por ahí. Los virus del resfrío se diseminan cuando se tocan secreciones respiratorias infectadas que se encuentran en la piel de una persona o en una superficie, como un picaporte, y luego se tocan los ojos, la nariz o la boca. También puede contagiarse un resfrío cuando inhala partículas infecciosas que se encuentran en el aire por una tos o un estornudo. Para disminuir las posibilidades de contagiarse un resfrío, lávese las manos con frecuencia y no se toque los ojos, la nariz o la boca. Utilice jabón y frótese las manos vigorosamente para tener mejores resultados. El jabón común sirve. Los populares jabones antibacterianos no ofrecen protección adicional contra los resfríos porque sólo eliminan las bacterias, no los virus.

Échese vapor. Si la nariz tapada lo hace sentir desdichado, entre en la ducha. El aire caliente y húmedo puede despejar temporariamente los pasajes nasales tapados y ayudarlo a respirar mejor. Un humidificador también puede ayudar. Si no tiene uno, puede hacerlo. Simplemente vierta agua hirviendo en un tazón, inclínese sobre el mismo con una toalla cubriéndole la cabeza y respire profundamente. Agregue algunas flores de manzanilla al agua y obtendrá mayor alivio. La manzanilla ayuda a limpiar los senos tapados y calma la garganta irritada.

Beba mucho líquido. Es muy importante beber mucho líquido cuando tiene un resfrío o gripe, particularmente si tiene fiebre. Para prevenir la deshidratación y para hacer que el moco en los pulmones sea menos espeso para poder expulsarlo con la tos, beba al menos de ocho a diez tazas de líquido por día.

Tome vitamina C. Muchas personas piensan que la vitamina C puede prevenir los resfríos. Si bien esto no ha sido probado, hay estudios que han hallado que puede reducir la duración de los síntomas del resfrío. Tomar suplementos que contienen grandes dosis de vitamina C no es una buena idea. Si bien demasiada vitamina C probablemente no lo matará, una gran cantidad puede producir cálculos renales, náuseas, cólicos abdominales y diarrea. Para obtener vitamina C en forma natural, coma pimientos rojos dulces, pimientos verdes, frutas cítricas y frutillas.

Haga un jarabe para la tos con miel. Las estanterías de las farmacias están llenas de jarabes para la tos, pero si no le gusta tomar medicamentos, puede hacerse su propio jarabe para la tos natural. Mezcle el jugo de un limón con dos cucharadas de glicerina y 12 cucharadas de té de miel. Tome una cucharada de té cada media hora, recuerde revolver antes de usar. Puede hacer otro jarabe calmante y sabroso para aliviar la tos combinando 8 onzas de jugo de piña tibio y dos cucharadas de té de miel.

Arriba las bananas. Las bananas son deliciosas y tienen una gran cantidad de ácido fólico, potasio, magnesio y fibra, pero, ¿sabía que pueden ayudar a calmar la tos? La acidez es responsable de una de cada 10 toses crónicas. Las investigaciones muestran que comer bananas puede dar alivio a la acidez y la tos que ésta produce.

Piense en el zinc. Otro nutriente que causa controversia en el tratamiento de los resfríos es el zinc. Algunos estudios han hallado que las personas resfriadas que usan pastillas de gluconato de zinc se recuperan de sus resfríos más rápidamente que las otras. Otros estudios no han mostrado efectos positivos. Si desea probarlas, tenga esto en cuenta. No sólo tienen un gusto desagradable, también pueden producir náuseas.

Haga más amigos. Nunca se puede tener demasiados amigos, ¿no es cierto? Un estudio reciente halló que tener muchas relaciones sociales pueden hacer que tenga menos probabilidad de contraer un resfrío. El estudio halló que las personas con seis o más tipos de vínculos sociales — amigo, pareja, padre, compañero de trabajo, etc. — tenían una probabilidad cuatro veces menor de contraer un resfriado que las personas con tres o menos tipos de relaciones sociales. Los investigadores piensan que el apoyo psicológico adicional o la mayor exposición a diferentes virus, que ayuda a desarrollar la inmunidad, podría ser la razón.

Seis remedios a base de hierbas que vale la pena probar

Los herboristas tienen sus propios remedios probados y comprobados para la tos, el resfrío y la gripe. Aquí hay algunos de los más populares.

- **Raíz de malvavisco** (*Althaea officinalis*). Cuando está resfriado, probablemente el sólo pensar en beber una taza de chocolate caliente con malvaviscos esponjosos derritiéndose en la superficie es suficiente para hacerlo sentirse mejor. Pero, ¿sabía que los malvaviscos se hacían originalmente con una planta y que esa planta puede ayudar a aliviar los síntomas del resfrío? La raíz seca de la planta de malvavisco contiene del 5 al 10 por ciento de mucílago, una sustancia que se convierte en un gel pegajoso cuando se mezcla con un líquido. El mucílago forma una capa protectora sobre las membranas de su garganta, lo que reduce la irritación y la tos. Generalmente el malvavisco se toma en forma de té o jarabe. Para hacer el té, coloque de una a dos cucharadas de té de raíz molida en aproximadamente 5 onzas de agua fría. Deje reposar durante aproximadamente media hora, luego caliéntelo y bébalo.
- **Olmo americano** (*Ulmus fulva*). La corteza interna del árbol olmo americano, también llamado olmo rojo u olmo resbaladizo, es un remedio tradicional para los nativos americanos. Solían utilizarlo para hacer una cataplasma para heridas y quemaduras y para tratar problemas de estómago. El mucílago del olmo americano alivia la garganta irritada y reduce la tos. También puede tomarlo en forma de té o puede comprar pastillas de olmo americano. La Administración de Drogas y Alimentos (FDA) afirma que el olmo americano es seguro y efectivo, y que no se conocen efectos secundarios.
- **Flor de gordolobo** (*Verbascum thapsus*). Esta planta se ha utilizado para tratar diversas afecciones, desde hemorroides al dolor de oído. Sus flores amarillas se han utilizado para hacer tintura para el cabello. No obstante, el uso más frecuente de esta hierba es para el tratamiento de problemas respiratorios. Las flores

de gordolobo contienen mucílago. Esto alivia la garganta y actúa como un expectorante leve: afloja la flema y el moco, lo que aplaca la tos. Para hacer un té de flores de gordolobo, utilice de tres a cuatro cucharadas de té en aproximadamente 5 onzas de agua.

- **Regaliz** (*Glycyrrhiza glabra*). El nombre científico del regaliz — glycyrrhiza — proviene de las palabras griegas para "raíces dulces". Cuando escucha la palabra "regaliz", probablemente piense en los dulces, pero el uso terapéutico de esta planta se remonta al Imperio Romano. Se utilizaba para tratar la tos porque ayuda a eliminar el moco. Si tiene presión arterial alta, manténgase lejos de esta hierba. Su ingrediente activo, el ácido glicirrético, es similar a la hormona de la corteza adrenal llamada aldosterona e incluso una pequeña cantidad puede subir la presión arterial a niveles peligrosamente altos.
- **Equinácea** (*Echinacea purpurea, Echinacea angustifolia*). Cuando se trata de prevenir resfríos, la equinácea tiene la historia más reconocida de todas las hierbas. También llamada flor cónica púrpura, este miembro de la familia de las margaritas crece en la región central de los Estados Unidos. Los nativos americanos la utilizaban para tratar resfríos, la tos, el dolor de garganta, el dolor de muelas e incluso las picaduras de serpiente. La equinácea parece combatir los resfríos y la gripe al estimular el sistema inmunológico. En un estudio reciente, los glóbulos blancos de los hombres que tomaron un suplemento de equinácea durante cuatro días eran tres veces más efectivos para eliminar bacterias.
- **Saúco** (*Sambucus nigra*). La última vez que tuvo gripe, ¿pensó que nunca se recuperaría? Las investigaciones muestran que el saúco puede hacer que su próximo ataque de gripe sea más corto. Un estudio administró un extracto de saúco estandarizado, llamado Sambucol, a personas con gripe. En el plazo de dos días, se observó una mejoría — que incluía la disminución de la fiebre — en más del 90 por ciento de las personas que tomaban el extracto de saúco. Las personas que no tomaron el extracto mostraron una mejoría a los seis días. Busque el extracto de saúco entre los ingredientes de los jarabes y pastillas comerciales.

Las súper bacterias — la amenaza más reciente a su salud

Si bien todos parecen estar trabajando frenéticamente para combatir los efectos del virus Y2K de las computadoras, las súper bacterias de un tipo diferente pueden convertirse en una amenaza cada vez mayor. Los expertos temen que algún día, cepas de bacterias resistentes a todos los antibióticos conocidos se conviertan en el principal problema de salud del mundo. Irónicamente, puede ser el uso excesivo de los mismos antibióticos utilizados para combatir las bacterias lo que hace que todos seamos víctimas de estas súper bacterias.

Cuando se descubrieron los antibióticos a mediados del siglo XX, éstos revolucionaron el campo de la medicina. De pronto, los médicos podían combatir efectivamente las infecciones mortales y salvar millones de vidas. Esto fue particularmente importante durante la Segunda Guerra Mundial. El número de victimas podría haber sido mucho más alto debido a las heridas infectadas si no hubiesen existido los antibióticos.

No obstante, en poco tiempo los antibióticos comenzaron a indicarse para problemas menos graves, a menudo para afecciones que no responderían a los antibióticos de todas formas. Los antibióticos sólo pueden combatir infecciones causadas por bacterias. No sirven de nada para las infecciones causadas por virus. En 1992, los médicos hicieron aproximadamente 12 millones de recetas para antibióticos para resfríos, infecciones del tracto respiratorio superior y bronquitis. Pero dado que los virus causan aproximadamente el 90 por ciento de esas afecciones, los antibióticos no ayudaron.

Pero sí ayudaron a desarrollar cepas de bacterias resistentes. Cuando los gérmenes están expuestos a los antibióticos, la mayoría de ellos es eliminada, pero si no lo es, pueden hacerse inmunes a ese antibiótico. Luego, esas bacterias resistentes pueden multiplicarse rápidamente — un grupo de bacterias puede duplicar su tamaño en menos de 20 minutos. Es por eso que es importante completar una receta de antibióticos una vez que comenzó a tomarlos.

La comunidad médica se está dando cuenta de la magnitud del problema de resistencia a los antibióticos, pero muchos médicos continúan recetando antibióticos que no son necesarios. Según los Centros para el Control y Prevención de Enfermedades (CDC), las personas consumen 235 millones de dosis de antibióticos por año,y se estima que del 20 al 50 por ciento de ese uso no es necesario.

Otro factor que puede estar contribuyendo a la resistencia a los antibióticos es el uso excesivo de antibióticos en el ganado. La mayoría de los millones de kilos de antibióticos que se administran a los animales tienen el objetivo de estimular el crecimiento, no de combatir infecciones.

Si bien es posible que no pueda hacer nada acerca de los antibióticos administrados a los animales, puede ayudar a combatir la resistencia a los antibióticos si sigue algunas pautas.

- No solicite a su médico que le recete un antibiótico para el resfrío o la gripe. Muchos médicos afirman que recetan un antibiótico porque sus pacientes lo esperan.
- Si su médico le receta un antibiótico, hágale preguntas. Asegúrese de que necesita tomar ese fármaco.
- Siga las indicaciones de su médico o farmacéutico en forma precisa. Tome su medicamento en el momento indicado y cumpla con la receta completa. No deje de tomarlo sólo porque se siente mejor. Es posible que algunas bacterias sigan vivas.
- Lave siempre sus manos a fondo y manipule los alimentos adecuadamente para evitar diseminar las bacterias en primer lugar.
- Nunca guarde los medicamentos para dárselos a otra persona más adelante.

Cáncer de colon

Hágase vegetariano para protegerse del cáncer de colon

¿Alguna vez pensó que una comida no era comida si no tenía carne? Si es así, puede estar aumentando su riesgo de desarrollar cáncer de colon. En numerosos estudios se ha descubierto que comer carne roja aumenta el riesgo. Ahora, nuevas pruebas muestran que comer carne blanca, como pescado y pollo, también puede aumentar el riesgo.

Un estudio de los adventistas del séptimo día de California analizaron la relación entre la dieta y el cáncer de colon. Los investigadores hallaron que comer carne era el factor dietético de riesgo más importante. Las personas que comían carne roja o blanca más de cuatro veces a la semana tenían de dos a tres veces más de probabilidades de desarrollar cáncer de colon que las personas que nunca comían carne. El estudio también halló que las legumbres, como las alubias y las arvejas, pueden protegerlo del cáncer de colon.

El vegetarianismo es la opción si está preocupado por el cáncer de colon. Una dieta vegetariana saludable incluyen una variedad de alimentos de origen vegetal, que incluyen cereales y legumbres.

Los científicos de la Universidad de Cornell recientemente desarrollaron una pirámide nutricional vegetariana, similar a la pirámide nutricional tradicional. En la base recomienda una amplia variedad de alimentos de origen vegetal — frutas y verduras, granos integrales y legumbres. El siguiente nivel incluye frutos secos, semillas, productos lácteos o leche de soja y aceites vegetales. Los productos opcionales incluyen huevos, dulce y alcohol, que se debe consumir en pequeñas cantidades.

El gráfico también hace hincapié en el ejercicio físico diario y abundante agua, dos cosas importantes en cualquier plan de alimentación saludable.

Si usted es uno de los 14 millones de estadounidenses que se calcula que se consideran a sí mismos vegetarianos, seguir esta pirámide nutricional

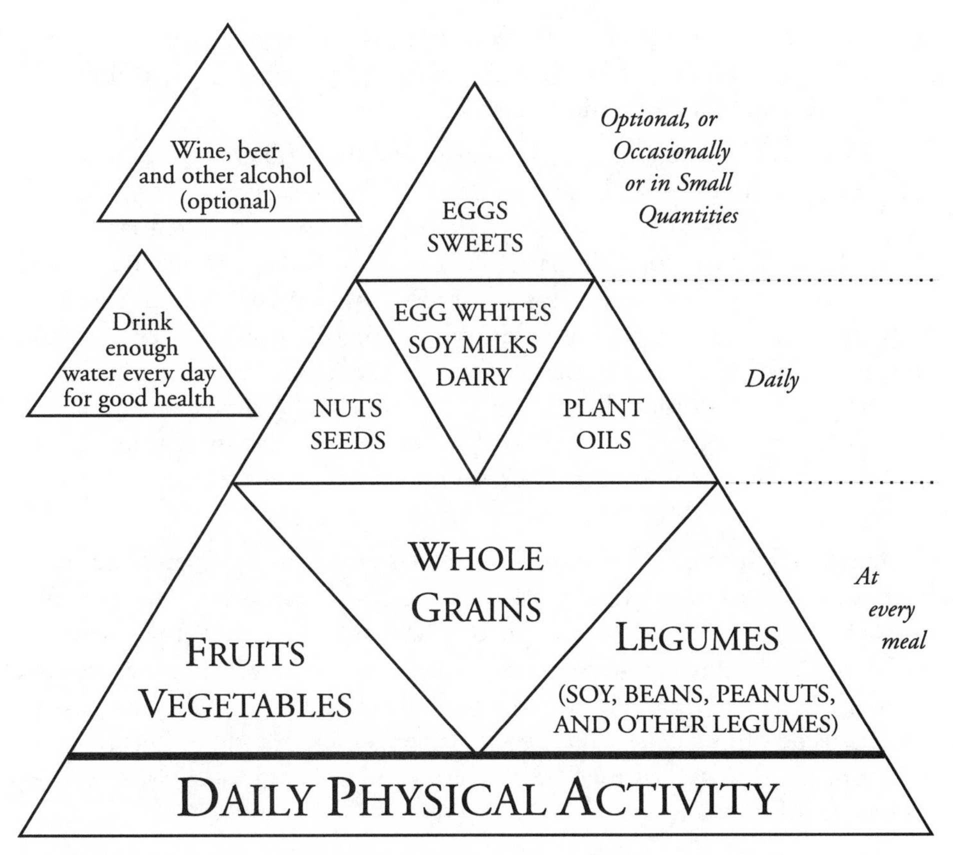

© Oldways Preservation & Exchange Trust

es una buena forma de asegurarse de que está obteniendo los nutrientes adecuados.

Si desea probar la alimentación vegetariana, planifique sus comidas con cuidado. Si no lo hace, podría tener deficiencias en los siguientes nutrientes:

Vitamina B12. Esta vitamina sólo se encuentra en alimentos de origen animal. Si consume productos lácteos todos los días, probablemente esté obteniendo lo necesario. Si es un vegetariano estricto y no consume ningún alimento de origen animal, podría tener una deficiencia. Consulte a su médico si necesita suplementos de vitamina B12.

Vitamina D. La luz del sol y los productos lácteos fortificados son las principales fuentes de vitamina D para la mayoría de las personas. Si no se expone mucho al sol o no consume productos lácteos, podría necesitar suplementos. Dado que la vitamina D es la vitamina más tóxica de todas, no se exceda. Consumir demasiada cantidad puede producir dolor de cabeza, náuseas, diarrea, daño renal y cardiopatías.

Hierro. Una deficiencia de hierro es un problema frecuente que generalmente no es serio. Los síntomas incluyen fatiga, palidez y dolor de cabeza. Las buenas fuentes de hierro de origen vegetal incluyen las alubias secas, el brócoli, las hojas de nabo, las frutas secas, las semillas de sésamo y los panes y cereales fortificados con hierro. Si tiene cuidado al elegir sus alimentos, no necesitará suplementos. Si piensa que éste es su caso, consulte a su médico en primer lugar. Demasiado hierro puede ser peligroso. Los síntomas del exceso de hierro incluyen náuseas, diarrea, vómitos de sangre, palidez y coloración azulada en las uñas y los labios. En los casos extremos se pueden presentar convulsiones, coma e incluso la muerte.

Calcio. Un estudio reciente de personas con riesgo de cáncer de colon halló que consumir productos lácteos reducidos en grasa, que son una buena fuente de calcio, de hecho pueden hacer que las células precancerosas vuelvan a ser células normales. Si sigue una dieta vegetariana estricta, asegúrese de consumir la cantidad suficiente de este mineral que fortalece los huesos de otras fuentes. Las buenas fuentes incluyen el brócoli, las hojas de nabo, las alubias, los higos secos, las semillas de girasol, y los cereales y jugos fortificados con calcio.

La controversia de las fibras — ¿qué debe hacer?

Su mamá la llamaba forraje. Los nutricionistas la llaman fibra. Sea como sea, usted necesita más. En numerosos estudios se ha descubierto que la fibra puede protegerlo del estreñimiento, las hemorroides, la diabetes, la obesidad, las cardiopatías y el cáncer de colon.

La Administración de Drogas y Alimentos (FDA) incluso permite a los productos con alto contenido de fibra realizar reclamos de salud en las etiquetas.

Pero ahora un nuevo estudio ha puesto en duda el efecto protector de la fibra contra el cáncer de colon. Los investigadores utilizaron la información obtenida de más de 80.000 enfermeras y llegaron a la conclusión de que comer alimentos ricos en fibra no tenía efecto sobre el riesgo del cáncer de colon.

Los científicos están tratando de determinar por qué este estudio tuvo resultados diferentes a muchos otros estudios. No están seguros de si es la fibra la que protege contra el cáncer de colon o algo más en una dieta rica en fibras.

Una razón por la que la fibra puede proteger contra el cáncer de colon es porque previene el estreñimiento. Los estudios han hallado que las personas que son frecuentemente estreñidas tienen un mayor riesgo de desarrollar cáncer de colon.

El tipo de fibra que consume también podría ser la clave. En un estudio, las personas que obtenían la fibra de los vegetales tenían un 43 por ciento menos de riesgo de desarrollar cáncer de colon. La fibra de la fruta tenía un efecto protector menor y la fibra de los cereales no tenía efecto protector.

Por ahora, la mayor parte de las pruebas muestran que tener una dieta rica en fibra previene el cáncer de colon. Una revisión reciente de 19 estudios del efecto de la fibra de los cereales en el cáncer de colon reveló que 16 de los estudios encontraron un efecto protector, mientras que los otros tres no mostraron ningún efecto.

Nadie está sugiriendo que coma menos fibra. De hecho, el Instituto Nacional del Cáncer dice que debe consumir más. Recomiendan de 20 a 30 gramos por día, en vez de los 11 gramos que la mayoría de las personas consumen diariamente.

Para evitar efectos secundarios, como el exceso de gases, agregue fibra a su dieta en forma gradual y no consuma más de 35 gramos por día.

Aplaste el cáncer de colon con suplementos

Quizás heredó los ojos azules de su madre y el cabello rizado de su padre. Junto con todos esos genes inocentes, puede haber heredado el gen del cáncer de colon. Aproximadamente el 20 por ciento de las personas que recibieron el diagnóstico de cáncer de colon tienen antecedentes familiares de la enfermedad. Afortunadamente, tomar suplementos de vitaminas y minerales puede evitar que esa predisposición genética se convierta en mortal.

Ácido fólico. Recientemente se ha hablado mucho de la vitamina del complejo B en las noticias porque ayuda a proteger contra las enfermedades del corazón y las arterias. Logra esto ya que limita la cantidad de una sustancia llamada homocisteína en la sangre. Las nuevas pruebas sugieren que también puede proteger contra el cáncer. El ácido fólico actúa junto con la vitamina B12 para convertir la homocisteína en metionina, un aminoácido. La metionina ayuda a mantener los genes que evitan que las células se conviertan en cancerosas. Esto significa que una escasez de ácido fólico y vitamina B12 puede aumentar el riesgo de cáncer.

Hay estudios que apoyan la idea de que el ácido fólico puede reducir el riesgo de desarrollar cáncer de colon. En un estudio con un gran número de pacientes en el que participaron 80.000 enfermeras, las mujeres que tomaban suplementos multivitamínicos que contenían ácido fólico durante más de 15 años tenían un 75% menos de probabilidad de desarrollar cáncer de colon que las mujeres que no utilizaban suplementos. Las mujeres que tomaron los suplementos durante cinco a 14 años tenían aproximadamente un 20% menos de probabilidad de desarrollarlo.

Calcio. Usted sabe que el calcio es bueno para los huesos, pero las nuevas investigaciones indican que también es bueno para los intestinos. Los resultados de un estudio de cuatro años de duración muestran que los suplementos de calcio reducen el riesgo de pólipos recurrentes en el colon. Estos pólipos, llamados adenomas intestinales grandes, no son cancerosos pero pueden convertirse en cancerosos. Si ha tenido uno, es probable que desarrolle más. Los investigadores dieron a las personas con antecedentes de pólipos 1.200 miligramos (mg) de un suplemento de calcio o un placebo. Las personas que recibieron los suplementos de calcio tuvieron una reducción del 19 por ciento en la recurrencia de un pólipo y del 24 por ciento de disminución en el número total de pólipos.

Vitamina E. La vitamina E es un poderoso antioxidante que puede proteger contra el cáncer de colon. Un estudio con más de 800 hombres y mujeres halló que las personas que tomaron suplementos de vitamina E durante un período de 10 años tenían el 57 por ciento menos de riesgo de desarrollar cáncer de colon. La cantidad promedio de vitamina E que consumieron las personas del estudio era de 200 unidades internacionales (UI) por día.

Cómo aumentar los beneficios del ajo

Cada vez que cocine espaguetis para su familia, puede estar protegiéndolos del cáncer — si agrega ajo a la salsa. En numerosos estudios se ha descubierto que el ajo puede proteger contra diversos tipos de cáncer.

El ajo tiene una estructura química compleja. Está compuesto por más de 100 constituyentes químicos. Los científicos han señalado los que más probablemente protegen contra el cáncer — el dialil trisulfito y el dialil disulfito. Los estudios con animales han hallado que estos compuestos pueden proteger contra el cáncer de pulmón, de colon, de riñón, de boca, de piel y de mama.

Hay diversos estudios con seres humanos que también apoyan los beneficios del ajo para combatir el cáncer. Un estudio halló que los hombres que comían ajo o que tomaban suplementos de ajo al menos dos veces a la semana tenían menos probabilidad de desarrollar cáncer de próstata. En otro estudio, las personas que comían más ajo tenían menos probabilidad de desarrollar cáncer colorrectal que las personas que comían menos ajo. Un análisis reciente de varios estudios halló que comer un solo diente de ajo por día protegía contra el cáncer de estómago y de colon, pero que los suplementos de ajo no tenían efecto.

Si desea aprovechar la protección del ajo contra el cáncer, es importante la forma en que lo prepara. Un estudio reciente halló que calentar el ajo inmediatamente después de triturarlo hace que pierda algunas de sus capacidades para combatir el cáncer.

Los investigadores dieron aceite de maíz con o sin ajo a las ratas. Las ratas que recibieron ajo triturado que había reposado a temperatura ambiente durante 10 minutos y luego había sido calentado en un horno de microondas mostraron un 41 por ciento de reducción en los cambios celulares asociados al cáncer. El ajo que se dejó reposar y luego fue tostado en un horno convencional produjo una reducción del 21 por ciento en los cambios de células cancerosas. Pero el ajo calentado inmediatamente después de ser triturado no tuvo efectos contra el cáncer.

Al triturar o picar el ajo se libera una enzima que está presente en algunas células del ajo. Esto le permite entrar en contacto y que active los compuestos que ayudan a proteger contra el cáncer. Si el ajo se calienta inmediatamente después de picar, la enzima se destruye antes de tener tiempo de actuar en los compuestos y convertirlos.

En el estudio, el ajo crudo tenía el mayor efecto para combatir el cáncer. Si no puede ni pensar en morder un diente de ajo crudo, simplemente déjelo reposar antes de cocinar. Entonces puede aprovechar el perfume y también la protección contra el cáncer.

Combata el cáncer con una especia hindú exótica

Si es cliente habitual del restaurante hindú en su vecindario, puede estar recibiendo protección contra el cáncer. La cúrcuma, una especia utilizada en la cocina hindú, contiene una sustancia llamada curcumina, que da a la cúrcuma el color amarillo. La cúrcuma está en el arroz amarillo y es el principal ingrediente del curry.

Hay numerosos estudios que indican que la curcumina puede ayudar a prevenir distintos tipos de cáncer: de colon, de mama, de estómago, de hígado, de sangre, de piel y de boca. Se necesitan más investigaciones para confirmar sus capacidades para combatir el cáncer, pero si le gusta el sabor de la cúrcuma, consuma grandes cantidades. Se podría estar protegiendo contra el cáncer.

Una forma económica de prevenir el cáncer de colon

La aspirina es una bendición para los que sufren de dolores de cabeza, pero el alivio del dolor es sólo el comienzo de todas las cosas que un simple comprimido puede hacer.

Los estudios han hallado que la aspirina puede prevenir ataques cardíacos y apoplejías ya que ayudan a que la sangre fluya con mayor facilidad. También puede prevenir el mal de Alzheimer al reducir la inflamación en el cerebro que podría producir daño en las células cerebrales. Y también podría ayudar a prevenir diversos tipos de cáncer, particularmente el cáncer colorrectal.

Un estudio con una gran cantidad de pacientes halló que tomar una aspirina por día durante 20 años reducía el riesgo de cáncer colorrectal a casi la mitad.

No obstante, en un ensayo reciente de 12 años de duración, el Physician's Health Study, halló que la aspirina no tenía efectos sobre el riesgo. Los investigadores piensan que la dosis y la duración del período de tratamiento en el Physician's Health Study podría haber contribuido a esos hallazgos negativos.

Otro estudio con una gran cantidad de pacientes, el Women's Health Study, está en curso actualmente, y los investigadores esperan que proporcione más información.

Mientras tanto, un estudio en tubos de ensayo ha hallado que la aspirina puede prevenir mutaciones genéticas que resultan en un tipo particular de cáncer de colon. Los investigadores estudiaron un tipo de cáncer hereditario grave llamado cáncer colorrectal hereditario no polipósico (HNPCC). Este tipo de cáncer es frecuente en algunas familias y generalmente afecta a tres o más familiares próximos. En los tubos de ensayo, la aspirina hacía que las células inestables se autoeliminaran en vez de mutarse y convertirse en tumores.

Aun si el cáncer colorrectal es frecuente en su familia, consulte a su médico antes de tomar la aspirina diaria. La aspirina puede causar efectos secundarios, como problemas estomacales, y a veces interactúa con otros medicamentos, particularmente los anticoagulantes.

Constipación

Formas naturales de mantener el movimiento

Cuando se trata de regular los ritmos naturales del organismo, cuanto menos fármacos utilice es mejor.

Hace varios años, la FDA prohibió la fenolftaleína, el ingrediente activo de muchos laxantes. Los investigadores señalaron que las personas que lo utilizaban durante períodos prolongados o en dosis más altas de lo normal tenían probabilidades de correr el riesgo de desarrollar cáncer.

Si ha utilizado laxantes en el pasado, ahora es el momento de probar las formas naturales para mantener un cronograma de movimiento intestinal regular.

Llénese de fibra. No recibir la cantidad suficiente de fibra en la dieta es la causa más frecuente de estreñimiento. Las verduras, las frutas, los cereales integrales y las legumbres son buenas fuentes de fibra.

Beba mucha agua. Beba entre seis y ocho vasos de agua por día. El agua ayuda a ablandar las heces para que puedan transitar con más facilidad.

Verifique el último rumor. Un estudio con pocos pacientes confirmó el antiguo remedio de beber una mezcla de una a tres cucharadas de miel y agua para mover los intestinos. Pero si tiene el síndrome de intestino irritable, podría empeorar los síntomas.

Pruebe el sabor de las islas. Los estudios han demostrado que la bromelina, una enzima que se encuentra en la piña fresca, congelada o enlatada, ayuda a la regularidad. Si bien la mayor parte de la bromelina está en el tronco de la piña, algunos nutricionistas dicen que comer sólo 4 onzas de piña por día ayudará a aliviar el estreñimiento.

Mezcle un poco de psilio. El psilio es un polvo de fibra vegetal que se encuentra ampliamente disponible en productos como el Metamucil. Ayuda a dar volumen a las heces y facilita el proceso evacuatorio.

Diviértase. Hacer ejercicio físico con regularidad puede hacer que los intestinos funcionen correctamente. Un ejercicio moderado a menudo estimula el movimiento intestinal y pone fin a la molestia.

Cuídese de los efectos secundarios. Los medicamentos comunes, como lo sedantes, los antiácidos que contienen aluminio o calcio, los diuréticos, los suplementos de hierro, los antidepresivos y los jarabes para la tos con codeína pueden producir estreñimiento. Si cree que un medicamento que está tomando le está produciendo estreñimiento, consulte a su médico. Pero no deje de tomarlo sin su aprobación.

La versatilidad de la piña

La bromelina, la misma enzima de la piña que lo ayuda a mantener la regularidad, también parece ser prometedora para inhibir la *E. coli*, la bacteria responsable de la diarrea de los viajeros.

En un estudio reciente, una dosis de bromelina evitó que más de la mitad de los cochinillos expuestos a la *E. coli* presentaran diarrea. Entre los cochinillos que no fueron tratados con bromelina, ninguno escapó a la diarrea. De hecho, cuanto más enzima recibía el cochinillo, mejores posibilidades tenía.

Si bien la enzima bromelina está presente en toda la piña, la concentración es mucho más alta en el tallo de la planta que en la fruta. Probablemente, comer trozos de piña no le proporcionará la cantidad de bromelina suficiente para combatir la *E. coli*. Afortunadamente, la bromelina está disponible en forma de comprimidos de venta libre.

La próxima vez que haga escala en algún exótico puerto, recuerde la versatilidad de su fruta exótica favorita.

Depresión

Cuatro maneras naturales de deshacerse de la depresión

Seamos sinceros. La mayoría de la gente se deprime de vez en cuando. Las buenas noticias son que un estudio a largo plazo de la depresión ha revelado maneras innovadoras de tratarla, sin medicamentos peligrosos.

Preste atención a su físico. Elejercicio lo saca de su casa, lo anima a interactuar con otros y a conocer gente nueva, y aleja su mente de los problemas. Numerosos estudios muestran que las personas que hacen ejercicio regularmente tienen menos probabilidades de deprimirse, que las que no lo hacen. El ejercicio estimula realmente la producción de dopamina y serotonina, los químicos que levantan el ánimo en su cerebro.

En realidad, algunos estudios han demostrado que ejercitar regularmente es tan efectivo en el tratamiento contra la depresión como tomar antidepresivos y recibir orientación. En casi todos los casos, cuando la gente agrega un programa de ejercicios a su medicamento o tratamiento de orientación, sus condiciones mejoran con mayor rapidez y relevancia.

Considere los remedios a base de hierbas. Más y más personas utilizan hierbas para tratar la depresión. Si desea probar con remedios a base de hierbas, pídale consejos a su médico. Pero no deje de tomar los medicamentos que le han recetado, sin la aprobación de su médico.

- **Hierba de San Juan.** Los estudios han comprobado que este antidepresivo a base de hierbas funciona bien para muchas personas. Esto es muy positivo, porque los suplementos a base de hierbas tienen menos efectos colaterales y menos severos que la mayoría de los antidepresivos tradicionales. Aunque la hierba de San Juan alivia la depresión leve a moderada, no alivia la depresión severa, la maníaco-depresión ni el trastorno obsesivo-compulsivo.
- **Kava.** Esta hierba con sonido tropical es también popular por mejorar el ánimo. Kava, en ocasiones llamada kava kava, proviene el Pacífico Sur y ha tranquilizado a los habitantes de las islas durante generaciones. Se ha comprobado que mejora el ánimo,

reduce la ansiedad y eleva el estado de alerta mental. Sin embargo, a algunos expertos los preocupa una posible relación entre la kava y una enfermedad hepática tóxica. Consulte a su médico, antes de tomar kava y pídale que monitoree su tratamiento.

- **Valeriana.** Esta hierba ayuda a conciliar el sueño y calma la ansiedad. Al igual que con otros tratamientos a base de hierbas, la valeriana funciona lentamente, por lo cual podría transcurrir más tiempo que con los medicamentos tradicionales, antes de notar resultados.

Mantenga una canción en su corazón. Dicen que la música calma a las fieras, pero ¿puede hacer lo mismo por su estado de ánimo salvaje? Muchos profesionales de la salud mental creen que sí. La investigación demuestra que la relajación y encontrar distracciones de sus problemas pueden ayudarlo a tener mejor ánimo, que si se obsesiona con ellos. Quienes hablan de sus propias frustraciones tienden a ser más negativos. La música, el arte y otras distracciones suaves son el mejor truco para evitar las molestias de la vida cotidiana que amenazan con abrumarlo.

Deje los hábitos poco saludables. Como si necesitara otra razón para dejar de fumar, la depresión y el tabaco están muy relacionados. Un estudio mostró que los fumadores compulsivos tenían el doble de posibilidades de desarrollar depresión severa, que las personas que fumaban con poca frecuencia. No permita que el trabajo lo deprima — deje este hábito tan poco saludable.

Causa sorpresiva de la depresión

¿Es posible "contagiarse" depresión como se puede contagiar un resfrío? Algunos hallazgos perturbadores sugieren que esto sería posible. Investigadores alemanes afirman que un virus que causa depresión severa en caballos, vacas, ovejas y gatos se ha encontrado ahora en humanos. Este virus, llamado virus Borna, se identificó por primera vez a fines de los años 1800.

Los científicos no están seguros de la manera en la cual el virus causa la depresión, pero según parece interfiere con el funcionamiento normal de la parte del cerebro que controla las emociones.

Muchas personas infectadas con el virus Borna han mostrado mejoras después de recibir tratamiento con medicación anti-viral o antidepresivos.

Si le preocupa comer carne de animales infectados, despreocúpese. Los expertos afirman que no se transmite de esa manera, pero aún se preguntar si puede "saltar" de los animales a las personas.

Cambie su estado de ánimo con estos alimentos

Usted es lo que come. Si desea ahuyentar a la depresión, mire lo que está comiendo. Los estudios confirman que ciertos alimentos pueden ayudarlo a vencer a la depresión.

Reanímese y sonría. Si no se siente como usted mismo hasta después de tomar su primera taza de café, no es el único. Muchas personas afirman que la cafeína los mantiene alerta y les mejora el ánimo. Ahora la evidencia médica comienza a respaldar esto.

En un estudio de diez años de duración de enfermeras, la cafeína parece haber hecho una gran diferencia en la tasa de depresión severa. Las mujeres que tomaban café con regularidad tenían tasas de suicidio más bajas que aquellas que no tomaban café.

La cafeína es el estimulante más usado en el mundo y alrededor del 75 por ciento de ella se consume en el café. En tanto que no debería combatir la depresión tomando cuatro jarras de café cada mañana, la poca o mucha cafeína que consume podrían estar afectando su visión del mundo.

Prepárese para un desayuno sano. ¿Qué tiene el poder de llenar su estómago y entibiar su alma al mismo tiempo? Nada más extravagante que el antiguo y confiable que la avena. Los investigadores han descubierto que los carbohidratos complejos que se encuentran en los vegetales, las frutas y los granos como la avena, puede desencadenar la producción de serotonina. Elevar los niveles de serotonina en su cerebro puede levantar su ánimo. El aumento producido por sólo un tazón de avena puede mejorar su ánimo durante varias horas.

Disfrute un vaso de leche. Los médicos han descubierto una relación directa entre la depresión y los niveles bajos de proteínas en la dieta. En un estudio, la depresión no sólo aumenta a medida que los pacientes se ajustan a una dieta baja en proteínas, sino que su estilo y calidad de vida también disminuye.

La mayoría de las personas consumen más proteínas de lo que necesitan, pero si usted no lo hace, agregue algo de carne y productos lácteos a su dieta. Los vegetales y los granos también contienen proteínas, pero en menor cantidad.

Vaya de pesca. Los ácidos grasos omega3 , armas poderosas en la lucha contra las cardiopatías, también pueden ayudarlo a ganar la batalla contra la depresión. La investigación muestra que en aquellos países donde la gente come mucho pescado, una buena fuente de omega3, la incidencia de la depresión es baja. En un estudio, estudiantes japoneses que tomaron un suplemento diario de aceite de pescado durante tres meses, eran menos hostiles y agresivos que sus pares.

Algunos expertos advierten que hay demasiadas diferencias culturales como para asegurar que el pescado está ayudando a combatir la depresión. Mientras tanto, comer más pescado no puede hacer daño. Como mínimo, le estará dando un gusto a su corazón, y eso es suficiente para hacer sonreír a cualquiera.

Criar a los nietos puede causar depresión

En la actualidad, más y más abuelos están asumiendo la responsabilidad de criar a sus nietos. Y para algunos de ellos, el estrés podría ser excesivo.

Un estudio reciente de la 'Encuesta Nacional de Familias y Hogares determinó que aquellas personas mayores que estaban al cuidado primario de sus nietos, tenían casi el doble de las posibilidades de sufrir depresión que aquellos que no.

Entre las personas que cuidaban a otras, un ingreso más elevado y mayor edad parecían disminuir el riesgo de depresión. Lo mismo sucedía con el matrimonio y la buena salud en general. Estos hechos les plantea a los expertos la pregunta acerca de qué es lo que realmente está causando la depresión. ¿Son los niños o las circunstancias que hicieron que los abuelos deban encargarse de ellos en primer lugar?

Escape de la depresión y la artritis con un suplemento natural

No le reste importancia a la depresión. Puede ser mucho más seria que sólo un caso temporaria de "depresión". El suicidio es la octava causa de muerte en los Estados Unidos. En el grupo de edades entre 25 y 44, es la cuarta causa principal de muerte y se ubica tercera como la causa de muerte en las edades de 15 a 24.

No es sorprendente que los medicamentos anti-depresivos generen miles de millones de dólares en ventas por año. Pero esos medicamentos son costosos, requieren una receta y pueden causan efectos colaterales no deseados, inclusive problemas sexuales. También es sorprendente que la gente busque constantemente nuevas armas para combatir a la depresión.

Un suplemento natural denominado S-adenosil-metionina, o SAMe (se pronuncia "sammy"), apareció hace poco tiempo en las tiendas de los Estados Unidos. El SAMe se ha usado en Europa durante los últimos veinte años, para tratar la depresión y la artritis.

Los estudios muestran que el SAMe es efectivo en los tratamientos del 70 por ciento de las personas deprimidas. Es casi el mismo porcentaje que el de otros tratamientos para la depresión, pero no causa los efectos colaterales asociados con la mayoría de los anti-depresivos. Además también funciona con más rapidez que los tratamientos tradicionales.

Los voluntarios de los primeros estudios que sufrían depresión y artritis informaron que su dolor de articulaciones se alivió al tomar SAMe. Estudios posteriores encontraron que los pacientes con artritis recibían tanto alivio a través del SAMe como lo hacían con los medicamentos antiinflamatorios no esteroides (AINE), como el ibuprofeno.

¿Qué es exactamente esta sustancia milagrosa que puede mejorar su ánimo y sus articulaciones? Es un compuesto que su cuerpo forma a partir de la metionina, un aminoácido. Funciona al donar parte de sí mismo, un grupo metilo, a sus tejidos y órganos. La cadena de eventos que esta donación pone en movimiento ayuda a mantener las membranas celulares, elimina las sustancias tóxicas de su cuerpo y lo ayuda a producir neurotransmisores, como serotonina y dopamina. Es la producción aumentada de los neurotransmisores lo que genera el efecto anti-depresivo del SAMe.

Después de que el SAMe dona su grupo metilo, el proceso de destrucción de lo que queda también beneficia a su cuerpo. Esta ruptura crea otras moléculas, inclusive sulfatos. Estos sulfatos, que ayudan a mantener cartílago saludable en sus articulaciones, es la manera en la cual el SAMe trata la artritis.

Hasta ahora, el SAMe parece seguro y efectivo, pero necesita ayuda de la vitamina B12 y el ácido fólico para funcionar correctamente. Si decide probar con el SAMe, asegúrese de que está recibiendo lo suficiente de esas vitaminas.

Estos medicamentos pueden robarle deseo sexual

Medicamentos ansiolíticos

Nombre genérico	**Marca**
alprazolam	Xanax
clordiazepoxida	Librium, Libritabs
diazepam	Valium, Valrelease
oxazepam	Serax

Anti-depresivos

Nombre genérico	**Marca**
clorhidrato de amitriptilina	Elavi
amoxapina	Asendin
citalopram hidrobromide	Celexa
clorhidrato de clomipramina	Anafranil
clorhidrato de desipramina	Norpramin
clorhidrato de doxepina	Sinequan
clorhidrato de fluoxetina	Prozac
clorhidrato de imipramina	Tofranil
clorhidrato de nortriptilina	Pamelor
clorhidrato de paroxetina	Paxil
fenelzina sulfato	Nardil
clorhidrato de protriptilina	Vivactil
clorhidrato de sertralina	Zoloft
clorhidrato de trazodone	Desyrel

Nunca deje de tomar un medicamento recetado, sin consultar previamente a su médico.

Diabetes

Prevención del asesino silencioso

Una úlcera en su pierna que se resiste a curarse, encías sangrantes o una infección recurrente de vejiga. Pueden ser inofensivos, pero estos síntomas deberían activar una alarma. Podrían significar que usted es uno de los más de 16 millones de personas en los Estados Unidos con diabetes mellitus no insulinodependiente (DMNID), conocido más comúnmente como diabetes tipo 2.

Esta enfermada mortal está alcanzando proporciones epidémicas, pero porque se mantiene oculta durante años, acechando detrás de riñones, nervios o visión dañados, un tercio de las personas afectadas no saben que la padecen, hasta que es demasiado tarde.

La tragedia es que la diabetes tipo 2 no sólo se puede controlar, sino también prevenir — simplemente haciendo cambios en su estilo de vida. Al combina la dieta correcta con ejercicio regular, usted puede reducir casi a la mitad su riesgo de desarrollar diabetes.

Conozca los signos de peligro. La diabetes Tipo 1 aparece en niños o adultos jóvenes cuyos cuerpos no puede producir la insulina que necesitan, para controlar sus niveles de azúcar en sangre. Es más probable que el tipo 2 aparezca en adultos de más de 40 años, que no pueden producir insulina suficiente o que tienen problemas al usar su insulina. Hasta el 95 por ciento de todos los diabéticos se encuentran dentro de esta segunda categoría. Sus posibilidades de unirse a ese grupo serán mayores si:

- Tiene sobrepeso
- Tiene una dieta con alto contenido graso
- No hace ejercicio regularmente
- Tiene un historial familiar de diabetes
- Es de origen are africano-estadounidense, hispano-estadounidense, asiático o de las islas del Pacífico o estadounidense nativo
- Padeció diabetes gestacional (una afección temporaria durante el embarazo)

- Tiene niveles bajos de colesterol HDL o niveles elevados de triglicéridos

Si usted tiene dos o más factores de riesgo, es un candidato probable a desarrollar diabetes tipo 2.

No espere para perder peso. Incluso si ha heredado una tendencia a la diabetes, por lo general necesita un desencadenante, como la obesidad, para desarrollarla. Sólo mire las estadísticas — el 80 por ciento de todos los diabéticos tienen sobrepeso. La obesidad se ha convertido en la causa más importante de diabetes tipo 2.

La definición de obeso es tener un exceso del 20 por ciento de su peso recomendado. Si usted tiene esas libras extra alrededor de la parte media del cuerpo, tiene mayor peligro de desarrollar esta enfermedad que si tiene "forma de pera".

Consulte a su médico acerca de un programa seguro y gradual para perder peso, que combine una buena nutrición con ejercicio.

Venza diabetes con una buena nutrición. La Asociación Estadounidense de Diabetes recomienda una dieta razonable de frutas y vegetales, carbohidratos complejos, carne magra y pescado. Manténgase alejado del azúcar, las grasas saturadas y los alimentos con altos niveles de colesterol, e ingiera varias comidas pequeñas durante el día. Aunque estas pautas se aplican a la diabetes, también son adecuadas si usted desea evitar esta enfermedad. Concéntrese en incluir los siguientes nutrientes en su dieta:

- **Fibra.** Muchos expertos creen que la fibra soluble, como la que se encuentra en los "granos integrales", las frutas y los vegetales son su mejor opción para controlar los niveles de glucosa y su peso. Los investigadores de Harvard descubrieron recientemente que las mujeres que siguen una dieta rica en fibras y baja en azúcares tiene muchas menos probabilidades de desarrollar diabetes.
- **Cromo.** Ayuda a la insulina a desplazar la glucosa hacia fuera del torrente sanguíneo y hacia dentro de sus células. Si usted tiene riesgo de diabetes, ingiera una cantidad saludable de cromo en alimentos tales como carne de vaca, hígado, mariscos, hongos, granos integrales, espárragos y nueces.
- **Magnesio.** Los niveles bajos de magnesio pueden elevar sus riesgos de convertirse en resistente a la insulina. Para mantener su magnesio en el nivel correcto, coma alubias, brócoli, maíz, mariscos y leche descremada.

- **Zinc.** Los estudios demuestran que si a usted le falta zinc, podría tener problemas para mantener normal su nivel de azúcar en sangre después de comer. Una encuesta descubrió que sólo el 6 por ciento de los diabéticos recibían su ración diaria recomendada de zinc. Eso significa que obtener los suplementos adecuados podría ser un buen seguro contra la diabetes. Carne roja, mariscos y alubias limas son sus mejores opciones para recibir más zinc de manera natural.
- **Vitamina A.** Cumple un papel vital en el control de la insulina. Cuanto más efectiva sea su insulina para controlar su azúcar en sangre, será menos probable que desarrolle diabetes. Para recibir una dosis saludable de vitamina A, compre una buena cantidad de frutas y vegetales coloridos batatas, zanahorias y espinaca.
- **Vitamina E.** Los investigadores han descubierto que los niveles bajos de vitamina E aumentan el riesgo de desarrollar diabetes. En realidad, un estudio descubrió que los hombres que tienen niveles bajos de vitamina E, tenían cuatro veces más posibilidades de desarrollar esta enfermedad. Los aceites vegetales como el de cártamo, canola y maíz; germen de trigo; semillas de girasol; batatas y camarones son buenas fuentes de vitamina E.
- **Biotina.** Un vitamina B relativamente desconocida, que puede reducir la cantidad de insulina que su cuerpo necesita. Se puede obtener biotina naturalmente de alimentos como el hígado, las claras de huevo y los cereales.

Haga ejercicio para ganar salud. Si usted lleva una vida inactiva, su riesgo de desarrollar diabetes es cuatro veces más alto que si hace ejercicio, según los investigadores del Instituto Cooper para la Investigación Aeróbica en Dallas, Texas. Eso hace del ejercicio su arma más poderosa para evitar esta enfermedad y el único factor que usted puede controlar. Una enérgica caminata diaria de 20 minutos tres o cuatro veces por semana es poco esfuerzo que le traerá muchos resultados.

Revierta su diabetes

¿Creería que perder tan poco peso como cinco libras puede ayudarlo a revertir diabetes tipo 2? Es verdad, de acuerdo con un estudio del Centro de Ciencias de la Salud de la Universidad de Texas en San Antonio.

Los investigadores hicieron un seguimiento de más de 3.500 diabéticos que participaron en el estudio cardíaco San Antonio. Después de ocho años, encontraron que el 12 por ciento de los pacientes ya no era diabético. Aunque técnicamente esta enfermedad no se puede curar, eliminar los síntomas, incluso durante un período breve, es un objetivo importante al cual aspirar.

Los factores que ayudaron a estas personas a revertir su diabetes incluían la pérdida de cinco o más libras, el aumento de su colesterol "HDL" o "bueno" y la reducción de sus niveles de glucosa en sangre, los triglicéridos y la insulina en sangre después de estar en ayunas. Los investigadores descubrieron que también ayuda si usted pertenece a un grupo socioeconómico alto y desarrolla la diabetes a una edad más avanzada.

Cuanto antes se detecte la diabetes, más sencillo será evitar las complicaciones y posiblemente incluso revertir la enfermedad. De manera que debe prestar atención a los factores y los síntomas y consultar a su médico ante el primer signo de problemas.

Una nueva investigación indica que debe reducir los carbohidratos

¿Puede dejar de comer su pan francés, pastas, papas horneadas y su poste de frutas favorito? Si es así, es probable que pueda controlar su nivel de azúcar en sangre sin insulina ni otros medicamentos, según los investigadores.

Se está evaluando esta dieta radicalmente diferente, pero un estudio reciente muestra que comer menos carbohidratos puede mejorar sus niveles de glucosa en sangre, ayudarlo a perder peso e incluso reducir su presión arterial.

El estudio del Sansum Medical Research Foundation de California descubrió que los diabéticos tipo 2 mejoraron significativamente cuando los carbohidratos constituían sólo el 25 por ciento de sus calorías diarias. Al adoptar una dieta con el 55 por ciento de carbohidratos, se empeoraba su control del nivel de azúcar en sangre.

Esta investigación contradice la recomendación de la Asociación Estadounidense de Diabetes que indica que su dieta debe contener una combinación de 60-a-70 por ciento de carbohidratos y grasas monoinsaturadas. Hace varios años, la ADA modificó este plan alimenticio para que incluyera más, no menos, carbohidratos.

Consulte a su médico antes de introducir cambios tan drásticos como propone esta nueva investigación. Qué cómo y cuándo lo hace son decisiones críticas para un diabético. Sólo manténgase alerta para conocer las últimas noticias acerca de este polémico plan alimenticio.

Grasas: ¿solución futura para la diabetes?

¿Coma una hamburguesa con queso y evite la diabetes? No exactamente, pero los investigadores esperar que una grasa poliinsaturada en ciertos alimentos pueda suministrar una nueva manera de conquistar esta enfermedad tan generalizada.

El ácido linoleico conjugado, o CLA, es una ácido graso común que se encuentra por lo general en la carne roja y el queso, y en menor proporción en la leche, los huevos, el pollo, el yogur y el aceite de cocina.

Cuando se aísla el CLA de los alimentos integrales y se lo evalúa en animales de laboratorio, parece evitar la diabetes tipo 2 tan bien como cierto grupo de medicamentos que combaten esa enfermedad, los tiazolidinedionas (TZDs). Los investigadores creen que en el futuro podrían convertirse en la primera opción de prevención, dado que los CLA reducen la grasa corporal. Los medicamentos tradicionales contra la diabetes a menudo engordan.

Aunque se pueden encontrar los CLA como suplemento dietario en muchas tiendas de salud, los expertos no recomiendan apresurarse a comprarlo. En cambio, sugieren obtener CLA a través de los alimentos integrales. Varias universidades están intentando aumentar la calidad de CLA en diferentes alimentos, para que se pueda obtener más naturalmente.

"Aquí, en la Universidad Estatal de Washington, estamos trabajando para mejorar muchos productos lácteos", dice Louise Peck, profesora asistente de alimentos y nutrición. "Con suerte, podremos mejorar el CLA natural en algunos de estos productos y descubrir algo que podamos usar en lugar de suplementos".

Peck señala de inmediato que aún hay muchas cosas que se desconocen acerca del CLA. "No sabemos en qué dosis será efectivo. Acabamos de comenzar un estudio para determinarlo", indica la profesora. Nos preocupa lo relacionado con posibles daños al hígado y efectos colaterales desconocidos hasta ahora. Pero es algo que luce prometedor para el futuro, concluye.

Cuidados del pie desde el talón a los dedos para pacientes diabéticos

Uno de cada 170 diabéticos sufrirá amputación de un pie debido a un trastorno de los nervios, denominado neuropatía periférica. Existen estadísticas horrorosa que consideran que usted puede prevenir este resultado trágico, con buenos cuidados del pie.

Alrededor de un tercio de todos los diabéticos sufren neuropatía, que puede causar problemas especiales en sus pies. Dado que este trastorno causa daños a sus nervios, es probable que sus pies no sientan dolor por heridas o irritaciones. Tiene más probabilidades de desarrollar úlceras o infecciones y la forma de su pie podría cambiar. Por lo tanto es crítico que preste atención especial a su calzado y a sus pies.

El primer paso para mejorar el cuidado de sus pies es programar con su médico un examen completo de sus pies, como mínimo una vez por año. Sin embargo, si surgiera un problema entre una vista y otra, no espere y —consulte a su médico de inmediato. Tanto si consulta a un médico clínico, a un especialista en diabetes o a un podiatra, asegúrese de que evalúe la función nerviosa y la circulación en sus pies.

También debe revisar su piel y uñas y ocuparse de cualquier mantenimiento de rutina que no pueda hacer usted mismo. Infórmele acerca de cualquier cambio que haya notado. ¿Se sienten diferente? ¿Cambió su forma o color?

Luego, cada día, haga todo lo que pueda para evitar que un problema menor se convierta en un dolor importante.

Examine sus pies todos los días. Revise la presencia de ampollas, cortes, raspaduras, úlceras, enrojecimiento, hematomas, infecciones, inflamación o protuberancias. Que alguien lo ayude o utilice un espejo, si no puede ver las plantas de sus pies.

Lávese con jabón suave. Use agua tibia (verifique la temperatura con su muñeca) y no remoje los pies — esto elimina callos que pueden proteger puntos sensibles. Séquelos con cuidado, especialmente entre los dedos.

Trate la piel seca. Si sus pues se sienten particularmente secos, consulte a su médico para asegurarse de no padecer pie de atleta, lo cual requiere cuidado especial. Si sólo se trata de piel seca, aplique una pequeña cantidad de vaselina o loción, antes de colocarse los calcetines y el calzado. (La mayoría de la gente no necesita productos especiales costosos.) Esto evitará que se su piel se agriete. Pero evite humectar la piel entre sus dedos.

Vénzalos con calcetines. Use calcetines que sean lo suficientemente suave y gruesos para otorgar protección adicional. Elija un material que mantenga sus pies libres de humedad, como el acrílico. Evite el algodón, que se mantiene húmedo; los calcetines delgados o resbalosos y las medias elásticas; y cualquiera que tenga orificios o costuras.

Elija el calzado cuidadosamente. Deben calzar bien incluso con sus calcetines más gruesos, con espacio suficiente para que sus dedos no se friccionen. Lleve las plantillas cuando vaya a comprar, para asegurarse de probar el calzado. No suponga que tiene el mismo número que ha usado durante años, ya que su pie puede estar más ancho y más plano debido a la enfermedad. De ser necesario, visite a un profesional en calzado ortopédico, especialista en zapatos correctivos.

En la mayoría de los casos, Medicare pagará parte del costo de los zapatos terapéuticos. Para ser apto, debe cumplir ciertas pautas y tener prueba formal de su médico.

Mire antes de atar los cordones. Antes de calzarse, verifique el interior del calzado para detectar guijarros u otros objetos y asegúrese de que sus zapatos no tengas orificios o roturas que puedan causar lesiones.

Nunca salga descalzo. Incluso en el interior de su hogar debe ser cuidadoso. Mantenga el calzando junto a su cama, para evitar chocar con los objetos por la noche.

Sea aún más cuidados con las uñas de los pies. Córtelas derechas, pero lime los bordes filosos que puedan cortar el dedo que sigue. Si desarrolla una infección fúngica en las uñas, no use remedios de venta libre sin consultar antes a su médico. Muchos medicamentos orales funcionan mejor.

Suavice los puntos ásperos. Utilice una toalla seca o una piedra pómez para desgastar la piel muerta.

Evite la auto-cirugía. No corte los callos ni las verrugas usted mismo y nunca utilice remedios sin receta para eliminarlos. Los químicos severos pueden dañar el tejido sano circundante. Consulte estos problemas con su médico.

Duerma bien esta noche. No use bolsas de agua caliente ni almohadillas calefactoras para entibiar sus pies a la noche. En cambio, use calcetines abrigados. Si los cobertores son particularmente irritantes o pesados sobre sus pies, compre un dispositivo especial de aro en una tienda de insumos médicos, para mantener la ropa de cama separada de sus piernas.

Haga que su sangre fluya. No cruce las piernas al sentarse. Esto mantendrá libre el flujo de sangre a sus piernas y pies. Hacer ejercicios también mejorará su circulación y lo ayudará a mantener su mente alejada del dolor.

La proteína de vaca puede deletrear "pie" para las úlceras de los pies

Si usted es diabético, descubrir una llaga en el pie o en la pierna puede asustarlo. Después de todo, cada año a más de 56.000 diabéticos les amputan un miembro, por lo general debido a una úlcera que no se cura. Esa es la razón por la cual la mayoría de los médicos consideran casi cualquier tratamiento para reducir estas estadísticas impactantes, — incluso los tratamientos que proviene de las granjas.

El colágeno bovina es el remedio más reciente que promete una curación más rápida y exitosa para las llagas diabéticas. Aunque aún se lo considera experimental, muchos expertos comentan lo exitosa que ha sido. El Dr. Lawrence Kollenberg, Director de la Clínica Especializada en Pies del Condado de Garland en Arkansas, la usa y ha reducido la tasa de amputación en casi el 94 por ciento.

El colágeno es una proteína natural que se encuentra en el tejido conectivo de la piel, los huesos, los ligamentos y el cartílago. Acelera la coagulación, para que la herida se selle más rápido. Luego estimula el crecimiento del tejido nuevo. El tratamiento usa colágeno extraído del ganado, liofilizadas y aplicadas directamente a una herida.

Si usted está en riesgo, consulte a su médico acerca de este nuevo y prometedor tratamiento.

Los imanes pueden dominar el dolor de pies

Sufrir de neuropatía periférica significa cosquilleo constante, dolor ardiente e incluso entumecimiento peligroso en sus pies. En busca de ayuda para soportar esto, es posible que haya intentado con todos los remedios conocidos. Pero aquí hay un tratamiento que puede ser nuevo para usted.

Durante años, los imanes se han promocionado como una cura para todo, desde la artritis hasta la impotencia, pasando por las hemorroides. Ahora, la información proveniente del Colegio Médico de Nueva York indica que se puede obtener cierto alivio para los diabéticos y su dolor de pies incapacitante, si usan plantillas magnéticas para pies las 24 horas del día.

En este pequeño estudio de cuatro meses de duración, el 90 por ciento de los diabéticos sufrieron mucho menos dolor y ardor mientras que usaban las plantillas. Sus síntomas regresaron, sin embargo, cuando dejaron de usarlas. Los investigadores creen que se necesitan más estudios antes de poder recomendar este tipo de tratamiento, pero también consideran que la magnetoterapia es segura, por lo general.

Consulte a su médico, antes de intentar esta terapia alternativa. Ciertas condiciones médicas, tales como el embarazo o usar un marcapasos, pueden sufrir efectos peligrosos provenientes de los imanes. Asimismo, la FDA no aprueba el uso de imanes para tratar problemas médicos. Si decide que las plantillas magnéticas valen la pena, puede encontrarlas en farmacias grandes o en Internet.

Precaución: Las plantillas pueden dañar sus pies

Si utiliza cualquier tipo de plantillas, inclusive las magnéticas, asegúrese de que tengan una superficie suave, aconseja Sean Ison, un ortopedista certificado por el concejo en una tienda de zapatos de Dunwoody, Georgia. Ison diseña y adapta zapatos hechos a medida y prescritos y le preocupan las plantillas con una textura prominente, diseñada para estimular o masajear el pie.

"El problema con la neuropatía diabética", dice, "es que sus pies no tienen sensibilidad. Después de caminar sobre los nudos y protuberancias sobre estas plantillas, se podría desarrollar un punto doloroso, sin que usted lo note siquiera. Un punto doloroso puede iniciar una úlcera que con facilidad podría convertirse en algo mucho peor".

Ison trabaja con muchos diabéticos que padecen problemas en los pies y siempre diseña las superficies de sus zapatos para que sean suaves y seguras. Si use superficies suaves que se adaptan a sus pies, él afirma que las plantillas no deberían causarle ningún problema.

De viaje con diabetes — veinte consejos para un viaje seguro y sencillo

¿Sale de la ciudad por negocios? ¿Está planeando una excursión turística, una visita a familiares o sólo un tiempo para dejar atrás sus preocupaciones? Disfrute el viaje, pero recuerde — que no dejará atrás a su diabetes. Ya sea que viaje en auto, en barco, en avión o en tren, hay consideraciones especiales que debe tener para diseñar un plan que le permita disfrutar unas vacaciones tranquilas y agradables.

Planee antes de salir. Dedique tiempo para organizarse. Si está preparado, ni siquiera lo inesperado podrá arruinar su tiempo libre.

- Visite a su médico como mínimo cuatro o seis semanas antes de su salida programada y hágase un examen completo. Hable acerca de vacunas, cómo ajustar su insulina o medicación a diferentes husos horarios, qué medicamentos para viajes debe tener y si debe tener consideraciones especiales en cuanto a alimentos y bebidas en otro país. Averigüe acerca de dispositivos especiales (jeringas, lapiceras o bombas pre-cargadas) que podrían simplificar su viaje.
- Obtenga una carta oficial de su médico que documente su estado de salud. Esto explicará sus agujas y jeringas a los funcionarios de aduanas.
- Llame con anticipación a la aerolínea, línea de ferrocarriles o empresa de cruceros y solicite comidas especiales. Verifique esto nuevamente antes de la partida.
- Acostúmbrese a zapatos nuevos gradualmente y con mucha anticipación.
- Hable con su acompañante de viajes acerca de su condición y de lo que debe hacer en caso de emergencia.
- Revise su póliza de seguro de salud, para verificar si está cubierto para atención médica en otros países. De ser necesario, puede adquirir una cobertura separada para viajes al exterior.
- Si viaja a un país donde no se habla su idioma, aprenda algunas frases importantes en el idioma local, tales como: "Necesito un médico", "soy diabético" y "necesito azúcar."

Empaque con inteligencia. Esto puede marcar la diferencia entre un viaje frenético y uno relajado.

- Lleve insulina o medicamentos suficientes para que alcancen todo el viaje, además de un suministro adicional, de ser posible. No es necesario refrigerar la insulina, pero debe estar protegida del calor y el frío extremos. Empacarla dentro de un termo de boca ancha puede ser una buena idea.
- Las demoras son sólo una parte de los viajes. Esté preparado con bocadillos (juego enlatado, frutas secas, queso, mantequilla de maní, galletas, nueces, etc.) y cubos o paquetes de azúcar para emergencia en caso de hipoglucemia.
- Divida su insulina, medicamentos y bocadillos entre el equipaje que despachará y el equipaje de mano.
- Utilice su etiqueta de identificación de diabetes o brazalete en todo momento.
- Asegúrese de contar con información acerca de la dosis de insulina, copias de recetas, tarjeta de identificación de seguro y el nombre y número telefónico de su médico de cabecera en su cartera.
- Arme un pequeño botiquín. Asegúrese de incluir productos básicos como antisépticos y Curitas (apósitos protectores) para ampollas. La diarrea del viajero puede constituir un problema particular para usted. Consulte a su médico acerca de qué antibióticos puede tomar con anticipación e incluya un medicamento anti-diarreico de venta libre para emergencias.

Contrólese. Al viajar, piense en maneras para estar cómodo y mantener su diabetes bajo control.

- Utilice ropa suelta y zapatos cómodos.
- Ajuste su insulina a medida que pasa por los diferentes husos horarios, según las instrucciones de su médico.
- Muévase tanto como sea posible. Levántese y estírese, de un paseo por el avión, el autobús o el tren; de ser posible, deténgase, salga y camine.
- Considere llevar un diario de viajes. Incluya cuándo y qué come y lleve un registro de sus niveles de glucosa en sangre. En caso de que surja un problema, esto puede ayudarlo a identificar la causa. También podría facilitar la planificación de su próximo viaje.

Al llegar a destino, relájese. No se exceda con el entusiasmo de conocer lugares y programas nuevos.

- No se olvide de comer. Mantenga un programa alimentario y planee con anticipación, para no quedar varado en algún lugar sin restaurantes a la vista.
- Preste aún más atención a sus pies. Es probable que hagan más ejercicio de lo habitual. Un poco de TLC (Dieta de Cambios Terapéuticos de Estilo de Vida) ahora puede evitar muchos problemas después.
- Tenga una provisión adecuada de tiras reactivas para el análisis de glucosa en sangre a las que está acostumbrado y verifique con frecuencia sus niveles de azúcar en sangre. Si su rutina y actividades físicas son diferentes, su cuerpo también puede responder de manera diferente.

Para más información acerca de viajes y diabetes, comuníquese con la American Diabetes Association (800-232-3472) o la ADA Patient Information Hotline (800-342-2383). Puede visitar el sitioWeb de la asociación en www.diabetes.org.

Diverticulosis

Cómo resguardarse de la diverticulosis

Existen posibilidades de que usted tenga diverticulosis en algún momento. Es posible que hasta la tenga ahora. La mitad de las personas de alrededor de 60 años tienen bolsas del tamaño de una arveja, llamadas divertículos, a lo largo de las paredes del intestino grueso.

Pero no constituyen un problema siempre que no le molesten. Cuando esos divertículos se infectan e inflaman, es cuando usted comenzará a lamentar los hábitos alimenticios que le produjeron tales divertículos en primer lugar. Los divertículos infectados pueden causar calambres, dolor, sensibilidad en el lado izquierdo de su estómago, gases y sangre en las deposiciones. Esto se denomina diverticulitis. Pero usted puede evitar que las bolsas crezcan cambiando su dieta para incluir menos grasa y carnes rojas y más fibra.

Sacrifique la carne roja. Los investigadores creen que la carne roja hace que las bacterias de sus intestinos debiliten el colon y faciliten la formación de los divertículos. El pescado y el pollo no parecen tener este efecto.

La grasa de la carne también es un problema. Los investigadores han descubierto que la grasa de otras fuentes, como los productos lácteos, tienen menos posibilidades de causar diverticulosis que la grasa de la carne roja. En realidad, un estudio de 50.000 médicos indicó que las personas que comieron mucha carne roja y no demasiada fibra tenían más posibilidades de desarrollar una diverticulitis dolorosa.

Es probable que sea difícil dejar la carne roja, pero hacerlo puede ayudarlo a prepararse para una digestión sin problemas.

Aprenda a amar los granos. La fibra es la clave más importante para combatir la diverticulosis porque, simplemente, facilita las cosas en su colon. El esfuerzo excesivo durante los movimientos intestinales es el culpable principal de la formación de divertículos — ya que empuja puntos débiles en las paredes de su colon. La fibra suaviza sus deposiciones y mantiene la presión baja en sus intestinos, por lo cual las cosas se mueven con más suavidad. También ayudan a estimular los músculos de su tracto digestivo, lo cual mantiene las paredes de sus intestinos tonificadas y saludables y con menos posibilidades de ceder.

La Asociación Dietética Estadounidense indica que se deben consumir de 20 a 35 gramos de fibra por día. La Organización Mundial de la Salud recomienda de 27 a 40 gramos. Los granos son probablemente las mejores fuentes para agregar fibra a su dieta. Intente con estas fuentes de fibra, pero recuerde que cuanto más procesados están los granos, usted obtiene menor beneficio.

- **Salvado.** La cáscara externa de los granos o del salvado, es la mayor fuente de fibra de granos que usted puede consumir. Encontrará salvado en todos los alimentos que van desde los cereales a los panes y los bocadillos.
- **Cebada.** Esta también es una buena fuente de fibra, pero tenga cuidado con la clase de cebada que compra. La cebada integral tiene 31 gramos de fibra por taza, mientras que la cebada perlada sólo tiene seis. ¿Por qué? Procesamiento.
- **Avenas.** Verá muchas formas de granos, pero el salvado de avenas es probablemente su mejor opción para obtener energía de las fibras. Sólo un tercio de una taza proporciona 5 gramos de fibra.
- **Otros granos.** Experimente con otras fuentes de granos menos comunes tales como: arroz salvaje, arroz integral, harina de arroz, harina de centeno, sémola, trigo burgol, mijo y trigo negro. Ellos agregarán energía y estilo a su menú diario.

Disfrute sus frutas y vegetales. Los granos no son el único alimento de la familia con alto nivel de fibra. Las frutas y los vegetales estimulan el crecimiento de microbios en sus intestinos que ayudan a la digestión. Estos microbios mantienen las cosas "en movimiento" y complican la formación o la infección de divertículos. Algunas de las mejores opciones en la categoría de frutas son los arándanos (6.6 gramos por taza), las frambuesas (5.8), las moras (4.4), los dátiles, las peras y las manzanas.

Por el lado de los vegetales, las alubias y las arvejas son aliados fuertes. Las alubias son las mejores (8.7 gramos por taza), seguidas por las lentejas, alubias negras, limas, pintas, horneadas, alubias con forma de riñón, todas hasta las arvejas verdes, los garbanzos y las arvejas de cabecita negra (4.4 gramos).

Lo que debe recordar acerca de la fibra — al agregar más a su dieta, es que debe tomarlo con calma. Los aumentos súbitos pueden generar una sensación de hinchazón y pueden producir gases. Además, la fibra absorbe mucha agua, por lo cual debe reemplazar los absorbido o de lo contrario, correrá el riesgo de deshidratarse. Cuídese de esto tomando entre un cuarto y medio o dos cuartos de agua por día.

Mantenga su dieta saludable con fibras y reduciendo el consumo de carnes rojas y sus intestinos lo recompensarán al mantenerse suaves y sin inflamación.

Rompiendo el mito de las palomitas de maíz

Durante muchos años, los médicos han advertido a sus pacientes acerca de la posibilidad de diverticulosis, y desalentando el consumo de alimentos con semillas pequeñas que pudieran ser difíciles de digerir. Quizá lo desanimó saber que estos alimentos de la "lista negra" incluían algunos de sus favoritos, como las palomitas de maíz, tomates y fresas.

El razonamiento indicaba que las partículas pequeñas podían quedar atrapadas en los divertículos en su trayecto a través del colon y podrían causar inflamación o infección y una probable diverticulitis.

Aunque algunos médicos insisten en que este consejo es para el bien de todos, la mayoría creen actualmente que estos alimentos no constituyen un problema. En realidad, de acuerdo con el Instituto Nacional de Diabetes y Enfermedades Digestivas y Renales, no hay evidencia documentada para sustentar el mito de las palomitas de maíz.

No se deje tentar por la solución fácil

¿Piensa que los laxantes o los analgésicos son la respuesta a la incomodidad de la diverticulosis? Piénselo mejor. Aunque considere que los laxantes son una manera rápida de eliminar la constipación — una de las causas principales de esos sacos intestinales irritantes — dichos medicamentes pueden generar muchos otros problemas. Y los analgésicos como la aspirina y el ibuprofeno pueden empeorar su diverticulosis.

Dejede lado a los laxantes. Muchos laxantes de venta libre están diseñados para contraer sus intestinos, lo cual puede irritar el colon. Los laxantes también interfieren con la capacidad natural de su cuerpo para absorber los nutrientes que necesita de los alimentos, y algunos investigadores creen que incluso pueden debilitar su resistencia a cardiopatías y cáncer. Peor aún, los laxantes pueden convertirse en adictivos.

La mejor solución es permitir que la naturaleza siga su curso con ayuda de una dieta rica en fibras, baja en grasas y con abundante agua. Si siente que en alguna ocasión necesita una ayuda, prueba con algún suavizante natural como ciruelas, jugo de ciruelas o psilio. Pero evite productos con senna, que es un fuerte laxante a base de hierbas.

Diga no a los AINE. Usted puede tomar una aspirina o Advil cuando lo sorprende algún dolor intestinal, pero eso puede no ser la primera acción recomendada. Un estudio al menos indica que los medicamentos antiinflamatorios no esteroides (AINE) como estos pueden causar complicaciones serias a personas que padecen diverticulosis.

Un estudio de la Universidad de Aberdeen comparó la gravedad de la enfermedad diverticular entre tres grupos: personas con complicaciones graves, personas sin complicaciones y personas sin enfermedad diverticular. Casi el 50 por ciento de los que sufrían complicaciones graves estaban tomando AINE, comparados con un promedio del 19 por ciento entre otros grupos.

Los investigadores creen que esta diferencia es suficiente para mostrar que tomar AINE con regularidad podría empeorar la enfermedad diverticular. Si usted está dentro de esa categoría — en particular si tiene alrededor de 60 años o si padece diverticulosis — consulte a su médico acerca de lo que puede hacer para reducir su riesgo.

Reacciones a los medicamentos

Siete maneras de evitar errores con medicamentos mortales

Camilla Yates, una mujer embarazada con diabetes gestacional, retiró su primera receta de insulina en su farmacia habitual. Como había leído un artículo acerca de la importancia de verificar las recetas, comparó la etiqueta con lo que había escrito el médico.

"Me impresioné mucho", dijo. "Mi farmacéutico leyó mal y confundió 5U con 50 y escribió mis instrucciones de insulina como "tomar 50 unidades" en lugar de cinco. No quiero imaginar qué hubiera pasado, si mi primera dosis hubiera sido 10 veces más alta que la cantidad indicada".

Afortunadamente, Camilla notó el error a tiempo para evitar un desastre mortal para ella y su bebé. Muchas personas no son tan afortunadas. Según un estudio publicado en la Revista de la Asociación Médica Estadounidense, más de 100.000 personas mueren por año, a causa de reacciones adversas a los medicamentos. Esto lo posiciona entre la cuarta y la sexta causa de muerte en los Estados Unidos.

Sin embargo, no debe asustarse como para desechar todas sus recetas. Los medicamentos también salvan muchas vidas por año y usted puede hacer mucho para evitar convertirse en una víctima de su receta.

Escriba la receta. Copie los nombres genéricos y de marca de su receta, la información de la dosis, mientras se encuentra en el consultorio de su médico. Así tendrá un registro, en su propia letra, para verificar su receta real cuando se la entreguen. En muchas ocasiones los errores en las recetas se producen porque el farmacéutico no puede leer la letra del médico.

Informe a su médico. Asegúrese de indicarle a su médico qué otros medicamentos está tomando. No suponga que él lo sabe, incluso si él fue quien se los recetó. Incluya todos los medicamentos de venta libre, hierbas o suplementos. Y recuérdele cualquier alergia a medicamentos que usted padezca. A menudo las personas alérgicas a un medicamento, también pueden serlo a otro medicamento relacionado.

Vaya siempre a la misma farmacia. La mayoría de las farmacias poseen sistemas computarizados que le advertirán si se le han recetado dos medicamentos que pudieran interactuar. Si va a farmacias diferentes, sin embargo, perderá esa ventaja.

Revise los comprimidos. Cuando recibe una recarga, verifique para asegurarse de que los comprimidos lucen tal como los que tomaba anteriormente. Si nota algún cambio, consulte a su farmacéutico.

Programe una sesión de "bolsa marrón". Coloque todos los medicamentos que está tomando en una bolsa y solicite a su médico o a su farmacéutico que la revisen, para buscar interacciones potenciales, duplicación o medicamentos vencidos.

Olvídese del alcohol. El alcohol es una droga que puede interactuar con muchos medicamentos recetados. Para estar seguro, si debe tomar un medicamento, manténgase alejado del alcohol.

No tenga miedo de hacer preguntas. Asegúrese de comprender lo que está tomando y por qué. Su médico y su farmacéutico desean que usted esté sano, de manera que deberán responder todas las preguntas que tenga.

Consejos que salvan la vida dirigidos a las personas mayores

También los medicamentos recetados pueden ser peligrosos, si usted no los toma como corresponde. Puede surgir problemas en particular para las personas mayores.

Los adultos mayores tienen más tendencia a tomar varios tipos de medicamentos, lo cual aumenta el riesgo de interacciones. Y debido a que su visión para leer a menudo disminuye con la edad, tienen más posibilidades de leer mal la letra pequeña en las etiquetas de las recetas. Si la visión es un problema para usted, no tenga vergüenza de pedirle a su farmacéutico que le de las instrucciones en una letra más grande.

Es posible que también le cueste recordar si ha tomado o no su medicamento. Esta incertidumbre podría hacer que tome muy poca o demasiada medicina, lo cual podría causar una sobredosis. Los recipientes que dividen sus dosis para la semana pueden ser de utilidad.

Concentrarse en el comprimido mientras lo está tomando puede ser otra manera de ayudarse a recordar, según lo indica el psicólogo Gilles Einstein. No trague con rapidez; muévalo en su boca y haga una nota mental de ello. Tendrá más posibilidades de recordar que lo tomó y quizá se ahorre una sobredosis peligrosa.

Aproveche el poder del placebo

En este libro clásico, *El Poder del Pensamiento Positivo (The Power of Positive Thinking)*, Norman Vincent Peale enfatiza cómo su mente y su actitud pueden afectar su vida, inclusive su salud.

Un buen ejemplo es el efecto placebo. Un placebo es un comprimido inofensivo sin medicamento que a menudo se le da a un paciente para "complacerlo". Lo sorprendente es que algunas personas, que no saben que están tomando un placebo, se sienten mejor. Muchos médicos consideran que estas personas se mejoran, porque esperan sentirse mejor.

Los estudios muestran que hasta el 70 por ciento de las personas con depresión que reciben un placebo se mejoran, pero aquellos que no reciben tratamiento, siguen en la misma situación. El solo hecho de tomar "el medicamento" puede ayudar, tanto si contiene un componente beneficioso o no.

En otro estudio, a las personas son asma se les da un inhalador que sólo contiene agua con sal inofensiva. Cuando se les dijo que el inhalador contenía un alergeno, la obstrucción de la vía aérea aumentaba y tenían más dificultades para respirar. Cuando se les indicaba que el mismo inhalador contenía un medicamento, se abrían sus vías aéreas y podían respirar con más facilidad.

Incluso el color del comprimido puede producir un efecto. La investigación demuestra que las personas esperan que los comprimidos azules o verdes tengan efectos calmantes y que los rojos, amarillos o anaranjados tengan efectos estimulantes. En un estudio, se les decía a los pacientes que estaban tomando un sedante o un estimulante, pero en realidad se les daban placebos rosa o azul. El doble de las personas que tomaban los comprimidos azules sufrían mareos, comparados con los que tomaban los comprimidos rosa.

El efecto placebo tiene un gran potencial curativo. Para aprovechar este poder, encuentre un médico competente y tenga confianza en su capacidad para ayudarlo. Esto estimulará sus posibilidades de mejorarse. El poder del placebo puede igualar el poder del pensamiento positivo.

Las hierbas y los medicamentos pueden ser un dúo mortal

La mayoría de las personas usan medicina alternativa además de la medicina convencional. Esta combinación de lo moderno y lo antiguo puede ser muy beneficiosa, pero también peligrosa.
Algunos medicamentos y hierbas que son seguros cuando se los toma solos, pueden causar efectos colaterales serios si se los toma combinados.

Si usted está tomando un suplemento, consulte a su médico si el mismo podría interactuar con un medicamento recetado que está tomando. Estos son algunos de los problemas potenciales de los que debe cuidarse.

- **Ginkgo.** Muchos herboristas recomiendan elginkgo para mejorar la memoria. El ginkgo funciona al mejorar el flujo de sangre al cerebro. Ensancha sus vasos sanguíneos y hace que sus plaquetas sean menos pegajosas. Si está tomando una aspirina o un anticoagulante por día, como warfarina o heparina, no use ginkgo. Esto podría magnificar el efecto anticoagulante. Los epilépticos que toman anticoagulantes, como carbamazepina, fenitoína y febnobarbital, no deben tomar ginkgo, porque podría reducir la eficacia de esos medicamentos.
- **Equinacea.** Se considera que una de las hierbas que más se venden, la equinacea, estimula el sistema inmunológico, por lo cual es especialmente popular durante la estación del resfrío y la gripe. Si usted padece una enfermedad auto inmune, como lupus o artritis reumatoidea, no debe tomar equinacea. Podría contrarrestar los efectos de su medicamento. La equinacea, si se toma durante períodos extensos, pierde su eficacia y podría causar daños al hígado. Por esa razón, no tome equinacea con ningún medicamento que tenga daños al hígado como un efecto colateral potencial.
- **Jengibre**. Este conocido calmante para el estómago ayuda a evitar las náuseas causadas por la cinetosis. Un estudio de la Universidad de Alabama reveló que también ayuda a aliviar las náuseas causadas por la quimioterapia. Dado que también posee capacidades anticoagulantes, no debe tomarla si al mismo tiempo está tomando un medicamento con esa propiedad.

- **Ginseng.** En la medicina oriental, el ginseng se conoce como un "adaptógeno." Esto significa que fortalece la resistencia de su cuerpo ante influencias no saludables y funciona para mantenerlo equilibrado. Los estudios han demostrado que posee un efecto favorable sobre los niveles de azúcar en sangre de los diabéticos. El ginseng no se debe usan con anticoagulantes, como warfarina y heparina, o con medicamentos antiinflamatorios no esteroides (AINES), como ibuprofeno y aspirina. También puede causar problemas si se lo toma con corticosteroides.
- **Hierba de San Juan.** Los estudios muestran que este suplemento a base de hierbas es un tratamiento efectivo para la depresión leve a moderada. Su efecto colateral notable es un aumento de la sensibilidad al sol. Además de limitar su exposición al sol, no la combine con otro medicamento que pudiera sensibilizar aún más su piel al sol. La hierba de San Juan no se debe tomar con antidepresivos recetados, en particular con inhibidores IMAO.
- **Tanaceto.** Esta hierba se ha utilizado para tratar las migrañas durante casi 2.000 años. Los estudios modernos muestra que es efectiva en la reducción del número y la gravedad de los ataques de migraña. Los medicamentos antiinflamatorios no esteroides (AINES), como ibuprofeno y aspirina, pueden reducir la eficacia del tanaceto. No tome tanaceto si es alérgico a la ambrosía, la milenrama o la manzanilla. Estas plantas pertenecen a la misma familia, por lo cual es probable que sea alérgico al tanaceto, también.
- **Valeriana.** Esta hierba puede ayudarlo a dormir bien, pero no debe tomarla si está tomando alcohol. Los expertos no pueden asegurar que la valeriana interactúe con el alcohol. Para estar seguros, no los combine. Dado que la valeriana prolonga los efectos de los barbitúricos, como el tiofental y el pentobarbital, no se debe tomar con ninguno de estos medicamentos.

Las interacciones más peligrosas entre medicamentos y hierbas

Hierbas	Medicamentos que pueden causar interacciones
Bromelina	Anticoagulantes (warfarina, heparina) y AINE (aspirina, ibuprofeno)
Ajo	Anticoagulantes (warfarina, heparina) y AINE (aspirina, ibuprofeno)
Regaliz	La digoxina y los inhibidores IMAO pueden contrarrestar la ciclosporina
Espino	Digoxina
Kava kava	Alprazolam
Aceite de primavera nocturna	Anticonvulsivos
Manzanilla	Anticoagulantes (warfarina, heparina) y AINE (aspirina, ibuprofeno)
Palma enana americana	Terapias hormonales (terapia de reemplazo de estrógeno, comprimidos anticonceptivos)
Efedra	Estimulantes

Guía del consumidor para comprar suplementos

Cuando Mary Watkins comenzó a sentir dolor en las rodillas, el médico le dijo que padecía artritis ósea. Él le recetó analgésicos,pero a Mary le preocupaba tener que tomarlos todos los días. "Mi sobrina me recomendó un suplemento que se suponía era bueno para la artritis, pero no podía recordar el nombre", dice. "Fui a la farmacia y me sorprendí mucho. No tenía idea de que había tantos suplementos diferentes a la venta".

La cantidad de productos disponibles no era lo único que confundía a Mary. "Pasé 20 minutos frente a la vitrina, pero no podía encontrar ningún producto para tratar la artritis."

Esto se debe a que la ley DSHEA (Ley de Suplementos Dietéticos, Salud y Educación) permite la venta irrestricta de vitaminas, minerales, hierbas, aminoácidos y otros suplementos dietarios, siempre que los fabricantes no informen los efectos médicos de sus productos. Aunque esto lo protege de reclamos médicos falsos y no comprobados, también puede generar confusión al comprar suplementos.

Por ejemplo, el sulfato de glucosamina, el producto que recomendó la sobrina de Mary, es un suplemento que según los estudios ayuda a reconstruir el cartílago de las articulaciones, lo cual alivia los síntomas de las artritis. Sin embargo, los fabricantes de sulfato de glucosamina no pueden decir que "mejora la artritis". Sólo pueden informar la manera en la que su producto afecta a ciertas estructuras y funciones corporales. Por ejemplo, la etiqueta del sulfato de glucosamina podría indicar: "promueve la salud de las articulaciones."

La mejor manera de saber qué comprar es hacer la tarea. Puede aprender mucho hablando con un herborista de buena reputación. No dependa de los vendedores para que lo ayuden a elegir productos. Algunos de ellos tienen conocimientos, pero la gran mayoría no sabe nada acerca de los suplementos que vende.

Estos son algunos puntos que debe considerar al comprar suplementos.

- Busque productos estandarizados. Los productos integrales a base de hierbas pueden variar en cuanto a potencia, según el lugar donde se cultivaron, las condiciones del suelo y el clima y otras variables. Los productos estandarizados tienen un porcentaje fijo del ingrediente activo en una hierba en particular. Por ejemplo, los productos de kava, que se usan para aliviar el estrés, están estandarizados para contener el 30 por ciento de kavalactones.
- Asegúrese de leer con cuidado las etiquetas y considere todas las advertencias del fabricante. Sólo porque es natural, no significa que sea seguro para todas las personas por igual. Muchos productos tienen precauciones para mujeres embarazadas o en período de lactancia y algunos productos no se recomiendan a personas con ciertas afecciones, tales como diabetes o hipertensión.
- Preste atención a la reacción de su cuerpo ante cualquier suplemento que toma. Es una buena idea probar con un producto nuevo por vez. Si sufre una reacción adversa, tendrá más claro qué pudo haberla causado.
- Infórmele a su médico qué suplementos está tomando. Algunos de ellos pueden interactuar con medicamentos recetados.

Ojos secos

Diez remedios calmantes para los ojos secos

Algunos dicen que los ojos son las ventanas del alma. Pero cuando sus "ventanas" se sienten arenosas y raspan, esto puede apagar su espíritu. Normalmente, su cuerpo baña a sus ojos con lágrimas que alivian. Pero si padece una afección denominada ojos secos, sentirá que le raspan los ojos con papel de lija.

Comezón, enrojecimiento e hinchazón en los ojos son, probablemente, los primeros síntomas que notará. También pueden molestarlo la visión borrosa y una sensación de ardor. Se podría formar una mucosidad fibrosa en los ojos y usar los lentes de contacto puede ser insoportable.

Es factible que las lágrimas no salgan, incluso cuando sienta ganas de llorar. Pero, por otro lado, es posible que sus ojos estén acuosos. Esto parece un síntoma extraño de los ojos secos, pero las lágrimas saludables contienen aceite y mucosa. El agua sola no recubre ni se adhiere a sus ojos de manera adecuada. Por el contrario, se evapora con rapidez y deja a los ojos desprotegidos y secos.

Es más probable que experimente ojos secos, si:

- Usted tiene alrededor de 40 años — en especial si es una mujer que ha pasado la menopausia
- Padece alergias
- Usa lentes de contacto
- Pasa mucho tiempo frente a una computadora
- Lee de cerca o realiza una tarea detallista

La causa de sus ojos secos también podría ser el síndrome de Sjogren, en particular si también experimenta sequedad en la boca. Esta es una enfermedad auto inmune grave que destruye las glándulas que producen las lágrimas y la saliva. Además de los otros síntomas de ojos secos, las personas que padecen Sjogren a menudo notan que la luz fluorescente los molesta mucho. Un oftalmólogo puede revisar sus ojos, para determinar si esa es la causa de su problema.

Afortunadamente, la mayoría de las veces los ojos secos son una afección temporaria. Por lo general, todo lo que necesita es descansar los ojos y estos volverán a estar húmedos y cómodos. Estos remedios calmantes, lo ayudarán a devolverles el brillo a sus ojos.

Evite los agentes irritantes del ambiente. Intente permanecer alejado de humo, emisiones tóxicas y otros agentes contaminantes que puedan causar molestias a sus ojos. Incluso podría tener que dejar de usar maquillaje o al menos reducir la cantidad que usa.

Agregue humectante. El aire seco significa ojos secos. Agregue humedad al aire de su casa u oficina, con un humidificador. También le será útil beber agua adicional, en especial cuando viaja en avión. Las cabinas de los aviones tienen a tener aire extra seco.

No se frote los ojos. Es una tentación restregarse los ojos cuando hay comezón, pero los ojos secos se infectan con facilidad. "Mantener las manos alejadas" es la mejor política.

Proteja sus ojos. Los ojos secos son sensibles a la luz brillante, de modo que debe usar anteojos de sol al salir. Es posible que desee usar gafas de natación o de esquí o gafas con cámara de humedad, en especial si el síndrome de Sjogren es la causa de su problema. Lo ayudarán a evitar que la humedad se evapore demasiado rápido.

Tómese un descanso y parpadee. ¿Pasa demasiado tiempo leyendo, usando la computadora o haciendo alguna otra tarea que requiera fijar la vista? Hay menos posibilidades de que parpadee al realizar esas tareas, pero si no lo hace, sus ojos sufrirán. De manera que bata esas pestañas con tanta frecuencia como sea posible.

Use lágrimas artificiales. Para un uso ocasional y de corto plazo, intente con sustitutos de lágrimas. Estas aliviarán y protegerán sus ojos como lo hacen las lágrimas reales. Pero no las use muy a menudo o interrumpirán la producción de lágrimas naturales de los ojos. Debe evitar productos que contengan conservantes, ya que podrían agravar el problema.

En lugar de gotas líquidas, podría preferir una pomada. Porque es más densa y pegajosa, permanecerá más tiempo sobre la superficie de sus ojos. Use pomadas a la hora de dormir, porque podrían nublar su visión. También puede usar insertos solubles de larga duración. Lacrisert es un ejemplo que no contiene conservantes. Coloque este comprimido diminuto dentro de su párpado inferior, donde se derretirá lentamente a lo largo de seis a ocho horas y lo ayudará a espesar las lágrimas.

Tenga cuidado con los lentes de contacto. Si usa lentes de contacto, tenga cuidado especial con lo que va a colocar en sus ojos. Las gotas y las pomadas podrían aumentar la comodidad de su ojos, pero también podrían ocultar un problema serio con los lentes de contacto en sí mismos.

Como norma, use una solución de rehumectación diseñada para usar con su marca de lentes de contacto o use medicamentos recomendados por su oftalmólogo. En la mayoría de los casos, necesitará retirar sus lentes de contacto antes de aplicar cualquier medicamento. Siga las instrucciones del médico o las del paquete acerca del tiempo que debe esperar antes de reemplazar los lentes.

Consuma mucha vitamina A. Esta vitamina es esencial para tener ojos saludables. La encontrará en la carne y en los productos lácteos. Además, las fuentes de las plantas como los vegetales de hojas verdes tienen alto contenido de beta caroteno, que se convierte en vitamina A en su cuerpo. Puede obtener vitamina A a través de suplementos, pero demasiada podría ser peligrosa. Un vitamina múltiple diaria le proveerá lo que necesita de una manera segura.

Controle sus medicamentos. La causa de sus ojos secos podría ser alguno de los medicamentos que está tomando. Los descongestivos, los diuréticos, los anestésicos en general, los betabloqueantes adrenérgicos, los antimuscarínicos y la tiabendazola podrían ser los culpables. Hable con su médico de cabecera acerca de su situación. Quizá otro medicamento funcionará tan bien como el que toma actualmente, sin este efecto colateral.

Visite a su médico a menudo. Los chequeos regulares son importantes para la salud de sus ojos. Y si sus ojos secos no se aclaran con rapidez o si es un problema crónico, deberá consultar a su médico más a menudo. Podría tener daños en los ojos o un conducto lagrimal bloqueado que necesita tratamiento por parte de un oftalmólogo.

Solución de gotas oculares simples

¿Las gotas oculares líquidas se resbalan por sus mejillas como lágrimas? ¿Esquiva el gotero o corre el ojo y lo cierra antes de que caiga la gota? O si está usando una pomada, ¿le queda más producto desparramados alrededor de los ojos que en el interior de los mismos?

Si estos errores le resultan familiares, estas pautas pueden ayudarlo a evitarlos. Una pista: Asegúrese de colocar las gotas dentro del párpado inferior— no intente salpicarlas contra el globo ocular. Y, por supuesto, siempre comience con las manos limpias.

- Incline ligeramente la cabeza hacia atrás con los ojos abiertos. Mirar hacia arriba reducirá la necesidad de parpadear. También reduce la posibilidad de que las gotas le produzcan ardor. Puede demorar cualquier irritación si usa gotas oculares frías.
- Haga un bolsillo con su párpado inferior, colocando el dedo medio o índice justo debajo de las pestañas inferiores y tirando hacia abajo suavemente.
- Aplique una sola gota de líquido o una pequeña cantidad de pomada en el bolsillo. Tenga cuidado de no tocar el ojo con el aplicador. Puede colocar la mano que sostiene el gotero contra su rostro o la otra mano para mantenerla firme.
- Espere unos momentos para que las gotas o la pomada se asienten dentro del párpado. Luego cierre lentamente los ojos y rótelos en círculos para cubrir todo el lente. No los apriete con fuerza o podría hacer salir algo de la solución aplicada.
- Abra los ojos lentamente y parpadee una vez para mezclar la solución con las lágrimas naturales. Luego cierre el ojo durante 30 segundos para permitir que la solución se adhiera a la superficie del globo ocular.
- Limpie y retire el exceso de líquido o pomada de las pestañas y párpados con una tela suave o con un pañuelo descartable.

Es posible que prefiera insertar las gotas o la pomada mientras se encuentra recostado, si inclinar la cabeza hacia atrás lo marea. Esto también lo ayudará, si se ha sometido a cirugía ocular recientemente.

Ciertos medicamentos o afecciones de salud pueden requerir instrucciones diferentes. Por ejemplo, podría necesitar evitar que las gotas vayan hacia su conducto lagrimal, nariz o garganta. Puede hacer esto presionando el dedo índice contra el vértice interno del ojo (junto a la nariz) durante uno o dos minutos, después de que hayan entrado las gotas.

Siempre consulte a su médico o farmacéutico, si hay instrucciones especiales para sus medicamentos oculares y asegúrese de seguirlas con cuidado.

Gotas oculares anti-enrojecimiento

Se mira en el espejo y ve ojos inyectados en sangre. ¡No es algo agradable! Su primera idea es salir corriendo a comprar gotas oculares de venta libre que le prometen "quitarle el enrojecimiento".

Pero espere. Estas soluciones podrían empeorar las cosas. Los investigadores revisaron a 70 personas que desarrollaron "ojo rosado" (conjuntivitis) después de usar gotas oculares. Resultó que su inflamación fue producto de la nafazolina, tetrahidrozolina o fenilefrina de las gotas oculares. Estas drogas son vasoconstrictores que hacen que sus vasos sanguíneos se encojan, por lo cual ingresa menos oxígeno a sus ojos.

Cuando los pacientes dejaban de usar las gotas, sus ojos mejoraban, en la mayoría de los casos, después de algunas semanas. Pero en ocasiones se trata de un efecto rebote y la afección se agrava, antes de mejorar.

De manera que hay que actuar en forma inteligente cuando se trata de gotas oculares. No las use durante períodos extensos y detenga el tratamiento, si sus ojos empeoran. Asimismo, considere otros remedios. Es probable que obtenga mejores resultados usando sustitutos de lágrimas para aliviar sus ojos rojos, pero que no contengan ingredientes que los empeorarán.

Boca seca

Seis consejos para tratar la boca seca

Todos han sentido esa aprensión horrible antes de un evento especial que hace que el estómago se acelere y la boca se seque — es algo muy molesto.

Muchos medicamentos recetados o de venta libre también hacen que su boca se sienta como el Sahara. Los medicamentos para la depresión, la presión arterial alta, el dolor, la pérdida de peso y los síntomas del resfrío y la gripe, resecan especialmente la boca.

La deshidratación, el agotamiento causado por el calor, glándulas salivales inflamadas, diabetes o simplemente la edad — son las causas más comunes de la boca seca. Pero si usted es una mujer posmenopáusica de alrededor de 50 años que se pronto descubre que sus ojos y boca están secos, podría estar padeciendo una afección que se denomina síndrome de Sjogren (show-grins).

Esta es una enfermedad en la cual su sistema inmunológico ataca a las glándulas productoras de humedad, de manera que usted ya no puede crear toda la saliva o lágrimas que necesita. No es una afección mortal, pero empeora progresivamente y puede dañar sus ojos y boca, si no se tratan los síntomas.

La saliva es importante para su salud, porque limpia a su boca de bacterias, ayuda a curar heridas o llagas y mantiene su boca lubricada. Sin ella, tendrá problemas para hablar y comer, y podría desarrollar dolorosas llagas bucales, infecciones fúngicas y caries.

No hay cura para el síndrome de Sjogren, pero usted puede adelantarse a los problemas y aliviar sus síntomas con un poco de planificación y conocimientos.

- **Practique una buena higiene oral.** Cepíllese los dientes o como mínimo enjuague su boca, después de cada comida. Use un cepillo de dientes suave, quizá uno eléctrica. Pruebe con un dispositivo que utilice agua para irrigar la boca. Use hilo dental con regularidad, pero suavemente. Utilice tratamientos con flúor y pasta dental con flúor. Consulte a su dentista con más frecuencia — entre tres y cuatro veces por año — para que efectúe un chequeo, con limpieza y tratamiento con flúor.
- **Evite el alcohol, la cafeína y el tabaco.** Todo esto seca las membranas.
- **Haga que sus jugos fluyan.** Mastique goma de mascar sin azúcar (en especial las que contienen el sustituto del azúcar, xylitol), beba refrescos dietéticos o coma barras de caramelo o limones.
- **Beba mucho líquido.** Beba durante todo el día, pero en especial con las comidas. Esto lo ayudará a humedecer los alimentos y hará que sean más fáciles de tragar. La leche es una buena opción, ya que parece recubrir y suavizar su boca y puede ayudar a evitar la caries.
- **Controle la calidad del aire.** Use un humidificador para humedecer el aire y evite el aire acondicionado y la calefacción siempre que sea posible — ambos resecan.
- **Envíe un sustituto.** También puede aprovechar varios productos diseñados para sustituir la saliva. Son la manera más efectiva de humedecer una garganta y boca muy deshidratadas. Algunos incluso contienen flúor para proteger a sus dientes de la caries. Elija los que tengan el sello de aprobación de la Asociación Dental Estadounidense.

Si su boca seca es el resultado de una enfermedad crónica o sólo un desafío temporario, de todas maneras es un aspecto muy molesto e irritante de la vida. Pero en la actualidad, más que nunca antes, usted cuenta con una variedad de formas para lograr que su boca se sienta normal otra vez.

Piel seca

Remedios por docena para la piel seca

Usted conoce esa sensación de sequedad, escamosa y con comezón que indican que pronto estará mudando su piel como si fuera una serpiente. Puede sentirlo desde los labios hasta los pies y en todos los lugares intermedios. Aunque esto sucede sobre todo en invierno, cuando el aire interno es caliente y seco y usted tiende a usar agua más caliente, puede suceder en cualquier momento. Aunque su piel irritada se deba a quemaduras de sol y a nadar, a la limpieza profunda en primavera y a los detergentes o simplemente al paso del tiempo, pruebe con estos consejos para lograr alivio.

Manténgase fresco. Báñese con agua tibia o fresca — nunca caliente.

Absorba más suavidad. Los baños de inmersión generan mucho menos sequedad que las duchas — siempre que use agua tibia y que no se remoje durante más de 10 minutos.

Tómese un descanso. Intente bañarse día por media o incluso sólo algunas veces por semana. Esto reducirá la frecuencia con la que elimina los aceites protectores de su piel.

Caliente el aire, no el agua. Entibie su cuarto de baño — con un calefactor de ser necesario — para sentirse más cómodo bañándose en agua más fresca.

Elija un jabón suave. Guarde los jabones fuertes, antibacterianos y con desodorante para las axilas, pies y área genital.

No se frote la piel. No friccione su piel con demasiada fuerza después de bañarse. En realidad, es mejor secarse apoyando suavemente la toalla o con una toalla extra suave.

Humecte la piel. Colóquese una loción después de bañarse o ducharse para fijar la humectación.

Evite los elementos. No exponga su piel en exceso al sol, el viento o el frío.

Vaya a lo tropical. Evite el aire seco, si es posible. Mantenga un humidificador funcionando en su hogar u oficina.

Balancee su dieta. Coma muchos alimentos que contengan vitaminas A y C para mantener su piel suave y flexible. Para incorporar vitamina A, elija vegetales de hojas verde oscuro y frutas anaranjadas, carne y productos lácteos. Para obtener vitamina C adicional, como cítricos, pimientos, fresas y otras frutas y vegetales.

Abra el grifo. Beba mucha agua todos los días — como mínimo tres vasos grandes.

No se olvide de los dedos. Use guantes cuando haga las tareas del hogar o cuando lave los platos, para proteger sus manos de los químicos que resecan y el agua caliente.

Si aún así no puede vencer a la sequedad o a ese comezón molesto, visite a un dermatólogo. Él puede recetarle cremas especiales, pomadas o incluso un antihistamínico de administración oral. También puede intentar descubrir la causa del problema — alergias, una reacción a un medicamento y otra afección.

La primera opción de los dermatólogos para tratar la piel seca

Petrolatum, una sustancia espesa, similar a la vaselina, hecha a partir del petróleo, que muchos dermatólogos consideran el humectante más efectivo. Se ha comprobado que reduce en alrededor de un 50 por ciento la cantidad de agua que pierde la piel. Además, protege la piel de agentes irritantes y se absorbe más profundamente que otros humectantes.

El Dr. James T. Sándwich del Área de Dermatología de Fayette en Georgia afirma que, si se lo usa de manera adecuada, es un emoliente maravilloso. "Hace un buen trabajo para mantener la humedad de la piel. Si usted tiene piel seca o una afección, como el eczema, causada por la falta de aceite en la piel, las tiras de petrolatum mantienen la humedad para hidratar su piel".

"Es un poco grasosa", agrega, "por lo cual a veces no es tan elegante como otros humectantes. Pero sigue siendo un buen producto".

Sándwich advierte que no se debe usar petrolatum sobre heridas que supuran o están infectadas. Crea una barrera y no permite que escapen las toxinas. "Pero con piel muy seca", dice, "hay grietas que permiten que material extraño y bacterias entren en contacto con la

piel en áreas más profundas que las normales. El petrolatum, siempre que se coloque en una capa delgada, no permite que esto ingrese en las grietas".

Algunos humectantes que contienen petrolatum son:

- **Baño corporal humectante de aceite Olay para renovación diaria**
- **Loción Jergens Ultra Healing**
- **Crema para la piel Pacquin mejorada con Aloe**
- **Pomada Desitin**
- **Loción Lubriderm para piel extremadamente sensible**

Alivie los problemas de piel con hierbas curativas

Las hierbas se han usado desde el comienzo de los tiempos para curar, alivia, aromatizar y aún para fines cosméticos, desde la pintura para la guerra hasta el maquillaje. Tanto si objetivo es la belleza como si se trata de primeros auxilios, un remedio a base de hierbas puede ser lo que su piel seca o irritada necesita.

Aloe vera. El aloe es quizá la planta más conocida para curar irritaciones y heridas de la piel. Encontrará que crece en pequeñas macetas en las cocinas de todo el país, dado que el gel que se obtiene de una hoja recién cortada es un remedio muy eficaz para cortes menores. El aloe es un ingrediente fundamental en docenas de productos comerciales para la piel, desde lociones humectantes hasta suavizantes para después de la exposición al sol.

Caléndula. Esta hierba, también conocida como ranúnculo, tiene flores amarillas o anaranjadas que son una vista familiar en muchos jardines y canteros. La caléndula no sólo decorará su hogar, también podrá usarla para tratar irritaciones cutáneas leves.

Una crema o pomada a menudo está hecha a partir de las cabezas de la flor de caléndula y se frota en su piel para curar erupciones, inflamaciones o heridas menores.

Capsaicina. Si usted padece soriasis, deseará probar con una crema de capsaicina. Está hecha con el ingrediente potente del pimiento de cayena y, puede sorprenderlo al comienzo, la sensación de picazón en su piel. La mayoría de las personas descubre que los beneficios a largo plazo valen la pena la incomodidad inicial.

Manzanilla. Miembro de la familia de las margaritas, la manzanilla, se utiliza con mayor frecuencia como un té de hierbas calmante. Pero en Alemania, la crema de manzanilla es tan efectiva como la hidrocortisona para curar la dermatitis, las úlceras cutáneas y otras irritaciones menores.

Hamamelis. Si le pica la piel o está inflamada, consiga una botella de hamamelis. Se ha usado durante años para aliviar diferentes problemas cutáneos, incluso la dermatitis.

Desafortunadamente, la hamamelis destilada disponible más comúnmente en los Estados Unidos contiene tan poco aceite volátil, que casi no tiene propiedades curativas. Al comprar hamamelis, busque el extracto auténtico o el extracto hidroalcohólico no destilado de las hojas de hamamelis. Debe contener entre 5 y 10 por ciento de extracto de hojas.

Hipertrofia prostática

Caminarreduce suriesgo de HPB

Dave Robbins no podía dormir toda la noche completa. "Me sentía como un bebé", dice. "Tenía que levantarme para ir al baño dos o tres veces por noche. Al comienzo pensé que tenía diabetes, porque es de familia, pero luego fui al médico y descubrí que teníaHPB".

Muchos hombres como Dave descubren que una diminuta parte del cuerpo, llamada próstata, puede causan grandes problemas, sobre todo con la edad. La mitad de los hombres de 60 años — y el 90 por ciento de los hombres de 85 años— desarrollan una hipertrofia prostática o hiperplasia prostática benigna (HPB).

La HPB causa problemas urinarios, porque la ubicación de la próstata es — alrededor de la uretra, el tubo que transporta la orina desde la vejiga hacia afuera del cuerpo. Cuando se agranda la próstata, presiona la uretra, por lo cual se dificulta orinar.

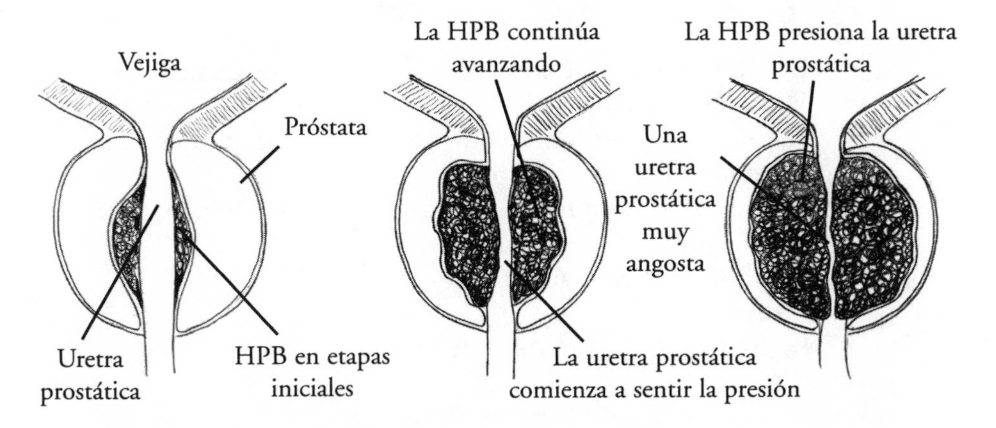

Aunque la HPB es por lo general una molestia y no un peligro, puede causar problemas más serios. Cuando la orina no puede pasar a través de la uretra, no tiene lugar donde ir, excepto ingresar de nuevo en la vejiga. Allí a menudo se estanca y genera infecciones en el tracto urinario y en la vejiga. También es probable que usted desarrolle cálculos dolorosos en la vejiga o que experimente dificultades sexuales. La HPB no tratada podría incluso causar daños a los riñones, por la presión aumentada en ellos o por la infección que se expande desde la vejiga a los riñones.

Si desea reducir el riesgo de desarrollar HPB, sería útil una caminata ligera de algunos minutos alrededor de la cuadra. Un estudio reciente descubrió que los hombres activos tenían un 25 por ciento menos de probabilidades de padecer síntomas moderados a severos de este trastorno o de someterse a cirugía por HPB, que los hombres menos activos. Caminar durante dos o tres horas por semana era ejercicio suficiente para obtener este nivel de reducción de riesgo, pero agregar otras tres horas por semana reducía el riesgo en un 10 por ciento más.

Otra razón para hacer ejercicio es evitar el sobrepeso. Según un estudio efectuado a más de 25.000 hombres, tener 35 libras o más de sobrepeso o aumentar más de siete pulgadas en la cintura, eleva en un 75 por ciento su riesgo de HPB después de los 50 años. En realidad, entre los 75 y los 80 años, casi la mitad de los hombres que tienen una cintura de más de 43 pulgadas, padecen problemas urinarios de moderados a severos y algunos requieren cirugía. Por otro lado, sólo un tercio de los hombres que tienen una cintura de 35 pulgadas o menos, padecen dificultades urinarias significativas.

Síntomas de HPB

- **Dificultad para que comenzar a orinar; vacilación**
- **Flujo de orina débil**
- **Sensación de vaciado incompleto después de orinar**
- **Necesidad frecuente de orinar**
- **Necesidad de levantarse por la noche una o más veces para orinar**
- **Incontinencia urinaria**
- **Insomnio**
- **Interrupciones en el flujo de orina**

Soluciones no quirúrgicas para el agrandamiento prostático

En Europa, se utilizan como mínimo 30 compuestos que contienen ingredientes activos de plantas, para tratar la hiperplasia prostática benigna (HPB). En el 70 por ciento de los estudios, las plantas han sido más efectivas que un placebo. En realidad, algunos estudios sugieren que los remedios derivados de las plantas pueden ayudar a hasta el 80 por ciento de los hombres que los toman. La ventaja principal de los remedios a base de plantas sobre los medicamentos artificiales es que el riesgo de sufrir efectos colaterales graves es inferior.

Estos son algunos de los remedios más comunes que se utilizan para tratar la HPB. Si decide usar cualquiera de estos remedios, informe a su médico. Él necesita monitorear su próstata.

Palma enana americana. Las bayas de una palma enana que crece en el sudeste de los Estados Unidos podría ayudarlo a aliviar su HPB. Varios estudios han descubierto que un extracto concentrado de bayas de palma enana puede aliviar los síntomas de la HPB. Una revisión reciente de estos estudios descubrió que, comparada con un placebo, la palma enana mejoraba los síntomas urinarios generales en un 28 por ciento. Dos de los estudios revisados mostraron que la palma enana era tan efectiva como la finasterida, la droga principal usada para tratar la HPB, y que el remedio natural causaba menor efectos colaterales.

Si desea probar con la palma enana, elija un suplemento de extracto lipofílico (soluble en grasa) que contiene entre 85 y 95 por ciento de ácidos grasos. Los expertos recomiendan tomar 160 miligramos (mg) dos veces por día o 320 mg una vez por día. Pueden pasar entre cuatro y seis semanas, antes de notar mejoras.

Ortiga. Otro remedio a base de planta que puede aliviar los síntomas de HPB proviene de la raíz y las hojas de la ortiga. Muchos productos combinan la ortiga y la palma enana. Un estudio sobre esta combinación descubrió que 160 mg de palma enana y 120 mg de extracto de raíz de ortiga, dos veces por día, mejoraron el flujo de orina en un 26 por ciento, redujeron la orina residual (orina que queda en la vejiga después de orinar) en un 45 por ciento, redujeron el dolor durante la micción en un 63 por ciento, bajaron la incontinencia posterior a la micción en un 54 por ciento y redujeron a la mitad los viajes nocturnos al cuarto de baño.

Semillas de calabaza. Un remedio nuevo e inusual para los problemas de próstata son las semillas de calabaza. En Bulgaria, Turquía y en Ucrania, se ha usado un puñado de semillas de calabaza una vez por día como tratamiento para la hipertrofia prostática. Ahora estas semillas están proliferando en las tiendas de alimentos naturales. Aunque los estudios que justifican el uso de las semillas de calabaza son pocos, estas semillas son ricas en zinc, un mineral importante para la salud de la próstata.

Soja. Agregar a su dieta algunos alimentos de soja, como el tofu o la leche de soja podrían ser una elección saludable para su próstata. La investigación demuestra que los isoflavones (sustancias de la soja similares a las hormonas) parecen detener o, como mínimo, desacelerar el proceso de hipertrofia prostática. Y si reduce las grasas en su dieta agregando soja en su lugar, también puede reducir su riesgo de HPB. Una dieta elevada en grasas puede aumentar la producción de hormonas, que podría estimular el crecimiento de la próstata. Los investigadores especulan que comer una dieta baja en grasas puede protegerlo de las hormonas adicionales.

Desafortunadamente, el tema de la soja no es todo color de rosa. A muchos expertos les preocupa la conexión entre la soja y la pérdida de memoria descubierta hace algunos años. La investigación sugiere que la soja hace que el cerebro envejezca con mayor rapidez — cuanta más soja consuma, más aumentarán sus dificultades de memoria y aprendizaje, y más elevado será el riesgo de desarrollar senilidad. Aunque no debe evitar completamente la soja, consulte a su médico acerca del consumo de cantidades moderadas.

Fatiga visual

Anteojos especiales para evitar fatiga visual a causa de las computadoras

Si le duele la vista cuando mira la computadora, quizá es tiempo de invertir en un par de anteojos especiales para computadora. Eso es lo que afirma la investigadora Kathleen Largo y esto ha marcado una gran diferencia en su trabajo.

Aunque la computadora es esencial para su trabajo en una editorial de Georgia, a Largo le costaba leer la pantalla y como consecuencia, sufría dolores de cabeza. Consultó a su oftalmólogo, quien le recetó un par de anteojos especiales para computadora. "Eran justo lo que necesitaba. Desde que los uso no he vuelto a sufrir dolores de cabeza", afirma.

El Dr. Richard Lee, oftalmólogo de Oakland, California, indica que los problemas a menudo se desarrollan al acercarse a los 40 años. En ese momento los lentes tienden a perder flexibilidad y no adaptan su forma como lo hacían cuando era más joven.

En esta etapa, es posible que necesite bifocales, que por lo general funcionan bien para la lectura. Pero la parte de los lentes para lectura de cerca es, a menudo, demasiado baja como para estar cómodo frente a la computadora. Si usted tiene hipermetropía, como Largo, esto puede ser particularmente frustrante.

"Las personas miopes tienen menos problemas", afirma Lee. "Pero quienes padecen hipermetropía necesitan tener la pantalla a un pie de distancia".

Largo probó con bifocales durante algunos meses, pero debía mover constantemente la cabeza para encontrar el punto justo para ver de cerca. "No podía acostumbrarme a ellos", dice. "Y no quería cambiar los dolores de cabeza por problemas de cuello".

Según Lee, la ventaja de los anteojos especiales para computadora es que los lentes están divididos en dos mitades grandes, la de arriba cumple el propósito de los trifocales de medio alcance. Usted los uso para mirar directamente a la pantalla, que por lo general está a dos pies de sus ojos.

Esta área de los lentes es mucho más grande que la que tiene con los trifocales, de manera que toda la pantalla está a la vista. Y como no necesita visión de lejos en la computadora, le queda toda la mitad de abajo para visión de cerca. Puede mirar todo el teclado hacia abajo, sin mover la cabeza de lado a lado.

Los estudios muestran que los problemas de visión relacionados con la computadora están en aumento. Junto con los anteojos especiales, los siguientes consejos pueden ayudarlo a mantener sus ojos alerta y saludables:

- Posicione su computadora y ajuste la luz para reducir el resplandor.
- Use los controles de su computadora para ajustar el brillo y el contrasto a un nivel que le resulte cómodo.
- Coloque los materiales de trabajo a la misma distancia que la pantalla.
- Deje de trabajar cada 15 minutos y mire fijo en otra dirección.
- Recuerde parpadear con frecuencia para mantener sus ojos húmedos.

Lee afirma que la fatiga visual no debilitará su visión ni empeorará enfermedades oculares como cataratas y degeneración macular. Pero usted estará más cómodo y — también será más productivo — cuando le de fin a la fatiga visual.

Caídas

Siete maneras de evitar caídas

Cada año, cerca de una de tres personas de alrededor de 65 años de edad, sufre una caída. Las lesiones y complicaciones de estas caídas a menudo producen cambios serios en el estilo de vida. Muchas personas deben internarse en asilos de ancianos, porque después de una caída ya no pueden valerse por sí mismos. No pierda su independencia, debido a un accidente evitable. Tome medidas para protegerse ahora.

Tenga cuidado con los peldaños. Asegúrese de que sus escaleras tengan barandas en ambos lados, de ser posible, y úselas. Cubra los peldaños con alfombra de tejido cerrado o con bandas antideslizantes. No coloque cosas que planea llevar arriba más tarde, sobre los peldaños más bajos. Mantenga sus peldaños siempre libres de obstáculos.

Siga el camino de la menor resistencia. Disponga el mobiliario de manera que quede mucho espacio para moverse, sin tener que rodear o mover obstáculos. Mantenga las alfombras fuera del camino y coloque todos los cables eléctricos fuera del paso.

Mantenga sus pisos y corredores siempre limpies. Limpie todos los derrames o los rastros de humedad de inmediato. No encere el piso de la cocina ni el parqué de la sala. Los pisos encerados son resbaladizos y peligrosos. Mantenga los zapatos embarrados, los paraguas y otros elementos, fuera de las áreas de mucho tránsito. Sólo están esperando que alguien se tropiece con ellos.

Tenga todo muy iluminado. Asegúrese de que su hogar esté bien iluminado, por dentro y por fuera, especialmente en las áreas con pisos desparejos o irregulares, tales como los peldaños. Para tener seguridad durante la noche, mantenga una luz de noche en el baño, el dormitorio y en cualquier otro lugar al que pudiera ir.

Asegúrese en la cama y en el baño. En el cuarto de baño, use revestimiento antideslizante en los tapetes para la ducha. Si su bañera es resbaladiza, coloque cinta antideslizante para ayudarlo a mantenerse en pie.

Si tiene problemas para agacharse y levantarse, instale una baranda de mano en la bañera y junto al sanitario.

No cierre con llave la puerta de su dormitorio ni del cuarto de baño. Si se cae y necesita ayuda, es preciso que la ayuda pueda llegar hasta usted.

Mantenga las cosas en un nivel bajo. No almacene cosas de uso frecuente en lugares altos. Mantenga los artículos importantes al alcance de su mano, ya sea la taza medidora en la cocina o sus libros favoritos en la biblioteca. Si debe alcanzar algo en un estante elevado, use siempre un taburete, nunca una silla. De ser posible, consiga un taburete con peldaños y asideras.

Vístase para el éxito. Los zapatos cómodos y prácticos son imprescindibles para tener buen equilibrio. Evite zapatos inestables, como de taco alto y zapatos con suelas muy gruesas. En cambio, elija zapatos cómodos con suelas de caucho y cordones, y siempre manténgalos atados.

Poder ver por dónde camina, también lo ayudará a no tropezarse con las cosas. Si necesita anteojos, úselos.

Tómese su tiempo. Sentarse demasiado rápido al despertar o ponerse de pie, antes de poder ajustarse a la luz, puede causar mareos y hacer que la sangre fluya con rapidez a la cabeza. Después de sentarse en la cama, espere algunos segundos y cuando se sienta preparado, levántese.

Para facilitar esto, y para evitar lesiones si se cae, use una cama que no esté tan lejos del suelo. Si puede sentarse al borde de la cama con comodidad, con los pies apoyados en el suelo, esa es una altura conveniente y segura para usted.

Si, después de todas estas precauciones, se cae de todas maneras, intente permanecer calmado. Cuando se haya recompuesto, verifique si se ha lastimado y con qué gravedad. Si puede moverse cómodamente, deslícese hasta el apoyo más cercano — una silla o la pared — e intente ponerse de pie. Si no puede levantarse por sus propios medios, arrástrese cuidadosamente hasta el teléfono y llame a algún amigo o al 911, para pedir ayuda.

Salve sus caderas al conocer sus riesgos

Una de las mejores maneras de reducir el riesgo de caídas es familiarizarse con los efectos colaterales posibles de cualquier medicamento que está tomando. Consulte a su médico farmacéutico, si las drogas que está tomando podrían causar mareos.

Los antidepresivos, en particular, se han asociado con un gran riesgo de caídas, en especial entre ciudadanos mayores. Si está tomando un antidepresivo, quizá haya oído acerca de la protesta reciente contra los ISRS (inhibidores selectivos de recaptación de serotonina). Algunos estudios reclaman que este tipo de antidepresivo crea un riesgo mayor de caídas que otras drogas.

Un estudio reciente en la Facultad de Medicina de la Universidad de Vanderbilt ha demostrado que los residentes en un asilo de ancianos que tomaban antidepresivos se caían con mayor frecuencia, que aquellos que no tomaban medicación para la depresión. En realidad, a medida que aumenta la dosis, también crece el riesgo de caídas.

Sin embargo, el estudio — que incluyó a caso 2.500 personas — también comparó la tasa de caídas entre los ISRS y los antidepresivos tricíclicos. Los resultados mostraron que eran casi iguales.

Varias afecciones médicas también pueden aumentar el riesgo de caídas. Si se aplican a usted, tome precauciones adicionales y pídale consejos a su médico.

- Pérdida visual o auditiva
- Problemas urinarios
- Mal de Alzheimer y senilidad
- Depresión
- Cáncer u otras enfermedades que afectan a los huesos
- Frecuencia cardiaca irregular
- Presión arterial fluctuante
- Artritis, debilidad articular (especialmente en la cadera)
- Afecciones neurológicas, apoplejías, esclerosis múltiple, Mal de Parkinson

Pasos sencillos para mejorar el equilibrio

Perder el equilibrio puede atemorizarlo. Un paso en falso puede generar una caída y una lesión posiblemente grave. El desequilibrio mental o emocional puede ser igualmente perturbador.

Afortunadamente, usted puede ayudarse a mantener el equilibrio en las tres áreas — cuerpo, mente y emociones — con un simple programa de ejercicios llamado Tai Chi. El Tai Chi es un arte marcial "blanda" que millones de Chinos han practicado durante siglos. En la actualidad, está creciendo su popularidad con personas de todo el mundo.

Karen Sifton enseña Tai Chi a través del departamento de educación permanente de la Universidad Estatal de West Georgia. Ella dice que todos pueden aprender, independientemente de su edad, contextura física o habilidad atlética. A diferencia de otras formas vigorosas de ejercicio que requieren fuerza y velocidad, el Tai Chi enfatiza los movimientos que fluyen equilibrados y la calma interior.

"En su núcleo, es un método superior de auto superación", dice Sifton. "Para el cuerpo, es un ejercicio físico. Para la mente, es un estudio en concentración, disciplina y visualización. Para el espíritu, es una forma de meditación. Tiene que ver con relajarse en la vida y con disfrutar el poder que genera".

Protege contra caídas. Cada año, el 30 por ciento de las personas de alrededor de 65 años sufre una caída. Y unos cuantos de estos accidentes generan lesiones graves.

Sin importar su edad, la mejor prevención es el ejercicio que fortalece los músculos y mejora su equilibrio. Los movimientos suaves y de bajo impacto de Tai Chi se adaptan perfectamente a ese propósito. Y aún mejor, se ha comprobado que esta actividad suave evita las caídas.

El Dr. Steven Wolf y sus asociados en la Facultad de Medicina de la Universidad de Emory estudiaron a 200 personas de 70 años y mayores. Descubrieron que los sujetos que completaron un programa de Tai Chi de 15 semanas, redujeron a la mitad la cantidad de caídas. El grupo de Tai Chi también sufrió menos caídas que otros grupos que hicieron un entrenamiento computarizado de última generación para el equilibrio, o que recibieron información acerca de cómo prevenir las caídas, pero sin entrenamiento específico.

Wolf descubrió que las personas del grupo de Tai Chi redujeron su velocidad de caminata normal y daban pasos con mayor deliberación. Y después del entrenamiento, muy pocos participantes decían que temían caerse.

Estimula su salud integral. El Tai Chi es un camino relativamente económico, para evitar caídas y mejorar su salud. Éstas son algunas de sus ventajas:

- No necesita equipo ni vestimenta especial.
- Requiere muy poco espacio.
- Puede practicarlo bajo techo o en el exterior.
- Puede practicar en su casa solo o con un grupo de amigos.

Además de desarrollar el equilibrio y el control, también ayudará a su salud de muchas otras maneras. Los estudios muestran que el Tai Chi mejora la flexibilidad, fortalece las articulaciones, tonifica los músculos e incluso ayuda al sistema inmunológico. Los médicos han descubierto que ayuda en el tratamiento de las cardiopatías, presión arterial alta, diabetes y artritis. Y lo mejor es que verá estos beneficios de inmediato.

Si le interesa comenzar un programa de Tai Chi, consulte en universidades locales, centros de recreación, gimnasios y hospitales, para recibir información acerca de las clases. Con todo lo que el Tai Chi tiene a su favor, es sencillo ver por qué esta práctica — que balancea todo menos su chequera — está creciendo en popularidad con personas de todas las edades.

Ejercite su camino para alcanzar confianza y control

Mike Ellis, de Bremen Georgia, es un entusiasta del Tai Chi que ha cosechado los beneficios de este arte marcial antiguo. Él se describía a sí mismo como descoordinado y olvidadizo. Pero a los 67 años, hace la forma de Tai Chi con la misma energía fluida y la gracia que los estudiantes más jóvenes de su clase.

Ellis viaja regularmente al hospital local de VA para someterse a terapia cardíaca. Su practicante de enfermería lo alienta a mantener la práctica de Tai Chi por su salud. Pero no hace falta que le den una palmada.

Él dice que no le interesa una vida particularmente larga. Es la calidad de vida lo que importa. "Tai Chi es tan relajante y saludable. Nunca me consideré una persona muy estresada . Pero cuando noto lo relajado que estoy ahora, debe ser porque antes tenía mucho estrés".

Los estudios han mostrado que quienes practican Tai Chi, reducen la tensión, la depresión, la ira, la fatiga y la confusión. Esto no es una sorpresa para la instructora de Ellis, Karen Sifton. Ella sabe que la confianza crece, a medida que la persona descubre y extiende sus capacidades físicas y su auto conciencia. Cuando estas mejoras se trasladan a otras áreas, ella dice, las personas llevan vidas más plenas.

Según Ellis, Tai Chi lo ayuda al aumentar su conciencia. "Requiere concentración", dice. "Y te ayuda a evaluar tu progreso en la vida. Uno ve dónde está y cuánto ha recorrido, no sólo física, sino mentalmente, también".

Fibromialgia

Combata el dolor con un plan personal

Si padece fibromialgia, puede aprender mucho de Dottie Abbott. Una mujer de contextura pequeña, de aspecto delicado y en sus "años dorados", llega a la clase de Tai Chi en la Universidad de West Georgia, con paso animado y una sonrisa amigable. Jamás diría que alguna vez estuvo condicionada por ninguna enfermedad.

Pero nueve años atrás, Dottie debió someterse a una cirugía de bypass de la arteria coronaria. Ella cree que ese fue el desencadenante para la aparición del síndrome de fibromialgia (FMS). Esta enfermedad, que afecta a los músculos, los ligamentos y los tendones, no es mortal. Pero los síntomas, que incluyen dolor crónico y fatiga, pueden hacer la vida realmente miserable.

Dottie, sin embargo, es la prueba viviente de que la vida no debe detenerse cuando se padece FMS. Aunque no hay cura, con ayuda y auto disciplina, se puede diseñar un plan para manejar los síntomas. Estas son algunas de las cosas que funcionan para Dottie.

Vaya a los hechos. "Si usted tiene fibromialgia", dice Dottie, "lo más importante es saber qué se puede hacer con eso". Esto elimina una parte del misterio y lo ayuda a planear estrategias, para hacerle frente.

Rita Evans es trabajadora social clínica licenciada, que supervisa el programa de auto atención de fibromialgia, en el Centro Médico DeKalb, de Decatur, Ga. Ella coincide con Dottie en la importancia de estar informado.

"Esta afección no es exactamente una enfermadad", ella explica. "Es un síndrome — un conjunto de síntomas. Es difícil de diagnosticar, porque no hay una evaluación definitiva. Los médicos deben descartar otras causas en primer lugar, por lo cual el diagnóstico promedio lleva dos años".

Si padece dolor y cree que podría causarlo la fibromialgia, Evans sugiere consultar a un reumatólogo. Dado que son los expertos en este campo, debería recibir un diagnóstico más rápido.

Construya una red de apoyo. Dottie piensa que los familiares también deben informarse acerca de la fibromialgia. Ella dice que vivir con esta afección, puede ser difícil para todos. Requiere la clase de paciencia que sólo llega cuando se sabe qué está sucediendo.

"Lo que las personas con este síndrome más necesitan", dice Evans, "es que los escuchen y comprendan. Ellos experimentan dolor real y necesitan que quienes los rodean reafirmen que ellos están cuerdos".

Algunas personas obtienen ayuda en grupos de apoyo. Debido a que se estima que el FMS afecta a 6 millones de estadounidenses, no debería ser difícil encontrar un grupo. Evans afirma que lo mejor sería un grupo basado en la educación, que se enfoque en la auto disciplina. Pasar mucho tiempo hablando de sentimientos no es muy útil con este síndrome en particular.

Manténgase en movimiento. Dottie dice que si ella no ejercita, sus músculos se anudan, lo que hace que el movimiento sea lento y doloroso. "Conozco personas con FMS que sólo se quedan sentadas y sufren", dice. "Pero no se puede hacer eso, porque uno se siente miserable".

Cuando comenzó por primera vez con las clases de Tai Chi hace tres años, Dottie tenía muchos problemas con su equilibrio. El progreso fue lento al principio, pero al tiempo aprendió a moverse libremente y con confianza, y ahora casi no tiene problemas con el equilibrio.

Dottie practica yoga y descubrió que la respiración profunda y la elongación ayudan a sus músculos a permanecer flexibles. Además, caminar regularmente — todos los días, si el clima lo permite. Además levanta pesas y recibe dos masajes terapéuticos por semana.

Preste atención a otras personas. Dottie descubrió que maneja mejor el dolor, si se concentra en otra persona, además de en sí misma. De manera que mantiene su mente involucrada en actividades en su ciudad natal de Carrollton, Ga. Da clases de alfabetización para adultos como voluntaria, dos veces por semana. Y está en el directorio de la Liga de Mujeres Votantes.

Manténgase tranquilo. El estrés puede desencadenar el dolor de la fibromialgia, pero Dottie ha aprendido a detectarlo con anticipación y a evadirlo con relajación. De vez en cuando, cuando conduce para visitar a sus hijos en la cercana Atlanta, usa el trabajo de respiración que aprendió en yoga y Tai Chi.

"Cuando quedo en un embotellamiento", dice, "sólo inhalo profundamente tres veces y me relajo, y dejo que toda esa gente se preocupe con la frustración. Me digo a mí misma que todo saldrá bien".

Descanse bien. Si desea permanecer activo, a pesar del FMS, es importante descansar muy bien. Pero eso no es sencillo cuando duele todo el cuerpo.

Evans dice que algunas personas notan que una dosis baja de antidepresivos — en niveles de dolor crónico, no en niveles de depresión clínica — los ayuda a descansar mejor. Pero Dottie rechazó la oferta de medicamentos de su médico. "Todos los manejan de maneras diferentes", dice, "pero yo creo que para mí, el ejercicio reemplaza a los medicamentos".

"A menudo la depresión leve acompaña al FMS", dice Evans. "Pero el contacto físico, el ejercicio y estar con gente positiva libera endorfinas, lo cual alivia la depresión".

Y para completar su plan de auto atención, Evans recomienda comer alimentos regulares y nutritivos. Ella siente que, como parte de un estilo de vida saludable, estos pasos quitarán el énfasis de los síntomas del FMS y lo ayudarán a seguir con su vida.

Dolor de pie

Maneras simples de conquistar el dolor de talón

El dolor de talón es la queja más común que reciben las clínicas especializadas en pies. Algunas de las causas son: artritis, tendinitis, bursitis, espolones calcáneos y fasciitis plantar (daño en el tejido fibroso con forma de banda, en la planta del pie). Y algunas veces el dolor de talón es resultado de las elecciones diarias. ¿Está ejercitando con demasiada fuerza? ¿Usa calzado que no es práctico, que presiona o roza los pies? ¿Debe estar de pie en el trabajo?

Si el dolor es severo o está acompañado por otros síntomas como cosquilleo, entumecimiento, calambres en las piernas o fiebre, consulte a su médico. En caso contrario, pruebe con estos consejos sencillos y prácticos.

Benefíciese con algunas opciones económicas. Se pueden comprar plantillas para calzado hechas a medida, llamadas plantillas ortopédicas, y pagarlas entre $300 y $1.000. En algunos casos, el costo puede ser necesario. Pero por menos de $50, puede comprar almohadillas de siliconas de venta libre para los talones, taloneras, taloneras acolchadas o soportes de arco, y obtener el mismo beneficio. En realidad, los investigadores han descubierto que estas alternativas económicas, a menudo son más efectivas. No puede hacer daño probar con estos remedios simples en primer lugar, y ver si puede escapar del dolor de pie.

Mimar sus pies. Remojar sus pies en agua tibia durante cinco a diez minutos, aflojará los músculos y aliviará los dolores. Siga con un masaje suave y estará en el paraíso de los pies.

Practique elongación sin esfuerzo. Elongue los músculos de las pantorrillas, los tobillos y los talones todos los días. Aquí encontrará algunos ejercicios buenos para probar:

- Coloque una pelota de golf o una lata de jugo de frutas concentrado congelado en el piso y haga rodar el pie suavemente sobre el objeto, con poca presión. El método del jugo congelado le da el beneficio agregado de un masaje helado.

- Póngase de pie enfrentado a la pared. Coloque el talón en el suelo y los dedos hacia arriba, sobre la pared. Empuje contra la pared para estirar suavemente el talón y la planta del pie.
- Párese sobre un peldaño sólo con la mitad frontal de ambos pies. Sosténgase de algo para mantener el equilibrio y hunda con suavidad los talones hacia el suelo.

Planee un recambio de calzado. Los expertos dicen que tres cuartos de las personas que sufren dolor en los talones son mujeres, y la razón está tan cerca como su organizador de zapatos.

- La fuente más común de sufrimiento en los pies es el zapato de taco alto. Al usar "tacones", los músculos de sus pies, tobillas y pantorrillas se colocan en una posición antinatural, y esto causa daños al tendón y tensión en las articulaciones. No comprometa su salud en nombre de la moda.
- Los zapatos bajos con suelas muy delgadas pueden ser tan perjudiciales como los tacos altos. No ofrecen ningún medio de acolchado para su talón ni soporte para su arco.
- Desafortunadamente, los zapatos no envejecen con gracia. Haga un inventario y deshágase de todos los zapatos muy usados o gastados. Pueden ser cómodos, pero no le están haciendo ningún bien a sus pies. Reemplácelos por zapatos nuevos que se adapten bien y que tengan buen soporte y acolchado.
- La industria del calzado siempre ha supuesto que los pies de la mujeres son iguales a los de los hombres — sólo que más pequeños. Y han fabricado los zapatos para mujer según eso, versiones más pequeñas de los zapatos para hombres. Sin embargo, las mujeres de todo el mundo pueden afirmar que esta teoría no es correcta. Los pies de los hombres son rectangulares, mientras que los de las mujeres son más anchos en el empeine y más delgados en el talón. Esto complica una buena adaptación del calzado. Siga buscando hasta encontrar al fabricante que se ajuste a su tamaño.

Baje de peso. Si está excedida de peso, intente bajar esos kilos de más. No sólo causan estrés a sus pies, sino también a sus articulaciones.

Tome dos y acuéstese. Para aliviar rápidamente el dolor de pie, pruebe con un antiinflamatorio como aspirina o ibuprofeno. Luego coloque los pies en una posición elevada y relájese.

Libere los pies con vitamina C. Un experto en salud recomienda aplicar vitamina C directamente sobre los talones, para aliviar la incomodidad de los espolones calcáneos. Para aplicar este remedio natural, mezcle agua con polvo de vitamina C, hasta formar un pasta espesa. Luego coloque un poco en una compresa de gasa y péguela de manera segura al talón. Repita esto durante varios días. La teoría es que el colágeno y la elastina de la vitamina C se absorben a través de la piel e ingresan en el tendón.

Deshágase del dolor de pie

Si sus zapatos nunca le resultan cómodos, si siempre le salen ampollas o si sufre callos y juanetes, podría pagar mucho dinero por zapatos a medida o bien podría intentar con esta idea inteligente, que no le costará ni un centavo. Al atar sus zapatos de maneras diferentes, puede aliviar el dolor de pies.

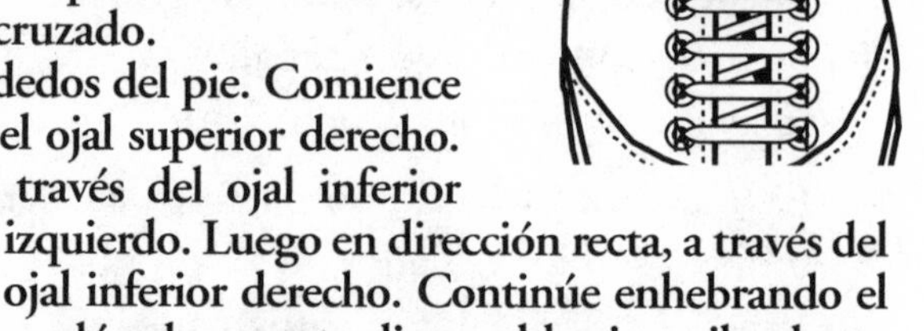

Arcos altos o un punto doloroso en la parte superior del pie. Saltee el conjunto de ojales más cercano a la parte más alta del pie. También puede hacer pasar los cordones derecho, en lugar de cruzado.

Problemas en los dedos del pie. Comience a pasar el cordón por el ojal superior derecho. Luego hacia abajo, a través del ojal inferior izquierdo. Luego en dirección recta, a través del ojal inferior derecho. Continúe enhebrando el cordón de manera diagonal hacia arriba, hasta llegar a la parte superior. Esto debería aliviar la presión que causa dedos en martillo o callos.

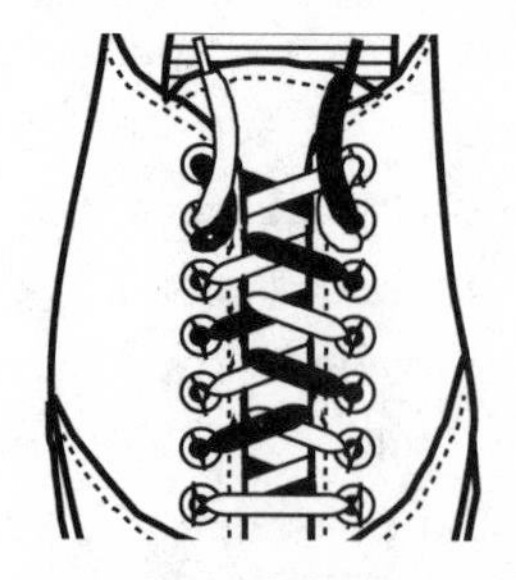

Problemas en los talones. Pase los cordones en el patrón cruzado normal, comenzando por abajo. En el ojal que está junto a la parte de arriba, pase el cordón, luego siga por el ojal superior del mismo lado. Luego siga en diagonal hacia abajo, hasta el ojal que está junto al de arriba, en el lado opuesto. Siga este patrón en ambos lados del calzado. Los cordones deben pasar uno a través del otro, en la parte superior. Esto permite ajustar el zapato con comodidad y sin aplicar demasiada presión sobre el talón.

Falta de memoria

Súper estimulantes cerebrales que ayudar a "ejercitar" la memoria

Usted abre la puerta del refrigerador y se queda allí, preguntándose qué estaba buscando. O quizá va a la tienda y se olvida la lista de compras en casa. No recuerda haber sido tan olvidadizo , cuando era más joven.

¿Debería preocuparse? Quizá no. Los fallos en la memoria son más comunes con el avance de la edad — de modo que debe relajarse. Preocuparse no lo ayudará. En realidad, el estrés parece empeorar los problemas de memoria.

Si desea aumentar lo que retiene su cerebro, pruebe con estos estimulantes cerebralesnaturales.

Vitamina B12. Las sardinas, el hígado de pollo, el atún, el queso cottage y el bistec de solomillo, ricos en vitamina B12, pueden ayudarlo a restaurar la pérdida de memoria de corto plazo. En un estudio científico, las personas que tomaron vitamina B12 mejorar su memoria en un plazo de 10 a 27 días. Debido a que la vitamina B12 sólo proviene de alimentos animales, si es un vegetariano estricto, es probable que no incorpore lo suficiente.

Ácido fólico. En otro estudio, se evaluó la capacidad para recordar palabras en personas entre las edades de 75 y 96 años. Quienes tenían niveles elevados de vitamina B12 y ácido fólico (B9) en la sangre, mostraron mejores resultados que aquellos cuyos niveles eran bajos. La espinada, el brócoli, las naranjas, los granos integrales, las alubias y las arvejas son buenas fuentes de ácido fólico.

Tiamina. Olvidar lo que necesita recordar puede hacerle perder tiempo y generarle frustración. Afortunadamente, la pérdida de memoria se puede restaurar con otra vitamina B — la tiamina (B1).

La mayoría de la gente obtiene la suficiente cantidad de esta vitamina al consumir granos integrales, semillas, alubias, frutos secos, carne magra de cerdo y salmón. La levadura de cerveza y el germen de trigo son fuentes aún mejores.

Las personas mayores que no comen una dieta bien balanceada están particularmente en riesgo de padecer una deficiencia de tiamina. Si cree que no está incorporando suficiente, un complejo vitamínico B le debería proporcionar la suficiente tiamina y otras vitaminas B, como para mantener su memoria aguda.

Antioxidantes. Comer muchas frutas, verduras, semillas, frutos secos y granos ayuda a abrir la puerta al almacén de los recuerdos. Estos alimentos contienen antioxidantes poderosos, como la vitamina C, vitamina E, beta caroteno y selenio. La investigación muestra que a medida que se eleva el nivel de nutrientes antioxidantes en su sangre, también mejora su función mental.

Estudios previos han descubierto que la vitamina E ayuda a restaurar la pérdida de memoria en personas que padecen el Mal de Alzheimer. Recientemente, sin embargo, investigadores de Austria notaron que los antioxidantes presenten en la vitamina E, la vitamina A y los carotenoides, como el beta caroteno, también ayudan a las personas mayores que no tienen Alzheimer ni ninguna otra forma de demencia, a mejorar su memoria.

Otros estudios indican que la vitamina C y el beta caroteno, que cambia a vitamina A en el cuerpo, ayudan a la gente a retener su capacidad de pensar, razonar y recordar a largo plazo.

Ginkgo. El ginkgo biloba se ha usado durante siglos en China y Europa, para tratar la pérdida de memoria en las personas mayores. Y la investigación muestra que cuanto mayor es la persona, mejor funciona el remedio natural. En un estudio, esta hierba potente mejoró la memoria en un 70 por ciento para personas entre 50 y 70 años. Para los pacientes entre 30 y 50 años, la memoria aumentó sólo en un 20 por ciento.

El ginkgo también mejora la memoria de quienes padecen el Mal de Alzheimer, y cuanto más tiempo la usan, mayor es la ayuda. Esta hierba abre los vasos sanguíneos y así permite que fluya más sangre al cerebro. Y cuanto mayor es el flujo sanguíneo, mayor potencia tendrá el cerebro y mejorará más aún la memoria.

Ginseng. El ginseng es una de las hierbas más populares del mundo. Como mínimo, cuatro estudios indican que el ginseng puede mejorar la memoria y la concentración. En un estudio efectuado a personas de 50 a 85 años, la memoria mejoró significativamente, cuando tomaron 50 miligramos (mg) de ginseng, tres veces por día durante dos meses. Hay muchos imitadores, de manera que debe buscar el ginseng originario de China. Ésta es la variedad que más se ha estudiado y analizado. Es probable que la encuentre con el nombre científico, *Panax ginseng.*

Fosfatidilserina (PS). Si puede recordar el nombre de este estimulante natural de la memoria, quizá ya no lo necesite más. Su cuerpo produce este nutriente, un tipo de grasa, a partir de los alimentos que ingiera. Se encuentra en todo el cuerpo, en especial en las células cerebrales.

La investigación muestra que los niveles de PS en el cerebro se reducen con la edad. Las personas con pérdida de memoria relacionada con la edad y los pacientes con Mal de Alzheimer se pueden beneficiar con el reemplazo de dicho nutriente. También se puede obtener de la lecitina, un aditivo alimenticio común, como también de la soja. También hay suplementos disponibles.

Azúcar. Aunque su memoria puede seguir siendo buena para cosas que ha conocido durante un largo tiempo, con la edad surge una tendencia a olvidar la información nueva. Las buenas noticias son que quizá pueda disolver su falta de memoria con un poquito de azúcar. En un estudio efectuado a personas mayores, los que bebieron limonada endulzada con azúcar obtuvieron mejores resultados en pruebas de memoria, que quienes bebieron limonada que contenía sacarina.

Pero no debe confiar en el azúcar, como su principal estimulante de memoria. Las calorías aumentarán con demasiada rapidez. Para obtener azúcar de una manera más natural, coma una fruta o beba un vaso de jugo de naranja.

Ácido docosahexaenoico (DHA). No deberá preocuparse por lo que se escapó, — es decir, la memoria, — si come suficiente pescado de agua fría. Los expertos recomienda comer pescados grasos como el salmón, la caballa o el atún, dos o tres veces por semana. Esta clase de pescado contiene mucho DHA, un ácido graso omega3, que hace del pescado un "alimento para el cerebro".

Los vegetarianos o simplemente quienes no pueden convencerse de comer pescado podrían considerar las cápsula de aceite de pescado. Pero tenga cuidado de limitar la cantidad entre 3 y 5 gramos por día. Los suplementos de aceite de pescado se elaboran a partir de las escamas y el hígado de los peces, los cuales podrían contener pesticidas tóxicos u otros contaminantes. El aceite de pescado contiene niveles elevados de vitamina A y D, que también pueden ser tóxicas, si se incorpora demasiada cantidad.

Pruebe con alguno de estos estimulantes naturales de la memoria y antes de lo que imagina, estará cantando: "Gracias por los recuerdos".

Bocadillos que lo harán más inteligente

Suena casi demasiado bueno para ser cierto — comida chatarra que le proporciona los nutrientes adicionales que necesita, para mejorar la salud. Aunque los bocadillos están muy lejos de ser fuentes nutricionales poderosas, la ciencia médica está descubriendo nuevas maneras de hacer nuestros alimentos más sanos y más beneficiosos.

"Nutracéuticos" es el nombre difícil para aquellos alimentos que los fabricantes fortifican con vitaminas, hierbas u otros nutrientes. Esto no es nada nuevo — quizá ya sabe que ciertos alimentos como la leche y los cereales están fortificados con vitaminas y minerales. Pero actualmente, cada vez más productos se promocionan como maneras más sencillas y deliciosas, para mejorar su salud.

Si desea revivir su memoria, varias compañías reclaman que tienen la respuesta. Puede disfrutar un rulo de queso bajas calorías fortificado con ginkgo, y cosechar los beneficios de esta hierba medicinal.

Los expertos advierten que, aunque no hay daño en consumir tales bocadillos, no debe esperar resultados espectaculares. Según el experto herborista Varro Tyler, una porción típica de 1 onza contiene alrededor de la décima parte de lo que necesitaría, para obtener algún beneficio para la salud, de los aditivos a base de hierbas. Para ver resultados, tendría que consumir 10 porciones, de manera que aún si los bocadillos son bajas calorías, la grasa y las calorías van sumando.

Aún la goma de mascar se ha subido al tren de los súper alimentos. Los fabricantes del Brain Gum aseguran que consumir tres unidades por día de su goma de mascar especial, mejora la memoria. Eso se debe a que el producto está fortificado con una concentración al 40 por ciento de fosfatidilserina (PS), un nutriente natural que se ha demostrado que posee cualidades curativas destacables en el cerebro.

Se ha informado que los suplementos de PS funcionan mejor y más rápido que el gingko, y que en muchos casos han revertido con éxito las reducciones de la agudeza mental que a menudo se asocian con el envejecimiento. Sin embargo, estos alimentos para el cerebro no son económicos. Espere pagar alrededor de $2 por día por este bocadillo que mejora el cerebro.

Gota

Maneras sencillas de protegerse contra la gota

Si es un hombre de alrededor de 40 años con un poco de sobrepeso y al que le agrada la cerveza, es probable que algún día sufra gota. Esta forma de artritis se solía denominar "la enfermedad de los reyes", porque se la asociaba con los alimentos abundantes y el alcohol. Pero la gota puede atacar a cualquier, incluso a las mujeres, y una vez que sufra este dolor agonizante, sabrá cuán grave puede ser esta enfermedad.

La gota se produce cuando se tiene demasiado ácido úrico en la sangre. El ácido úrico forma cristales que se alojan en sus articulaciones, por lo general en el dedo gordo del pie, y causa inflamación y dolor.

Tiene más probabilidades de padecer esta afección, si tiene sobrepeso, si abusa del alcohol o consume muchos alimentos ricos en purinas. Por lo cual las maneras más importantes de protegerse contra la gota es bajar de peso y seguir la dieta y los cambios de estilo de vida, detallados a continuación.

Deje de lado las purinas. Los alimentosricos en purinas pueden causar gota o empeorar los síntomas, porque las purinas se disuelven, para formar ácido úrico.

- La mayoría de las carnes son ricas en purinas. Debería evitar el consumo de tocino, pavo, ternera, carne de venado y órganos tales como los sesos, el corazón, los riñones y el hígado. Consuma cantidades moderadas de carne vacuna, pollo, jamón y cerdo. Las mejores fuentes de proteína son el tofu y el conejo. El tofu ayuda a su cuerpo a eliminar el ácido úrico y el conejo no sólo contiene pocas purinas, si no que también tiene bajo contenido de grasa y es fácil de digerir.
- Algunos de sus vegetales favoritos pueden tener alto contenido de purinas, por lo cual debe consumirlos con poca frecuencia. Estos incluyen: espárragos, alubias, coliflor, lentejas, hongos, arvejas y espinaca.

- Muchos peces contienen ácidos grasos omega3, que se sabe que alivian el dolor artrítico. Pero los frutos de mar también pueden estar cargados con purinas. Los científicos han demostrado que los efectos negativos de las purinas en estos alimentos, superan cualquier beneficio que usted pudiera recibir. De manera que si tiene riesgo de gota, será mejor que se aleje de las anchoas, sardinas, arenques, trucha, bacalao, abadejo y mariscos en general.

Deje el alcohol. Beber alcohol, en especial con exageración, no sólo aumenta el riesgo de gota, sino que empeora los ataques. La cerveza, en particular, es rica en purinas. Restringa el consumo de alcohol y, en cambio, beba tanta agua como sea posible. Diluirá el ácido úrico en el cuerpo y lo ayudará a eliminarlo a través de los riñones.

Tenga precaución con los desencadenantes en los medicamentos. En algunos casos, los diuréticos tipo tiazida pueden causar gota, se trata de los — "comprimidos de agua" que se utilizan para tratar la presión arterial alta. Esta forma de gota por lo general ataca las articulaciones de la mano y la rodilla de las mujeres mayores, que tienen problemas con la función renal. Si usted toma este tipo de medicamento, y sufre dolor severo en las manos o en las rodillas, consulta a su médico para que verifique si padece gota.

Aunque no existe cura para la gota, un diagnóstico y tratamiento temprano ayudan a mantenerla bajo control. Pero al reconocer sus factores de riesgo y tomar medidas preventivas ahora, podría tener la suerte suficiente para escapar completamente de esta enfermedad incapacitante.

Pérdida de cabello

Cuándo preocuparse acerca de la pérdida de cabello

Si usted es una mujer que disfruta cepillarse el cabello, puede no importarle los cabellos sueltos que quedan en el cepillo. Pero si está perdiendo más de lo que debería, es probable que se preocupe.

Una caída de cabello mínima es normal. Su cabello tienen un ciclo de crecimiento, reposo y recrecimiento. La persona promedio pierde entre 100 y 125 cabellos por día, porque los que están en la etapa de reposo se caen, dejando lugar libre para el cabello nuevo.

Una pérdida de cabello mayor puede ser más seria. Afortunadamente, en la mayoría de los casos la caída es temporaria. Pero conocer las razones de la pérdida de cabello pueden darle tranquilidad o alertarlo acerca de la necesidad de tratamiento.

Llegue a la raíz de su pérdida de cabello. La Dra. Amy McMichael de la Universidad Wake Forest es dermatóloga especializada en problemas de piel, uñas y cabello. Ella señala que una de las causas más comunes de pérdida de cabello es el efluvio telógeno — o pérdida de cabello en reposo. "Todas las mujeres lo tienen en algún momento. Probablemente aparece en hombres también. Sólo que ellos no lo notan", dice McMichael.

Este tipo de pérdida de cabello ocurre después de que una situación estresante hace que más cabello ingrese en la etapa de reposo, dentro del ciclo de crecimiento. Entre tres y seis meses más tarde, la caída comienza a notarse. Hay algunos factores estresantes que pueden desencadenar esta afección.

- **Enfermedad o estrés emocional.** Es probable que note caída de cabello después de sufrir una herida, infección, fiebre, cirugía o la pérdida de un ser querido.
- **Cambios hormonales.** Durante el embarazo, a menudo el cabello se engrosa, pero después de dar a luz, es posible que pierda cabello.

- **Pérdida de pesorápida.** La reducción excesiva o muy rápida a dietas de extremadamente bajas calorías pueden producir pérdida de cabello. Y los suplementos, en especial lo que tienen alto contenido de vitamina, pueden empeorar el problema. Un dieta balanceada, por otro lado, promueve el crecimiento saludable del cabello.
- **Anemia y problemas de tiroides.** Es probable que necesite un simple análisis de sangre para determinar si necesita más hierro u hormonas para la tiroides.
- **Medicamentos.** Entre los medicamentos que quizá son los culpables están los antidepresivos, comprimidos anticonceptivos, anticoagulantes y medicamentos para la gota. Consulte a su médico, si sospecha que esa puede ser la causa de su pérdida de cabello. Quizá pueda tomar otro medicamento que no tenga este efecto colateral indeseable.

Esta clase de caída de cabello en muy pocos casos produce calvicie. Por lo general, no se cae más del 50 por ciento de su cabello. Cuando el estrés haya pasado, volverá a comenzar el ciclo de crecimiento normal de su cabello. Pero pasará cierto tiempo hasta que el cabello recupere su grosor normal y quizá más aún hasta alcance su largo anterior.

McMichael dice que con frecuencia las personas consultan a un dermatólogo cuando la pérdida de cabello es avanzada. "Quizá la han estado padeciendo durante un tiempo, pero recién han notado que es lo suficientemente grave como para preocuparse. De manera que, por lo general, vemos a la gente después de tres a seis meses del comienzo de la pérdida de cabello", afirma.

"Después de otros tres meses, la pérdida disminuye. Después de otros tres meses, comienza el crecimiento nuevamente". Sugiere esperar un año antes de preocuparse por tener algún otro problema.

Busque atención profesional. Algunas afecciones requieren más que eliminar el estrés y esperar que vuelva a crecer el cabello. Si la caída no se reduce, debería consultar a un dermatólogo. También es probable que necesite ayuda con lo siguiente:

- **Condiciones no saludables del cuero cabelludo.** "Dolor, comezón, drenaje, descamación excesiva o enrojecimiento en su cuero cabelludo son signos antes los cuales debe consultar a un dermatólogo", afirma McMichael. "Usted necesita que la persona adecuada lo evalúe e intente integrar eso en su atención médica".

- **Pérdida de cabello debido a una enfermedad.** La pérdida de cabello puede acompañar a un enfermedad como la diabetes, lupus o artritis reumatoidea. Su médico de cabecera puede tratar la pérdida de cabello o derivarlo a un dermatólogo.
- **Adelgazamiento del cabello debido a cambios hormonales.** Tanto los hombres como las mujeres pueden padecer una condición conocida como calvicie de patrón masculino o calvicie de patrón femenino. Las mujeres, por lo general, experimentan adelgazamiento del cabello, no calvicie, en la parte superior del cuero cabelludo. Esta afección parece ser hereditaria, pero dado que está relacionada con las hormonas, es posible que se convierta en un problema después de la menopausia.

Reciba tratamiento para la caída de cabello. Las opciones actuales para la pérdida de cabello incluyen medicamentos orales, cremas tópicas, inyecciones de corticosteroides y transplantes de cabello. Aunque muchas de las pomadas y medicamentos que están en el mercado sólo se han aprobado para hombres, algunos de ellos también pueden ser útiles para las mujeres.

En algunos casos, sin embargo, las mujeres podrían experimentar efectos colaterales tales como irritaciones cutáneas o aumento de vello facial. De modo que debe informar a su dermatólogo acerca del uso de estos productos.

"Hay muchas preguntas sin respuesta en lo que se refiere a pérdida de cabello en las mujeres", dice McMichael. "Pero cada día aumentamos la conciencia con ayuda de la investigación".

Proteja su característica principal

Su cabello, como el de la mayoría de las mujeres, puede ser lo que la distingue en la multitud. Desafortunadamente, puede estar dañando su cabello con productos y prácticas que causan desgaste o quebraduras. Esto puede contribuir a la pérdida de cabello. La dermatóloga Amy McMichael ofrece estas sugerencias para cuidar mejor el cabello.

Detenga las prácticas que dañan el cabello. Los ruleros calientes, pinzas para rizar, químicos agresivos, tratamientos con aceite caliente, las trenzas ajustadas — pueden causar estrés a su cuero cabelludo.

Si no corrige el daño antes de que se produzcan cicatrices, la pérdida de cabello será permanente, McMichael dice.

"Puede haber aprendido estas prácticas de su madre, su abuela, una tía o quizá incluso de una — peluquera, pero es posible que no sean correctas". Ella sugiere que reserve el estilo elaborado para ocasiones especiales.

Minimice las quebraduras con algunos mimos. McMichael recomienda usar champús y acondicionadores humectantes. Y además aconseja cortarse el cabello cada seis a ocho semanas. Los estilistas, indica, son los primeros en notar signos de pérdida de cabello y áreas de calvicie.

Confíele su cabello a un experto. Si usa dos o más tratamientos capilares — como coloración y permanente — McMichael le aconseja que visite a un estilista calificado. No intente hacerlo usted misma. Aunque algunas personas pueden hacerlo sin efectos dañinos, la mayoría de la gente no es tan afortunada.

Sea cauteloso con las promesas de la publicidad. McMichael advierte que no todos los productos publicitados cumplen lo que dicen, en especial los que son pociones de venta libre que le prometen que el cabello le crecerá más rápido y más largo.

"No hay nada conocido que pueda aumentar la velocidad del crecimiento", afirma. "Existen cosas que pueden mejorar la estructura del cabello para que no se quiebre con tanta facilidad y otras que se pueden hacer para que el cabello esté más saludable. Pero nada aumentará la velocidad de crecimiento ni la longitud que tendrá su cabello".

Una manera inteligente de hacer crecer el cabello con aroma

Desde la antigüedad, las personas han agregado fragancia al cabello con hierbas y especias. Pero la investigación ahora indica que los aceites de las plantas aromáticas pueden hacer más que agregar un aroma agradable a su cabello — también pueden ser la clave para reemplazar los mechones perdidos.

En Escocia, los investigadores probaron con aromaterapia en personas con alopecia areata, una afección que hace que el cabello se caiga en ciertas áreas. Todos los integrantes del estudio se masajearon el cuero cabelludo todos los días con aceites esenciales de tomillo, romero y madera de cedro, mezclados con aceites portadores.

La otra mitad se masajeó el cuero cabelludo a diario con los aceites portadores únicamente, semilla de uva y jojoba. Ninguno de los grupos sabía qué mezcla estaba usando, pero todos siguieron las mismas instrucciones.

Después de siete meses, los que usaban la mezcla con los aceites esenciales tenían un sorprendente 44 por ciento de mejora en el crecimiento de cabello. El otro grupo también mejoró, pero sólo en un 15 por ciento. De manera que quedó claro para los investigadores que los masajes de cuerpo cabelludo no hicieron la mayor parte de la magia. Como mínimo uno de los aceites esenciales estimuló el crecimiento del cabello.

Además, los resultados en esta prueba de aromaterapia mostraron que los aceites esenciales hacen crecer el cabello tan bien o mejor aún que los tratamientos habituales para la alopecia areata. Y además son más seguros. Los tratamientos convencionales pueden tener efectos colaterales indeseables.

Incluso si usted no tiene un problema capilar, podría disfrutar de un suave masaje aromático en el cuerpo cabelludo. Aquí está la receta que usaron los investigadores:

- Aceites esenciales:
  Tomillo — 2 gotas (88 mg)
  Lavanda — 3 gotas (108 mg)
  Romero — 3 gotas (114 mg)
  Cedro — 2 gotas (94 mg)
- Aceites portadores:
  jojoba — 3 mL
  semilla de uva — 20 mL

Combine los aceites y masajee su cuero cabelludo durante dos minutos todas las noches. Envuelva la cabeza con una toalla tibia, para ayudar a que la piel absorba los aceites.

Compre los aceites esenciales en tiendas de hierbas, tiendas de alimentos naturales y farmacias.

Dolores de cabeza

Dieciocho maneras de detener rápidamente el dolor de cabeza

La mayoría de los dolores de cabeza provienen de la tensión. Usted conoce la sensación de un dolor — sordo y constante que comienza a ambos lados de la cabeza. Se siente como una cinta para el cabello, que aprieta cada vez con más fuerza alrededor de las sienes y en la parte posterior del cráneo.

Lo que realmente necesita es liberarse de toda la tensión en su vida, pero eso no es tan sencillo. En cambio, debe diseñar un plan de acción que incluya estos consejos para combatir el dolor de cabeza.

Tómese cinco minutos. Sólo unos minutos de reposo en una habitación oscura y silenciosa pueden ser todo lo que necesita para relajarse y liberar tensiones.

Entibie su mente. Coloque una tela ligeramente húmeda en el microondas y caliéntela hasta que se sienta tibia al tocarla — tenga cuidado de no calentarla demasiado. Colóquela sobre su frente.

Refresque su mente. Coloque una compresa de hielo o de gel congelado sobre la parte posterior de la cabeza o en la nuca.

Logre que el dolor se vaya por el desagüe. Tome un largo baño relajante o una ducha con agua muy caliente y sienta cómo se relajan sus músculos tensos.

Reciba alivio de venta libre. El ibuprofeno, el acetaminofeno o la aspirina son analgésicos seguros. Para que funcionen mejor, recuerdo tomarlos con moderación — no todos los días — y ante el primer signo de dolor de cabeza.

Pellizque una pulgada. Use acupresión en tres puntos sobre cada ceja. Pellizque suavemente alrededor de una pulgada de piel cerca del puente de la nariz, luego sobre el centro del ojo y nuevamente en el punto más externo de la ceja.

Respire profundamente. Relaje los músculos de los hombros y cuello e inhale desde su abdomen. (Consulte el capítulo de *Estrés* para obtener información acerca de ejercicios de respiración profunda.)

Siéntese derecho. Colocar el cuerpo en posiciones incómodas tensiona la columna y los músculos del cuello y puede causar dolores de cabeza.

Consiga dedos mágicos. No hay nada como un relajante masaje de cuero cabelludo, para eliminar el dolor y la tensión. Visite a un profesional o pídale ayuda a un amigo. Enséñele a su pareja o intente auto masajearse. Muchos empleados que aplican champú en los salones de belleza, hacen masajes capilares como parte de su servicio.

Sepa lo que no debe hacer. Muchos dolores de cabeza aparecen por causas específicas, en especial por los alimentos. Anote a diario lo que desencadena su dolor de cabeza y sepa qué debe evitar.

No sea fanático de la cafeína. Si, por lo general, bebe café o refrescos con cafeína, dejar de hacer puede causar un dolor de cabeza por la abstinencia. Por otro lado, si comienza a beber más cantidad de lo normal, sus vasos sanguíneos se contraerán y le causarán dolor de cabeza. Si debe beber cafeína, intente identificar una cantidad segura y manténgala.

Apague el fuego. Deje de fumar. Sólo hágalo.

Piense lo que bebe. Algunas personas no necesitan vaciar la botella para sentir una resaca enorme, — incluso un vaso de vino ocasional puede causar un fuerte dolor de cabeza. Elija de manera inteligente lo que bebe.

Busque aumentar la energía. Haga ejercicio de manera regular, como nadar, practicar ciclismo y caminar. Esto mantiene la sangre en movimiento y los músculos flexibles y además aleja su mente del dolor de cabeza.

Vaya a dormir a una hora coherente. Su cerebro y su cuerpo necesitan las horas de sueño adecuadas de manera regular, para funcionar bien y para combatir el estrés.

Elimine la depresión. Si sufre dolores de cabeza derivados de la depresión, que pueden aparecer a primera hora de la mañana, consulte a un médico, a un asesor o incluso a un amigo.

Aprenda de los profesionales. La terapia de relajación y la biorretroalimentación son dos tratamientos que puede aprender de profesionales y que lo ayudarán a controlar el dolor.

Lógrelo con un poco de ayuda de sus amigos. Únase a un grupo de apoyo para pacientes que padecen dolor de cabeza, donde pueda compartir información y remedios. O comience por su cuenta.

Respuestas alternativas para las migrañas

La migraña puede ser el más incapacitante de todos los dolores de cabeza. No sólo se experimenta un dolor de cabeza atroz, sino que además es posible padecer náuseas y vómitos; sensibilidad a la luz, al sonido y a los olores y alteraciones visuales, como luces irregulares o destellantes. Los ataques pueden durar días o semanas y lo obligarán a permanecer en la cama, hasta que se recupere. Si las migrañas son parte de su vida, todo lo que deseará es un alivio. Aquí encontrará algunas formas alternativas de tratamiento que quizá puedan ayudarlo.

Pruebe con un remedio antiguo. Si hubiera vivido hace unos cientos de años, podría haber recogido un puñado de hojas de tanaceto, las hubiera molido, endulzado con miel y las hubiera usado para bajar la fiebre. En la actualidad, los investigadores han descubierto que este hierba puede ser igual de útil para evitar el dolor que producen las migrañas. Varios estudios que probaron el tanaceto en pacientes con migrañas mostraron que puede reducir el número de ataques y aliviar incluso los síntomas severos.

Usted puede comprar preparaciones de tanaceto en una tienda de productos para la salud o de nutrición. Verifique la etiqueta para asegurarse de que contenga como mínimo un 0.2 por ciento de partenolida. Ese el ingrediente principal que reduce el dolor y hace que las migrañas aparezcan con menor frecuencia.

Ahuyente el dolor de las migrañas por medio del olfato. Cincuenta pacientes con dolor de cabeza crónico intentaron hacer esto exactamente en un estudio de la Fundación de Investigación de Olfato y el Gusto, de Chicago. Como algunos aromas como el del perfume, los alimentos o el humo del tabaco parece desencadenar migrañas, los expertos buscaban descubrir si los aromas también podían aliviar el dolor causado por las migrañas.

Probaron con el aroma de manzanas verdes y descubrieron que algunos pacientes con migraña respondieron bien, en tanto que otros no. El factor decisivo parece haber sido la preferencia de algunos por tal aroma. Los investigadores creen que cada paciente debe encontrar un aroma que le agrade o que pueda asociar con recuerdos placenteros. Es más probable que esos aromas reduzcan su dolor de cabeza.

Preste atención a sus vitaminas C y D. Esta es otra razón para incorporar más calcio y vitamina D — ambos podrían ayudarlo con sus migrañas.

En dos estudios pequeños, mujeres con niveles bajos de vitamina D que padecían migrañas, tuvieron menos ataques y síntomas menos graves al incorporar suplementos de calcio y vitamina D.

Administre mejor el magnesio. Muchas personas sufren migrañas porque tienen muy poco de este mineral en su cuerpo. Los investigadores no están seguros si los niveles bajos realmente hacen que el paciente padezca migrañas, o si las personas con niveles bajos simplemente tienen más tendencia a esta afección.

Algunos pacientes que padecen migrañas responden bien al tomar suplementos de magnesio — tienen menos ataques y menos dolor. Si desea probar, la ración diaria recomendada es entre 320 y 420 miligramos (mg). No tome más de 350 mg/día en forma de suplemento o podría experimentar efectos colaterales peligrosos.

Advertencia: El suplemento podría estar contaminado

Si está buscando una cura natural para su dolor de cabeza, tenga cuidado. Un suplemento recomendado para tratar las migrañas podría estar contaminado con una sustancia peligrosa.

El aminoácido 5-HTP (hidroxitriptófano) es un suplemento dietario popular promocionado como una manera natural para superar la depresión, la obesidad y el insomnio. También se lo recomienda como una cura efectiva para las migrañas.

Pero los investigadores de la Clínica Mayo descubrieron que las muestras de 5-HTP contenían impurezas que podían ser dañinas. Los científicos de la Administración de Drogas y Alimentos (FDA) confirmaron esos descubrimientos.

Una de las impurezas, conocida como "pico X", se identificó en un caso de síndrome de eosinofilia mialgia (EMS) asociada con 5-HTP en 1991. La FDA prohibió un suplemento relacionado, el triptofano en 1989 después de una epidemia de enfermedades EMS y fallecimientos. Impurezas similares al pico X estuvieron implicadas en el brote.

Los investigadores no encontraron un nivel elevado de pico X en las muestras de 5-HTP examinadas. Pero nadie sabe a ciencia cierta cuánto del contaminante es seguro y, si es posible que se enferme gravemente, si toma grandes dosis del suplemento.

Debe ser sumamente cuidadoso al tratar con suplementos "naturales", porque no requieren aprobación de la FDA a diferencia de los medicamentos recetados y los de venta libre. Si tiene preguntas acerca de 5-HTP o de cualquier otro suplemento, consulte a su médico.

Detenga el ciclo del dolor de cabeza

Usted es lo que come. Esto no es sólo un dicho — la ciencia ha comprobado que los alimentostienen un gran impacto en su salud y bienestar. Y si padece dolores de cabeza crónicos, lo que está comiendo puede ser la causa de su dolor. Aquí encontrará algunos de los desencadenantes más comunes del dolor de cabeza.

Aditivos de los alimentos. Las sustancias agregadas a los alimentos procesados, para preservarlos y darles sabor, podrían agregar más de lo que usted supone.

- **El aspartamo** es un edulcorante artificial que usted puede agregar a sus alimentos o bebidas o que puede consumir directamente, al comprar alimentos o bebidas de bajas calorías. Nutrasweet y Equal son dos de las marcas comerciales. Algunos estudios relacionan el aspartamo con dolores de cabeza por migrañas, otros no.
- **El glutamato de monosodio (MSG)** es un potenciador de sabor que quienes padecen migrañas consideran un desencadenante. Aunque en algún momento se lo asoció con la comida china, también se utilizó en Accent, ablandadores de carne, carne y pescado enlatados y alimentos empacados y preparados. La FDA solicita que se indique MSG como ingrediente en las etiquetas de los alimentos.
- **El nitrito de sodio** se usa en carnes procesadas como perros calientes, pavo, jamón y salchichas y puede causar dolor de cabeza en algunas personas.

Alcohol. ¿Por qué el alcohol le causa dolor de cabeza? Por los químicos llamados congéneres e histaminas. Los congéneres liberan un aroma y sabor especial para cada tipo de alcohol. El vino tinto y la cerveza contienen las cantidades más elevadas y dado que a con frecuencia esas bebidas son las más asociadas con el dolor de cabeza, los investigadores creen que hay una conexión.

Las histaminas están naturalmente en su cuerpo y en ciertos alimentos. Pero si usted tiene intolerancia a las histaminas, sus sistema no puede metabolizar estas sustancias de manera adecuada. Un resultado puede que los vasos sanguíneos del cerebro se expandan, causando dolor de cabeza.

Las histaminas se encuentran en todo tipo de vinos, pero el tinto tiene hasta 200 veces más que el blanco. También están presentes en la cerveza, las sardinas, las anchoas, los quesos madurados, los embutidos curados como el pepperoni y el salame, y los vegetales en vinagre. Si cree que es intolerante a las histaminas, consulte a su médico acerca de adoptar una dieta libre de histaminas.

Alimentos fríos. Un helado en un día caluroso de verano luce muy tentador. Pero después de algunos bocados, un súbito dolor punzante aparece en medio de su frente. Es el ataque de un dolor de cabeza provocado por helado.

Comer o beber alimentos o bebidas muy frías puede causar dolor de cabeza, pero según un informe de *la Revista Médica Británica*, el helado es la causa más común. El dolor, por lo general, es breve, pero intenso — y alcanza su máximo a los 30 o 60 segundos y se desvanece poco a poco, aunque en algunos casos puede durar hasta cinco minutos.

No hace falta que deje de tomar helado para evitar este "cerebro congelado". Sólo coma despacio e intente no dejar que esta delicia helada toque la parte posterior del paladar.

Tiramina. Esta sustancia puede expandir los vasos sanguíneos del cerebro, causando dolor de cabeza. Se encuentra presente en las alubias limas, las habas, las habas en vaina, el pan o las tortas recién horneados con levadura, el vino, la cerveza, el hígado, el paté y la mayoría de los quesos.

Si toma un inhibidor IMAO para la depresión, es posible que sienta un fuerte dolor de cabeza al comer ciertos alimentos ricos en tiraminas, como el queso. Si toma este tipo de medicamentos, consulte si evitar dichos alimentos haría diferencia en la frecuencia de los dolores de cabeza.

Cafeína. Si no toma su taza de café matutina, es probable que comience a dolerle la cabeza. Ese es el primer signo de abstinencia de cafeína. Muchas personas olvidan que la cafeína es una droga. Cuanto más toma, más dependerá su cuerpo de ella. Cuando finalmente bebe esa primera lata de cola, taza de té o de café, los síntomas de abstinencia desaparecen. No hay más dolor de cabeza. Es decir, hasta mañana.

Si no le agrada depender de la cafeína, intente limitarse a sólo ocho onzas por día — la cantidad recomendada por la Fundación Nacional para el Dolor de Cabeza. Si bebe más que eso ahora, lo mejor será reducir la cantidad gradualmente para evitar los dolores de cabeza.

La cafeína puede ser útil en algunas ocasiones. Algunos de los medicamentos más poderosos contra el dolor de cabeza contienen cafeína como ingrediente. Y algunos pacientes que padecen migrañas tienen fe ciega en que una o dos tazas de té o café fuerte al inicio de un dolor de cabeza, pueden evitar o aliviar el dolor.

Las reacciones ante los diferentes alimentos pueden variar entre un paciente y el otro. Incluso alimentos muy comunes como la crema agria,

la mantequilla de maní, el pan de masa agria, la pizza, las bananas y las pasas de uva pueden causar dolor de cabeza a algunas personas. Lleve un registro de lo que come y de los momentos en los que le duele la cabeza, y podrá identificar sus propios factores desencadenantes.

Pérdida de la audición

Dieciséis estrategias para mejorar su audición

Los oídos no son como otras partes de su cuerpo. Hacerlos trabajar más duro no los fortalecerá. Los delicados mecanismos que forman el oído interno son muy sensibles. Puede dañar su audición con actividades comunes y cotidianas, sin saber siquiera que está causando un daño.

Aunque no puede aislarse por completo de los ruidos fuertes, hay pasos que puede tomar para minimizar su exposición — y hay muchas maneras de sobrellevar la pérdida de audición.

Baje el volumen de su mundo. Cuanto más ruido elimine de su día, mejor será para sus oídos. Intente reducir el ruido de aparatos, impresoras y máquinas de escribir, colocándolas sobre almohadillas de caucho. Bloquee el ruido de la calle y otros ruidos externos con cortinas, colgantes de tela para pared y ventanas con doble panel. Lo mejor para absorber el ruido interno es una alfombra de plush.

Aísle sus oídos. Si va a trabajar en una tarea ruidosa, prepárese con anticipación. El uso de herramientas eléctricas, andar en motocicleta o vehículos para nieve y disparar armas son las actividades más comunes que producen ruido suficiente para causar daños graves a sus oídos, con el tiempo. Para evitar ese daño, use tapones de espuma. Son económicos y puede comprarlos en una ferretería o en una tienda de descuento.

Detenga el ruido abusivo. Muchas personas usan ruido para cubrir ruido, lo cual sólo empeora las cosas para sus delicados oídos. Si un ruido fuerte le molesta, no suba el volumen del televisor ni del estéreo para taparlo. En cambio, vea si hay alguna manera de evitar el ruido.

Acostúmbrese al silencio. Intente bajar el volumen de la radio, el televisor y los auriculares. La gente a menudo escucha a un determinado volumen más por costumbre que por necesidad. Si alguien que está cerca puede oír el sonido de sus auriculares, usted los está usando con demasiado volumen. Intente mantener el sonido de su hogar a un nivel mínimo.

Déjelos descansar. Sus oídos necesitan recuperarse, en especial después de un día realmente ruidoso. Dejarlos descansar unas horas con ruidos muy bajos, pueden ayudarlos a recuperarse de un día a todo volumen.

No se fatigue. El estrés físico extremo puede elevar la presión en sus oídos hasta un nivel peligroso y causar daños en la audición. Tome precauciones adicionales al levantar objetos pesados o al esforzarse de cualquier otra manera.

Ejercite con frecuencia. Agregue el sentido de audición a la lista de cosas que los ejercicios pueden beneficiar. El ejercicio mejora la circulación de la sangre en su oído interno, donde ayuda a mantener en buen estado los mecanismos de audición, tales como las células capilares detectoras de sonido.

Elimine la cera. Si cree que está perdiendo audición, revise la cera de los oídos. Limpiar los oídos a veces puede aclarar la audición. Para aprender las mejores maneras de hacerlo, lea *Maneras seguras de limpiar los oídos.*

Revise sus medicamentos. Algunos medicamentos puede causar o contribuir a la pérdida de audición. La aspirina, la furosemida, la neomicina y la gentamicina son los responsables más comunes. Si toma alguno de estos medicamentos, consulte al médico para que revise su audición con regularidad.

Hable en los rincones. Pararse en un rincón coloca dos superficies detrás de usted para reflejar el sonido y facilitar la audición. Crea el mismo efecto que poner las manos alrededor de los oídos — ayuda a captar el sonido y a dirigirlo hacia donde se lo necesita.

Hablar más alto. Si no puede oír a alguien, pídales que hablen con un tono de voz más grave. Cuando se produce daño en la audición, los sonidos agudos están entre lo primero que se pierde. Los tonos más graves son más fáciles de captar

Usar un audífono. Los audífonos pueden hacer maravillas por usted, y cada día son mejores y se venden a precios más accesibles. Asegúrese de que se los ajuste un médico. Aunque los vendedores conozcan el producto, sólo un médico puede examinarlo, determinar la causa de su pérdida de audición y sugerir tratamientos alternativos.

Sintonícese con la tecnología de última generación. Si su pérdida de audición es permanente, pero no total, hay muchas cosas que puede hacer en la casa, para facilitar la audición. Algunos de los dispositivos que lo pueden ayudar están los amplificadores para teléfono, televisor y VCR. Casi todo lo que suena se puede actualizar para elevar el volumen de sonido.

Protéjase en su hogar. Por seguridad, asegúrese de que todas las alarmas tengan el volumen suficiente para alertarlo. Pruebe el timbre de la puerta de calle, el horno, el sistema de seguridad, los detectores de humo y el sonido de su teléfono. Si no puede oírlos, se podrán reemplazar o complementar con luces destellantes.

El subtitulado electrónico, que le permite leer lo que se dice en pantalla, está disponible en casi todos los aparatos de televisión nuevos. La tecnología de TDD (dispositivo de telecomunicación para sordos) lo ayuda a simplificar los llamados telefónicos. Cada día más compañías y agencias adquieren líneas TDD para adaptarse a las necesidades de las personas con problemas auditivos.

Realícese pruebas gratuitas. Para recibir una prueba de audición gratuita y rápida, llame a "Dial a Hearing Test" al 1-800-222-EARS (3277). Le darán un número local al que podrá llamar para que le efectúen una prueba de audición por teléfono, de dos minutos de duración.

Aprenda los hechos. Para conocer las opciones y oportunidades disponibles para todas las personas con problemas de audición, comuníquese con una de las organizaciones que se detalla a continuación.

National Association of the Deaf
Teléfono: (301) 587-1788
TTY: (301) 587-1789

National Information Center on Deafness
Teléfono: 800-241-1044
TTY: 800-241-1055

Alexander Graham Bell Association for the Deaf
Teléfono: (202) 337-5220
TTY: (202) 337-5221

Maneras más seguras para limpiar los oídos

Si usted es como la mayoría de la gente, la cera de los oídos es algo en lo que nunca piensa, pero quizá debería hacerlo. Esta secreción amarillenta protege el oído interno de cosas potencialmente dañinas, como arena, polvo e insectos.

Pero demasiada cera puede complicar la audición. En casos extremos, la cera podría bloquear el canal auditivo. Tener oídos angostos o con demasiado vello podría agravar el problema.

Si tiene problemas con la cera de los oídos, siga este consejo de los expertos.

Deje de lado los hisopos. ¿Alguna vez su madre le dijo que no insertara nada más pequeño que su codo en el oído? Ella tenía razón. Intentar alcanzar la cera de los oídos con los dedos, con pinzas o con otros objetos filosos podría causar lesiones graves. Ni siquiera se deben usar los hisopos. Los médicos dicen que los hisopos aumentan la posibilidad de empujar la cera aún más adentro del oído.

Elimine la cera con agua. Llene un recipiente o el lavabo del cuarto de baño con agua tibia. Usar una jeringa a balón, gire la cabeza hacia un lado y enjuague un oído por vez, dejando caer el agua suavemente. Nunca aplique más que la presión mínima. Recuerde, está intentando ablandar la cera del oído, no hacerla explotar.

Pruebe con una gota de aceite. Si el agua tibia no funciona, intente con un enfoque diferente. Use un gotero para ojos y coloque dos gotas de aceite — para bebés, vegetal o mineral — dentro del oído. Manténgalo allí con un trozo de algodón durante algunos minutos y luego retire el exceso. En un día o dos, el aceite debe comenzar a disolver la cera. También puede usar esta técnica con peróxido de hidrógeno, glicerina o una solución de agua tibia y vinagre.

Evite la acumulación, masticando. La defensa natural de su cuerpo contra la acumulación de cera, no es un dedo meñique activo — sino masticar. El movimiento de masticación de los dientes y la mandíbula disuelve más cera y mantiene su canal auditivo en buenas condiciones de funcionamiento. Las personas que no mastican bien los alimentos, a menudo tienen problemas con la cera de los oídos.

Reduzca la ingesta de grasas. Si necesita otra razón para reducir las grasas de su dieta, aquí la tiene. La investigación ha demostrado que las grasas saturadas, que se encuentran sobre todo en alimentos de origen animal, hacen que sus oídos produzcan demasiada cera. De manera que déle un respiro a su audición, tal como lo hace con su corazón — reduzca el consumo de grasas saturadas.

Combata la pérdida de audición con vitaminas

Si cree que su audición está afectada principalmente por factores externos, como ruidos fuertes, no está del todo equivocado. Sus oídos son muy sensibles a los sonidos y a las vibraciones, y pueden sufrir daños fácilmente.

Pero la pérdida de audición también puede provenir del interior, en especial si tiene deficiencias en ciertas vitaminas.

Vitamina A. Los estudios muestran que cuando usted no consume suficiente vitamina A, sus oídos se sensibilizan aún más. Esto no significa que usted oye mejor, si no que oye más fuerte. Este ruido intensificado aumenta su riesgo de daños auditivos graves.

La vitamina A está presente en numerosos alimentos. Las claras de huevo y el hígado son buenas fuentes. Para obtener una ración más pequeña, puede recibir vitamina A de las naranjas, limas, cantalupo, ciruelas y piña.

El pescado es una buena fuente de vitamina A, pero el salmón, la caballa y el atún son especialmente ricos en este nutriente tan importante. El pescado también tiene un alto contenido de vitamina D, que ayuda a evitar la pérdida de densidad ósea y puede colaborar en el fortalecimiento de los huesos que componen el mecanismo auditivo del oído. Esto podría significar una mejor audición al llegar la edad madura.

Vitamina B12 y ácido fólico. La mayoría de las personas creen que la disminución de la audición es una parte natural del envejecimiento. Investigaciones recientes muestran que esto no es tan cierto. Un estudio de la Universidad de Georgia reveló que las mujeres de alrededor de 60 años que sufrían pérdida de audición también padecían niveles bajos de vitamina B12 en sangre y ácido fólico.

La vitamina B12 y el ácido fólico funcionan juntos para mantener el flujo sanguíneo y para hacer que su sistema nervioso funcione correctamente. Algunos investigadores creen que si el flujo sanguíneo que llega al oído interno es insuficiente, esto puede afectar los impulsos eléctricos que van desde el oído al cerebro. Esto podría causar pérdida de audición.

El hígado, las sardinas, el cangrejo, el salmón, la carne vacuna y el queso cottage son fuentes excelentes de vitamina B12. Si desea obtener más ácido fólico, debe comer naranjas, aguacate, papaya, hígado, espinacas, alubias pinto, lentejas, espárragos y remolacha.

Aunque estas vitaminas cumplen una función vital en la preservación de la audición, no podrán revertir el daño auditivo que ya padece.

¿Un comprimido puede curar la sordera?

¿Qué sucedería si un comprimido pudiera restaurar su audición? Aunque parezca extraño, para ciertos tipos de pérdida de audición, esto es posible.

Los investigadores han descubierto que la exposición a ruidos intensos aumenta la actividad radical libre, en las células capilares sensoriales de su oído interno. Estos radicales libres atacan a las células capilares y pueden dañarlas o destruirlas, lo que produce pérdida de audición o sordera.

Al acumular el nivel de ciertos antioxidantes, mediante el uso de un medicamento que los aumenta, antes o apenas después de la exposición a ruidos dañinos, los médicos han podido evitar e incluso revertir el daño parcialmente. El medicamento antioxidante básicamente toma los radicales libres destructivos y evita que dañen los oídos.

Los científicos también han descubierto que el magnesio es vital para la audición. Cuanto más expuesto se está a ruidos intensos, más magnesio se pierde y se es más susceptible a daños auditivos.

Un estudio midió la audición de 320 soldados en entrenamiento bajo condiciones extremas de ruido, durante dos meses. La mitad de los soldados tomaron 700 miligramos (mg) de magnesio por día, alrededor del doble de la ración diaria recomendada y la otra mitad no lo hizo. Aquellos que tomaron el magnesio terminaron con la mitad de la pérdida de audición que el otro grupo.

En tanto que el medicamento que aumenta los antioxidantes aún no está disponible para el público, algunos expertos creen que los comprimidos que evitan y curan la pérdida de audición estarán listos para la venta en un año o dos.

Cómo acostumbrarse a un audífono nuevo

Los audífonos han mejorado la calidad de miles de vidas, pero acostumbrarse a ellos no es algo sencillo. Algunos profesionales describen el incómodo proceso de acostumbrarse a un audífono como "re-aprender" a escuchar. Esto es porque el paciente está obligado a usar destrezas que no ha utilizado en años.

Estas sugerencias simples pueden suavizar y mejorar la transición.

- **Téngase paciencia.** Muchos ruidos sonarán más agudos y estridentes de lo que sonaban antes, porque ahora usted puede captar frecuencias más altas. Por esta razón, muchas cosas no sonarán como lo hacían antes, pero pronto aprenderá a reconocer los sonidos nuevos.
- **Conozca lo que lo rodea.** Algunos entornos y ambientes serán más fáciles de escuchar que otros. El ruido en los ambientes con superficies rígidas y mucha actividad sonará mucho más alto que las habitaciones con objetos que absorben los sonidos, como sofás o alfombrado. Saber dónde oye mejor lo ayudará a aprovechar al máximo su nueva capacidad.
- **Aprenda cómo usarla.** Pídale a su médico que muestre cómo usar el audífono. Luego se sentirá cómodo para ajustarlo y efectuar tareas de mantenimiento. Al efectuar ajustes, hágalo de manera gradual. Pronto aprenderá qué configuraciones son mejores para cada situación.
- **Tómese las cosas con calma.** No comience a usar su audífono las 24 horas del día. Tómese su tiempo y vaya usándolo más gradualmente. Se irá acostumbrando poco a poco. Al comienzo, es probable que tenga una sensación de ocupación en el oído o que piense que su voz suena hueca. Algunas personas sienten que tienen un resfrío de cabeza. Aunque parezca extraño, todo esto es normal. Y si parece una molestia, recuerde que está recuperando su audición. Eso debería dibujar una sonrisa en su rostro.

Cardiopatía

Seis maneras de combatir la cardiopatía desde la cocina

La ateroesclerosis se produce cuando el colesterol, la grasa y otras sustancias en la sangre se acumulan en las paredes de las arterias, formando placa. La placa puede obstruir o bloquear por completo las arterias y cortar el flujo de sangre hacia el corazón o el cerebro. En ese momento se produce la cardiopatía o la apoplejía.

Demasiada cantidad de colesterol y triglicéridos — tipos de grasa — en la sangre, la presión arterial alta y el cigarrillo pueden causar el mayor daño en las arterias. Otros factores de riesgo para la ateroesclerosis incluyen la diabetes, una historia familiar de la afección, el estrés, la obesidad y un estilo de vida sedentario. En general, los hombres tienen más riesgo, como las personas que tienen el cuerpo con forma de "manzana" — con la grasa que se acumula en la zona abdominal en lugar de las caderas y los muslos.

Puede luchar contra la ateroesclerosis eligiendo correctamente los alimentos. Reduzca las grasas saturadas y el colesterol de la carne y de los productos lácteos de leche entera y busque los siguientes alimentos que reducen el colesterol, bajan la presión arterial y mantienen la sangre fluyendo sin problemas.

Fibra. Durante el transcurso del día, debe comer entre 25 y 35 gramos de fibra. Si lo hace, mejorará su salud general y le dará batalla a la ateroesclerosis.

Ciertos tipos de fibra soluble, como el tipo presente en la avena, cebada, manzana y otras frutas, reducen los niveles de colesterol. Funciona al reducir la velocidad con la que el alimento pasa por el estomago y el intestino delgado para que el colesterol bueno tenga más tiempo de llevar el colesterol al hígado y fuera del cuerpo. Comer más de 25 gramos de fibra cada día también puede reducir el 25% el riesgo de desarrollar presión arterial alta.

La fibra trae un beneficio adicional — lo llena. Después de una comida rica en fibra, se sentirá lleno. Entonces, es menos probable que coma demasiado y sume libras no deseadas. Debido a que el sobrepeso aumenta el riesgo de ateroesclerosis y otros problemas cardíacos, comer fibra podría ser parte de una efectiva estrategia para proteger las arterias.

Encontrará fibra en las frutas y verduras, y en los panes y cereales de harina integral.

Antioxidantes. A medida que su cuerpo procesa el oxígeno al respirar, también produce químicos que se denominan radicales libres. Estas son moléculas inestables, porque les falta un electrón. Viajan a través de su cuerpo intentando robar electrones a las células sanas. Cuando lo logran, le causan daños irreversibles a la célula. Con el tiempo, pueden causar tanto daño que su cuerpo se debilitará y tendrá más probabilidades de caer preso del cáncer o de cardiopatías. Este daño de las células se denomina oxidación.

Afortunadamente, su cuerpo produce antioxidantes que neutralizan a los radicales libre — una especie de "fuente de la juventud". Pero a medida que se envejece, se desacelera la producción de antioxidantes. Por fortuna, usted puede incorporar antioxidantes en la dieta.

La vitamina C, la vitamina E y el beta caroteno son antioxidantes. Los pimientos, las naranjas, las fresas, el cantalupo y el brócoli proporcionan vitamina C mientras que las zanahorias, las batatas, la espinaca, el mango y las hojas de berza están llenas de beta caroteno. Entre las fuentes de vitamina E encontramos el germen de trigo, los frutos secos, las semillas y los aceites vegetales.

Cuando coma estas frutas y verduras, obtendrá el beneficio adicional de sustancias antioxidantes llamadas flavonoides. El resveratrol en las uvas, las antocianinas en el jugo de arándanos y la quercetina en las cebollas, las manzanas y en el té son algunos de los flavonoides que ayudan al corazón y a las arterias.

Pescado. Consiga pescados grandes y grasosos y combata la ateroesclerosis Los ácidos grasos omega3, el tipo poliinsaturado presente en pescados grasosos, como el atún, la caballa y el salmón, evitan que las arterias se dañen.

Primero, el omega3 elimina los triglicéridos, las grasas que se acumulan en las paredes arteriales. También evita que las plaquetas en la sangre se acumulen. De esa manera, la sangre permanece suave en lugar de densa y con tendencia a adherirse. La sangre densa puede coagularse y bloquear el flujo de sangre. Por último, el omega3 puede bajar la presión arterial.

Por eso tantos estudios demuestran que comer pescado puede reducir el riesgo de cardiopatías. La Asociación Estadounidense del Corazón recomienda comer al menos dos comidas con pescado por semana.

Puede encontrar una forma de omega3 llamada ácido alfa linolénico en las nueces, el cual reduce el colesterol. Otras fuentes de omega3 son la linaza, el germen de trigo y las verduras de hoja verde, como la col, la espinaca y la rúcula.

Ajo. Todo lo que puede hacer el pescado lo hace también el ajo. El compuesto de sulfuro en esta impresionante hierba no sólo baja el colesterol y los triglicéridos sino también combate el LDL o colesterol "malo" y deja el HDL o colesterol "bueno" solo.

El ajo también puede bajar la presión arterial para que las arterias no tengan que bombear tanta cantidad de sangre. Gracias a una sustancia llamada ajoene, el ajo evita que la sangre se acumule y se coagule. Un estudio incluso demostró que el ajo ayuda a la aorta, la arteria principal del cuerpo, a permanecer elástica a medida que uno envejece.

Los expertos recomiendan agregar 4 gramos de ajo — alrededor de un diente — en su dieta todos los días.

Grasa monoinsaturada. Para que la sangre continúe fluyendo sin problemas, quizás necesite cambiar el tipo de aceite que utiliza. El aceite de oliva, la principal fuente de grasa en la dieta mediterránea saludable para el corazón, tiene mayormente grasa monoinsaturada. Este tipo de grasa elimina el colesterol "malo" sin dañar el colesterol "bueno". También evita que se formen coágulos, lo cual le brinda incluso mayor protección a las arterias. De la misma manera que la fibra, la grasa monoinsaturada también lo hace sentir lleno. Por eso, es menos probable que coma demasiado.

Considere cambiar el aceite de soja o de maíz por el aceite de oliva. Después de todo, los griegos — aunque tenían una dieta rica en grasa — rara vez sufrían de ateroesclerosis.

Además del aceite de oliva, los aguacates, los frutos secos y el aceite de canola también son fuentes de grasa monoinsaturada.

Jengibre. Con esta especia ancestral puede agregarle sabor a sus comidas y tener arterias más saludables. El jengibre contiene fitoquímicos llamados gingerol y shogoal, los cuales le otorgan ese poder antioxidante.

Estudios en animales demuestran que el jengibre además de reducir el colesterol LDL y los triglicéridos, evitan que el LDL se oxide. Lo más importante es que el jengibre evita que la sangre se coagule al reducir la adherencia de las plaquetas.

Nuevo descubrimiento: Cómo su corazón se ayuda a sí mismo

Aquí hay otra razón para hacer ejercicio — toda esa inhalación y exhalación hace que su corazón cree una proteína que puede protegerlo de daño permanente, si usted sufriera un ataque cardíaco. Y los investigadores dicen que sólo debe hacer ejercicio tres días para obtener este beneficio.

Aunque estudios médicos recientes han probado animales, los científicos creen que sucederá lo mismo con humanos. Descubrieron que una proteína, llamada Proteína de Shock Térmico (HSP) 72, protege a las células del corazón y evitan que estas mueran a raíz del estrés de un ataque.

Cuando las células mueren, no hay retorno, de manera que si puede mantenerlas vivas, tiene más posibilidades de sobrevivir a un ataque cardíaco. Desde hace mucho se sabe que el ejercicio es la clave — que protege su corazón, pero los investigadores ahora creen que esta proteína del estrés cumple una función importante en tal protección.

Todo lo que debe hacer es ejercitarse de tres a cinco días por semana para producir suficiente proteína y así salvaguardar su corazón. Pero como se pierden las reservas con mucha rapidez, debe mantener una rutina de ejercicios.

Esa es la razón por la cual nunca es tarde para ponerse en movimiento. Con menos de una semana de caminata, trote o ciclismo, usted puede regalarse un corazón más fuerte y saludable.

Salvaguarde a su corazón de estos peligros ocultos

El terremoto tuvo lugar le 17 de enero de 1995, a las 5:46 a.m. según el horario de Japón. Durante las cuatro semanas siguientes, el número de ataques cardíacos registrado se triplicó dentro del área del terremoto. Aumentos similares se detectaron después de terremotos en Grecia, Australia y California.

Estas pueden ser estadísticas atemorizantes, pero los expertos afirman que los desastres naturales son sólo uno — de los numerosos desencadenantes ocultos de ataques cardíacos y probablemente sean el que menos debe preocuparlo. La manera en que les habla a sus hijos, con qué seriedad se toma su trabajo o incluso el clima pueden representar problemas aún mayores.

Ponga fin a las emergencias emocionales. Las caricaturas a las que les sale vapor de los oídos, los ojos que se saltan de las órbitas y los rostros rojos como motores de explosión pueden estar demasiado cerca de la realidad como para ser graciosos. Los expertos han comprobado que cualquier explosión de emoción, ya sea ira, miedo o ansiedad puede elevar su presión arterial al extremo y acercar peligrosamente a su corazón a un ataque que pondría en riesgo su vida.

¿La respuesta? Relájese, controle sus emociones y evite el conflicto. Un estudio alemán descubrió que a veces es mejor delegar y que otros manejen las cosas. Ser pasivo en ciertas situaciones y dejar que fluyan algunas responsabilidad puede significar una reducción en la frecuencia cardiaca y en la presión arterial.

Trabaje con inteligencia, no de más. ¿Es leal, dedicado y trabajador? Todas estas son cualidades maravillosas en el trabajo. Podrían significar más producción, ascensos o un aumento de salario. Sin embargo, también podrían significar un ataque cardíaco.

Un estudio en Japón descubrió que muchas horas de trabajo y un viaje largo hasta llegar allí aumentan considerablemente la tensión laboral. La tensión laboral aumenta la presión arterial. Y la presión arterial cumple es un factor de riesgo importante en los ataques cardiacos. En realidad, la presión arterial muy elevada es tan mala para su corazón como aumentar 50 libras de peso o envejecer 25 años. De manera que baje la velocidad y libere a su corazón del estrés y elimine la tensión de su salud.

Esté alerta ante los riesgos laborales. ¿Adivine qué industria oculta un riesgo secreto para el corazón? Las compañías de electricidad. Los científicos del Instituto de Investigación Midwest recopilaron información médica de 140.000 trabajadores de la empresa pública de electricidad, a lo largo de un período de 38 años. Descubrieron un número elevado y preocupante de muertes relacionadas con la frecuencia cardíaca.

Los trabajadores de las líneas y de la central eléctrica están expuestos a fuertes niveles de campos electromagnéticos (EMFs), el flujo invisible de la energía magnética que produce cualquier corriente eléctrica. La teoría es que ese alto nivel de EMFs causa cambios dañinos en la frecuencia cardíaca, — los suficientes como para generar tres veces más probabilidades de morir por problemas cardíacos, que los trabajadores de otras profesiones.

Una posición contra esta teoría es que los trabajadores de ciertos oficios tienen más tendencia a fumar, beber y a seguir una dieta rica en grasas. Este estilo de vida riesgoso para el corazón podría contribuir más a las cardiopatías que la exposición a EMFs. De todas maneras, si usted trabaja cerca de campos magnéticos, debe prestar atención a cualquier cambio dramático en su frecuencia cardíaca y consultar a su médico, en caso de dudas.

Cuídese de los males invernales. Es mejor estar en forma para el próximo invierno — en especial si tendrá que trabajar quitando la nieve. Las estadísticas muestran que el número de ataques cardíacos llega a su máximo a mediados del invierno. No es ni la temperatura ni el trabajo de quitar la nieve lo que representa un riesgo para su corazón, si no estar fuera de forma cuando llega el momento.

Una actividad física inusual, como quitar la nieve, presiona de manera inesperada a su corazón e incluso a sus arterias, por lo cual aumenta la probabilidad de que se rompa la placa y cause un ataque cardíaco. Además, muchas personas dejan al sistema inmunológico para que se defienda solo, y olvidan que el invierno es la estación principal para el resfrío y la gripe. Un cuerpo debilitado es más vulnerable a los ataques cardíacos que uno fuerte.

Coma bien, tome un complejo multivitamínico y hágase tiempo para ejercicio regular y moderado durante todo el año. Esto protege a su corazón al acumular fortaleza y resistencia gradualmente. Así, cuando tenga que hacer algo extenuante, no será tan sorpresivo para su cuerpo.

La tecnología podría ser un problema para su corazón

Mantenga su teléfono celular pegado al oído y no merodee a la entrada de las tiendas. ¿Esto es parte del código de conducta moderno? No, son normas de seguridad para las personas que tienen marcapasos. Los expertos han descubierto que los campos acustomagnéticos, como los de los teléfonos celulares y las puertas anti-robo de las tiendas, puede interferir con los marcapasos cardíacos.

No se preocupe, no debe abandonar la conveniencia moderna del teléfono celular, pero si usa uno, no lo lleve en el bolsillo del pecho. Tener un teléfono activado colocado sobre el corazón podría causar un problema con su marcapasos.

Y encontrar una gran oferta podría complicar su frecuencia cardíaca, pero una mujer con marcapasos sufrió mareos, náusea y palpitaciones solamente por permanecer de pie junto a la entrada de una tienda, directamente dentro del alcance de un sistema electrónico antirrobo. Las tiendas admitirán que muchas personas tan tenido reacciones similares.

Estará bien, sin embargo, si no se queda dando vueltas en la entrada. Sólo pase rápido a través del campo de seguridad.

Proteja su corazón del "gran frío"

Como habrá oído en el antiguo proverbio, "el mal viento no hace bien a nadie". Esto puede ser más verdadero de lo que usted cree, en particular si padece una cardiopatía. La Asociación Cardiaca Estadounidense ha descubierto evidencia de que no sólo el viento, sino el clima en general, puede elevar su riesgo de ataques cardíacos.

Un estudio proveniente de Francia descubrió que hay más probabilidades de sufrir un ataque cardíaco, si la presión atmosférica cambia incluso 10 grados, hacia arriba o hacia abajo. ¿Qué significa esto exactamente? El meteorólogo Dean Hutsell del Servicio Meteorológico Nacional dice que esta clase de cambio dentro de un período de 24 horas indica un sistema climático más fuerte — no necesariamente un huracán o ventisca, sino ráfagas de viento fuertes, lluvia o nieve y un cambio de temperatura.

Siempre que una masa de aire se mueve a través de un área, afirma, a un cambio en la presión del aire. La presión cae a medida que se acerca el sistema, luego se eleva después de que ha pasado. Según el estudio, estos cambios extremos elevan las probabilidades de sufrir un primer ataque cardíaco en un 11 por ciento. Si ya ha sufrido un ataque cardíaco, su riesgo es casi el triple de eso.

El estudio descubrió que el clima frío también es importante. Cuando las temperaturas caen 18 por debajo de lo normal, el riesgo de ataque cardíaco se elevó en un 13 por ciento. El riesgo llegó hasta el 38 por ciento en las personas que han sufrido un ataque cardíaco anterior. Una investigación anterior relacionó las temperaturas frías con un aumento de presión arterial y los investigadores dicen que ese podría ser un factor.

Entonces, ¿hay algo que pueda hacer para protegerse de un ataque cardíaco inducido por el clima? Por supuesto que no puede cambiar el clima, pero puede hacer ciertas cosas para minimizar el riesgo.

- Preste atención a los informes del clima, en especial si el pronóstico incluye una caída de temperatura o un cambio súbito en la presión atmosférica.
- Aísle su casa contra ráfagas y el frío del invierno.
- Vístase con ropa abrigada, tanto en interiores como en el exterior.

- Manténgase tranquilo y calmo cuando se aproxima una tormenta. No permita que los truenos y los relámpagos eleven su nivel de estrés. En cambio, aproveche la oportunidad para permanecer dentro de la casa y hacer algo que le resulta relajante y agradable.

Protección cardíaca acorazada

¿Desea ayudar al prójimo y reducir su riesgo de ataque cardíaco en un sorprendente 88 por ciento? Done sangre.

Los investigadores han descubierto que demasiado hierro en su sistema puede casi triplicar el riesgo de ataque cardíaco. Al donar sangre con regularidad, se reduce la cantidad de hierro almacenado en el cuerpo.

Considere hacer una visita anual a la Cruz Roja, si usted:

- **Es un hombre de mediana edad o una mujer que ya no menstrúa.**
- **Ha tenido como mínimo un ataque cardíaco.**
- **No toma vitaminas A, C o E antioxidantes o aspirina, que ayuda a contrarrestar el proceso de oxidación del hierro.**

Cure su corazón con el método Ornish

Se trata de un programa fuerte, pero si puede seguirlo, obtendrá casi la garantía de revertir cardiopatías y reducir su riesgo para siempre — sin medicamentos ni cirugía. ¿Qué es esta estrategia revolucionaria? Cambios en el régimen de dieta y en el estilo de vida según el Dr. Dean Ornish.

Ornish promete que, si sigue su programa, podrá mejorar su salud cardíaca incluso si se le ha diagnosticado una cardiopatía. En un estudio reciente, el 82 por ciento de los participantes experimentaron esta clase de reversión sólo dentro del primer año.

Una prueba temprana de este programa descubrió que en sólo 24 días los participantes:

- Redujeron el dolor en el pecho en un 91 por ciento
- Mejoraron la capacidad para hacer ejercicio
- Redujeron los niveles de colesterol en un 21 por ciento
- Sintieron menos ansiedad, miedo y depresión
- Experimentaron una sensación mejorada de bienestar

Ornish cree que su programa de estilo de vida es beneficioso en particular para aquellas personas que padecen hipertensión leve (presión arterial alta). En tres estudios de investigación, él debió reducir o discontinuar la medicación para la presión arterial en la mayoría de los participantes. Al cambiar la dieta y el estilo de vida, los pacientes bajaron su presión arterial naturalmente. Los medicamentos adicionales en realidad bajaban demasiado la presión arterial y causaban efectos colaterales incómodos.

Para obtener resultados similares, aquí encontrará cambios de estilo de vida que deberá adoptar:

- Siga una dieta vegetariana con no más del 10 por ciento de grasa
- Practique ejercicio aeróbico diario moderado
- Asista a clases de manejo del estrés
- Deje de fumar.
- Asista a reuniones de grupos de ayuda

Algunos críticos afirman que estos cambios son demasiado drásticos como para mantenerlos durante un largo plazo. Otros dicen que no son un precio alto con relación a la salud mejorada. Y los estudios muestran que la salud mejorará. Aquellos que siguen el plan Ornish en el estudio más reciente, el Estudio Cardíaco de Estilo de Vida de cinco años, sufrieron muchos menos ataques cardíacos que aquellos que introdujeron sólo cambios moderados. También necesitaron menos cirugía, revirtieron su aterosclerosis y redujeron los niveles de colesterol LDL.

Además de reducir la ingesta de grasas a sólo el 10 por ciento de las calorías totales, Ornish también recomienda comer muchos carbohidratos complejos. Deben ocupar la mayor parte de su dieta, afirma, en tanto que sólo el 20 por ciento de las calorías deben provenir de las proteínas. Tampoco se deben ingerir más de 5 miligramos de colesterol por día.

Todo esto puede sonar complicado, pero no es necesario contar permanentemente las calorías ni los gramos de grasa. Sólo recuerde que el tipo de alimento que ingiere es más importante que la cantidad.

Recolecte la cosecha de la naturaleza. Los alimentos de planta tales como las frutas, los vegetales, los granos y las legumbres son formas naturales de carbohidratos complejos. Son ricos en fibra y lo llenan sin agregar muchas calorías. Al comer este tipo de alimentos, estará reduciendo las grasas y el colesterol.

Olvide las grasas. Evite todos los aceites y aléjese de los alimentos ricos en grasas, incluso los vegetarianos como el aguacate, las aceitunas, el coco, los frutos secos, las semillas y los productos de cacao.

Evite los productos animales. Con excepción de las claras de nuevo y una taza de yogur o leche descremados por día, para incorporar vitamina B12, debe evitar todos los productos derivados de los animales. No coma carne vacuna, pollo, mariscos ni yema de huevo.

Reduzca el consumo de cafeína. Intente evitar al cafeína, ya que puede empeorar los latidos irregulares o provocar estrés.

Despídase de los dulces. El azúcar, en sí mismo, no está relacionada directamente con las cardiopatías. Es sólo que por lo general se encuentra en alimentos ricos en grasas saturadas y colesterol. Al evitar una cosa, evita todas las demás.

Sustituto de la sal. La sal eleva la presión arterial en algunas personas. Si es sensible a la sal, evítela y agregue saborizantes con otras especias o vinagre. Si no, use sal con moderación.

Ajuste el consumo de alcohol. Limite el alcohol a 2 onzas por día o menos.

¿Qué sucede con todas esas otras dietas bajas en grasas que ha oído por ahí? La mayoría de los programas alimenticios que reciben apoyo de la Asociación Cardiaca Estadounidense, el Departamento de Agricultura de los EE.UU. y el Departamento de Salud y Servicios Sociales de EE.UU. recomiendan un consumo total de grasas de no más del 30 por ciento de las calorías totales. Por ejemplo, si usted sigue una dieta de 2.000 calorías diarias, ellos dicen que no debe consumir más de 600 calorías de grasas por día. El programa de Ornish, por otro lado, sólo permite 200 calorías de grasas por día.

Ornish afirma que las dietas con un 30 por ciento de grasas no pueden mejorar la salud cardiaca. Quizá pueda desacelerar la progresión de la cardiopatía, dice, pero aún así empeora.

La mayoría de los expertos coinciden en que se deben hacer cambios radicales en el estilo de vida. Sólo reducir las grasas y el colesterol en su dieta no será suficiente para bajar el riesgo de cardiopatías, mucho menos para mejorar la salud cardiaca. Usted necesita una combinación de cambios en la dieta y en el estilo de vida para poder apreciar las mejoras. Ahí es donde el ejercicio, no fumar, el manejo del estrés y los factores de apoyo pueden marcar la diferencia.

Para ver los efectos positivos de esta dieta, Ornish recomienda que siga estas pautas durante tres semanascomo mínimo. Ese es el tiempo que lleva desterrar los malos hábitos y establecer los hábitos saludables nuevos.

Acidez

Veinte maneras para aliviar la acidez

Si padece dolor ardiente, gases, eructos e hinchazón, no es el único. Más de la mitad de los adultos tienen acidez.

También se la denomina indigestión ácida o reflujo, la acidez en realidad no tiene nada que ver con su corazón. Ocurre cuando el ácido estomacal regresa al esófago, el tubo que transporta la comida hasta el estómago. Puede causar un dolor ardiente detrás del esternón y en el cuello y garganta. Por lo general, un músculo circular, llamado esfínter, separa su estómago del esófago, y mantiene el ácido donde debe estar. Pero si este músculo se debilita, pierde la capacidad para permanecer cerrado.

Si el dolor por la acidez es un invitado frecuente a su mesa, aquí encontrará cosas que puede hacer para estar más cómodo.

Come menos, más seguido. Las comidas pequeñas y frecuentes, por ejemplo cuatro o seis raciones por día, son más saludables que tres comidas más abundantes. Evite llenarse con los alimentos.

Abandone los bocadillos a última hora de la noche. Evite comer antes de ir a dormir. No se acueste hasta que hayan pasado cuatro horas después de comer.

Coma con menos condimentos. Los platos grasosos y con muchas especias irritarán el revestimiento de su estómago y esófago. Algunas de las peores elecciones son los productos derivados del tomate, las cebollas y los pimientos.

Que los adictos al chocolate tengan cuidado. Algunos expertos indican que el chocolate y las bebidas derivadas del mismo son la causa número uno de la acidez. Lo dejarán muy dolorido antes de que pueda decir "doble chocolate".

Diga "nada nada" al jugo de naranja. Aléjese de las frutas cítricas y los jugos. Una encuesta sobre 400 pacientes con acidez mostró que el jugo de uvas causó más acidez que cualquier otra bebida, seguida de cerca por el jugo de naranja y los jugos que contienen tomate. Estas frutas son irritantes, por su alto contenido de ácido.

Diga "paso" a esa menta después de cenar. La menta y la menta verde le pueden refrescar el aliento, pero también le producirán acidez.

Ejercite su mandíbula. Cuantas más veces mastique, producirá más saliva que neutraliza el ácido. Coma con pequeños bocados y mastique lenta y completamente. Después de comer, mastique una goma de mascar sin azúcar.

Controle lo que bebe. Reduzca el consumo de café, té, bebidas alcohólicas y leche entera. Todas ellas tienden a irritar el revestimiento del estómago.

El tiempo lo es todo. Beba líquidos alrededor de una hora antes o después de la comidas, para evitar que se hinche el estómago. No mezcle los alimentos y los líquidos.

Mejore su postura. Siéntese derecho al comer y — nunca coma de pie o acostado. Y no se incline inmediatamente después de comer. Esto empuja los alimentos y los ácidos digestivos de regreso al esófago.

Haga una cosa a la vez. No coma mientras trabaja, juega o conduce.

Evite la vestimenta ajustada. No use ropas ni cinturones que se ajusten demasiado alrededor de su estómago. Elija ropa que le quede floja alrededor de la cintura.

Baje de peso. Si tiene sobrepeso, perder algunas libras extra podría ayudarlo a aliviar sus síntomas. El peso adicional presiona su estómago y empuja los jugos digestivos acídicos de regreso a su tráquea.

Deje de fumar. Y si ya está intentando dejar, no use su parche de nicotina en la cama. La nicotina que libera puede causar acidez.

Permítase un gusto. Consuma alguna barra de caramelo sin azúcar durante el día, pero evite los que tengan sabor a menta.

Tenga apoyo cuando duerme. Use bloques de madera de 4 a 6 pulgadas o ladrillos para elevar la cabecera de su cama. O coloque una cuña de espuma debajo de la parte superior de su cuerpo. Esto mantiene el flujo de los jugos digestivos hacia abajo, en lugar de hacia arriba, mientras duerme. Las almohadas adicionales no funcionan tan bien. Sólo pliegan su cintura.

¡Salud! Beba mucha agua con los medicamentos y no se recueste después de tomar un comprimido. Esto ayuda a que los comprimidos bajen y se queden abajo.

Tómese las cosas con calma. Evite grandes esfuerzos y levantar objetos pesados. Esto contrae los músculos abdominales y oprime el contenido del estómago hacia arriba, hacia el esófago.

Limpie su sistema. Beber gran cantidad de agua durante el día lo ayudará a mantener los ácidos digestivos fuera del esófago.

Conozca sus medicamentos. Consulte a su médico, si está tomando medicamentos para el corazón o para la presión arterial. Estos podrían afectar el esfínter entre el esófago y el estómago, por lo cual el ácido subiría nuevamente hacia el esófago.

Si alguna vez su acidez se agrava y está acompañada por náuseas, sudoración, debilidad, desmayos o falta de aire, o dolor que se extiende desde el pecho hasta el brazo o la mandíbula, es probable que tenga algo mucho peor que una pizza que no la cayó bien. Estos síntomas podrían indicar un ataque cardíaco. Solicite ayuda de emergencia.

Cuando la acidez es signo de GRAVES problemas

La mayoría de las personas sufre acidez una que otra vez y, por lo general, no hay motivos para alarmarse. Pero si regresa — una y otra vez — podría ser una causa de preocupación.

Enfermedad por reflujo gastroesofágico (ERG) es un término general para los síntomas de indigestión y reflujo ácido, también llamado acidez. Esta afección se produce cuando el ácido del estómago regresa al esófago y causa una sensación de ardor en el pecho. Si esto sucede seguido, el ácido podría dañar el esófago.

Alrededor de uno de cada tres adultos tiene acidez ocasional y alrededor del 10 por ciento de ellos llega a desarrollar esófago de Barrett. Se trata de una afección en la cual el cuerpo, en un esfuerzo por proteger al esófago del ácido estomacal, reemplaza a las células que revisten el esófago con células como las del intestino. Esto aumenta 40 veces el riesgo de padecer cáncer de esófago.

La mayoría de los pacientes que tienen acidez no saben que puede ser peligrosa. Si toma un antiácido para aliviar la acidez en muchas ocasiones o si su acidez causa dolor moderado, consulte a su médico. Detectar el problema a tiempo puede marcar una gran diferencia en adelantarse al esófago de Barrett.

Quizá lo más perturbador de todo esto sea que el número de casos de ERG y de esófago de Barrett está en aumento. Algunos médicos señalan la obesidad como una causa fundamental de este aumento reciente. La obesidad aumenta la presión en los intestinos y con ella el riesgo de reflujo de ácido. En pocas palabras, si tiene demasiado en el intestino, el exceso debe ir a algún otro lado.

La dieta también tiene un papel relevante. El tipo de dieta que conduce fácilmente a la obesidad — demasiadas grasas y carne roja y no las frutas y vegetales suficientes — también puede causar reflujo de ácido.

Lo mejor que puede hacer por su esófago es mantener un peso saludable. Siga los consejos de su médico para aliviar y evitar la acidez, e intente algunos de los consejos que encontrará en este capítulo. Con unos pocos cambios en su estilo de vida, podrá evitar la incomodidad de la acidez y mantendrá el buen funcionamiento de su sistema digestivo.

No se queme con los antiácidos

Usted tiene acidez. Tome algunos antiácidos y se sentirá como nuevo. ¿No es cierto? Pero no será así, si sufre los efectos colaterales ocultos de muchos antiácidos.

Los productos del tipo Seltzer contienen mucha sal y los deben tomar quienes sigan una dieta con bajo contenido de sodio. Las personas con problemas de riñones deben evitar los antiácidos con alto contenido de calcio. Los antiácidos con calcio también pueden causar efecto rebote, lo cual genera aún más producción de ácido.

Si su remedio favorito para la acidez contiene magnesio, no tome más de la dosis diaria recomendad, y no lo use durante más de una semana sin la aprobación de su médico. De otro modo, podría acumular niveles mortales de magnesio en su cuerpo. Las personas mayores son especialmente vulnerables. Los riñones excretan el magnesio hacia el exterior del cuerpo y la función del riñón disminuye con la edad.

Los signos de este efecto colateral peligroso son presión arterial baja, debilidad muscular, mareos, confusión, alteraciones en la frecuencia cardiaca, náuseas y vómitos.

Además de verificar si su antiácido contiene estos ingredientes, considere cambiar del tipo líquido a la presentación en tabletas.

Aunque muchas personas piensan que los antiácidos líquidos funcionan mejor que las tabletas, la evidencia científica afirma lo contrario.

Investigadores de Oklahoma se sorprendieron al descubrir que en realidad las tabletas proporcionan alivio mayor y más duradero que los antiácidos líquidos. Un estudio en 65 pacientes con acidez reveló que las tabletas Tums E-X y las tabletas Mylanta de fuerza doble controlaban mejor la acidez que los antiácidos líquidos Mylanta II y Maalox con fuerza extra.

Las tabletas funcionaban mejor en la reducción de los niveles de ácido del esófago y reducían el número de veces que el estómago devolvía los jugos gástricos hacia la tráquea. En realidad, dos horas después de tomar el medicamento, sólo quienes habían usado los antiácidos líquidos seguían con acidez.

Las tabletas se mezclan con la saliva para formar una sustancia gomosa que se adhiere mejor y por más tiempo al esófago, que el medicamento líquido. Además, el acto de masticar las tabletas puede extraer los antiácidos naturales hacia la saliva.

Bayas deliciosas que combaten el cáncer

Una nueva investigación muestra que usted puede tener otro aliado en la lucha contra el cáncer de esófago, y un aliado — delicioso en los frambuesas negras.

En hallazgos recientes, los animales cuya dieta contenía 5 por ciento de frambuesas negras desarrollaron un 39 por ciento menos de tumores, cuando se les inyectaron agentes cancerígenos. Cuando la cantidad de frambuesas negras se aumentó al 10 por ciento, la presencia de tumores disminuyó en un 49 por ciento.

Los médicos piensan que un antioxidante presente en las bayas, llamado ácido elágico, es el principal responsable de estos resultados sorprendentes. El ácido elágico ataca a las moléculas dañinas que pueden generar crecimientos cancerosos. Otro antioxidante presente en los frambuesas negras es la vitamina C, que también podría prestar su ayuda.

Otras fuentes de ácido elágico incluyen las fresas, las fruta de la uva, y nueces.

Una hierba poderosa para un estómago revuelto

Cuando piensa en manzanilla, quizá venga a su mente una cosa — el té. Pero la verdad es que la manzanilla no sólo es buena para preparar té, sino que se ha usado durante siglos para tratar una gran variedad de dolencias. Los antiguos egipcios usaban manzanilla para tratar todo, desde la ansiedad hasta el insomnio, pasando por los mareos, la laringitis y afecciones cutáneas.

En la actualidad, esta hierba maravillosa se conoce por sus efectos para aliviar las náuseas, los calambres estomacales y los gases. También se utiliza como aditivo en productos cosméticos y de salud.

El contenido elevado de flavonoides de la manzanilla la hace propicia para combatir el cáncer. Algunas investigaciones sugieren que esta pequeña flor ayuda a disminuir el crecimiento de las células cancerígenas. Uno de los ingredientes activos de la manzanilla es un antioxidante poderoso que reduce la inflamación.

Beber té de manzanilla es la manera más popular de disfrutar de sus beneficios. La dosis recomendada es una taza de agua hervida con dos o tres cucharadas de flores secas o frescas, remojadas durante 10 minutos. Esta infusión se puede beber hasta tres veces por día.

Con más y más expertos de la salud al tanto de los beneficios de la medicina a base de hierbas, podría comprobarse en poco tiempo que la manzanilla posee las propiedades curativas integrales del siglo.

Hemorroides

Ocho cosas que puede hacer para encontrar alivio

Aunque la mitad de los adultos de 50 años tiene hemorroides, esto no significa que usted deba ignorarlas.

Estas venas inflamadas pueden aparecer dentro del recto o abultarse fuera del ano. Ambas clases pueden producir comezón y dolor, y también pueden sangrar.

No hay razón para vivir con el dolor. Déles una oportunidad a estos remedios naturales, pero si su afección empeora, si no mejora en siete días o si se produce sangrado, consulte a su médico.

Defiéndase con la fibra. La primera manera de evitar y tratar las hemorroides es agregar fibra a su dieta. La fibra evitará la constipación, ablandará las deposiciones y aliviará la presión sobre las hemorroides.

Intente consumir alrededor de 25 a 30 gramos de fibra por día. Algunas buenas fuentes de fibra son el salvado, los alimentos integrales, las papas, las alubias y las frutas frescas. Para acelerar las cosas, coma más vegetales como zapallo, trigo, chirivía, coles de Bruselas, coliflor, arvejas, espárragos, zanahorias y la col.

Los alimentos bajos en fibra sólo desacelerarán el proceso y complicarán las deposiciones. Evite el helado, las bebidas dulces, el queso, el pan blanco y la carne vacuna. Además, algunas personas descubren que ciertos alimentos, como el café, los frutos secos y las comidas picantes, empeoran los síntomas de las hemorroides.

Tome un baño de asiento. Si sus hemorroides están inflamadas, darse un baño de asiento con agua tibia y con las rodillas levantadas, aliviará mucho el dolor. Pruebe con tres baños de 15 minutos por día para aliviar esos síntomas incómodos. No caliente demasiado el agua, ni agregue nada como un baño de burbujas o sales Epsom, — estos pueden irritar las venas inflamadas. Puede relajarse en su tina de baño o comprar los baños de asiento en su farmacia, a un precio muy razonable.

Practique modales del cuarto de baño. El exceso de esfuerzo durante el movimiento intestinal es una de las causas principales de las hemorroides. Para evitarlo, lleve una banqueta al cuarto de baño y ponga los pies sobre ella. Si no tiene una banqueta, puede usar cualquier cosa que eleve sus pies algunas pulgadas.

Intente lubricar el área, por dentro y por fuera, con vaselina falsa (sin petróleo). Encontrará que el movimiento intestinal es menos irritante.

Y aunque no se puede apurar el proceso, tampoco debe quedarse sentado demasiado tiempo. Disfrutar su revista favorita durante más de unos minutos aumenta la presión en las venas del recto. Cuánto más tiempo pase sentado, más se inflamarán las venas.

Por último, pero no menos importante, límpiese bien. Si el área está demasiado sensible después de un movimiento intestinal, se debe limpiar con un pañuelo descartable suave o para bebés, en lugar del papel higiénico regular.

Elimínelo. Entre seis y ocho vasos de líquido se eliminan del sistema digestivo y evitan que sufra impactos. Aléjese del alcohol, porque drena el agua de su cuerpo y causa constipación.

Manténgase activo. Las hemorroides no deben restringir su rutina normal de ejercicio. En realidad, es más importante que nunca que se ejercite todos los días — por dos razones. En primer lugar, moverse en lugar de permanecer sentado quita la presión de las venas del recto. Y, en segundo lugar, el ejercicio ayuda a evitar la constipación, una de las causas principales de las hemorroides. Sólo evite levantar cosas pesadas y cualquier actividad que genere esfuerzo.

Baje de peso. El sobrepeso a menudo es una consecuencia de un estilo de vida inactivo y de una dieta inadecuada. Cambiar estos dos aspectos de su vida mejorará su salud, inclusive la afección de sus hemorroides.

Refresque el calor. Si sus hemorroides están inflamadas y duelen, tome esta situación como una excusa para descansar. Quédese en la cama durante algunas horas con una bolsa de hielo en el área anal.

Busque ayuda en productos de venta libre. Hay varias productos que puede comprar para diferentes clases de alivio hemorroidal. Los ablandadores de deposiciones son útiles, pero aléjese de los laxantes. La diarrea es tan mala para las hemorroides como la constipación. Las cremas o pomadas de uso externo para el dolor, la inflamación y la comezón por lo general contienen un lubricante para aliviar la irritación, pero la vaselina sin petróleo cumple la misma función. Si elige un producto comercial, estos son algunos de los ingredientes útiles:

- La hidrocortisona — alivia la inflamación y la comezón.
- La anestesia (benzocaína, pramoxina) — puede anestesiar el dolor.
- Los vasoconstrictores (efedrina, fenilefrina) — reducen la hinchazón y alivian la comezón.
- Los astringentes (hamamelis, óxido de zinc) — ayudan a contraer los vasos sanguíneos.
- Los contra irritantes (alcanfor) — suavizan el área.
- El gel de aloe vera — reduce la irritación.

Las marcas particulares pueden detallar otros ingredientes, como agente cicatrizantes y antisépticos, pero no se ha comprobado que todos ellos sean útiles.

Nuevo tratamiento explosivo para las hemorroides

¿Necesita alivio garantizado para el dolor de sus hemorroides? Hable con su médico acerca de la pomada con nitroglicerina.Esta crema contiene una dosis baja de nitroglicerina, casi la misma cantidad que se utiliza en las tabletas para los ataques de angina. Pero ahora los investigadores han descubierto que alivia dramáticamente el dolor de las hemorroides y de las úlceras anales, llamadas fisuras anales.

Debido a que la Administración de Drogas y Alimentos (FDA) no ha aprobado aún la pomada de nitroglicerina para esta clase de tratamiento, sólo puede adquirirla a través de su médico.

Supere el dolor con remedios a base de hierbas

Si le gusta usar tratamientos naturales , pruebe con una de estas hierbas para aliviar el dolor.

Escoba de carnicero. Esta hierba reduce la inflamación y contrae las venas.

Hamamelis. Forma una capa protectora sobre la piel, lo cual le permite curarse. Esto es importante para evitar que reaparezcan las hemorroides. También alivia la comezón y la inflamación.

Mirra. Es un antiséptico que se puede usar en las hemorroides externas.

Semillas de plátano o psilio. Se usan como laxante. Esto significa que si las toma con mucha agua, se inflarán y se moverán por su sistema digestivo con rapidez. Este proceso ablanda las deposiciones, reduce el esfuerzo de la constipación y alivia el sangre y el dolor durante los movimientos intestinales.

Hipo

Diecisiete remedios para el hipo que realmente funcionan

El hombre puede caminar en la luna y crear computadoras del tamaño de una uña, pero el hipo sigue siendo un misterio. Desafortunadamente, curarlo es igual de misterioso. Aunque algunos médicos han intentado todo desde medicamentos hasta hipnosis, estos remedios caseros antiguos funcionan igual de bien.

Cambie la presión en sus senos. Al tapar su canal auditivo, está aumentando la presión dentro de los senos. Esto podría relajar el espasmo muscular que causó el hipo.

- Tápese un oído con el dedo
- Tápese ambos oídos y beba un vaso de agua

Sea experto en masoterapia. Muchos expertos creen que la parte de su cuerpo que controla el hipo está en la zona superior de la columna vertebral, en la parte posterior del cuello. Varios de estos remedios aplican presión a los centros nerviosos que pueden estar conectados a este punto de control.

- Tire suavemente de la lengua
- Masajee los lóbulos de las orejas
- Con una cuchara, levante la úvula (tejido pequeño que cuelga en la parte posterior de la garganta)
- Pellizque su labio superior, justo debajo de la narina derecha
- Aplique presión suave a los párpados cerrados

Estimule su garganta. Los nervios de la parte posterior de la garganta pueden desencadenar el espasmo muscular que genera el hipo. Al distraer esos nervios con otra cosa, es posible detener el hipo.

- Beba agua helada
- Haga gárgaras
- Trague un poco de azúcar
- Muerda un limón
- Beba del lado opuesto del borde de un vaso con agua

Controle su respiración. La idea es interrumpir el ciclo del hipo al detener el flujo de oxígeno durante un breve período de tiempo.

- Levante las rodillas hacia el pecho, abrácelas y apriete
- Contenga la respiración
- Estornude
- Tosa
- Respire dentro de una bolsa de papel

Presión arterial alta

Tres minerales que atacan al asesino silencioso

A la presión arterial alta se la llama el asesino silencioso, porque no tiene síntomas. Muchas personas ni siquiera saben que la padecen. Si no se la trata, puede generar ataque cardíaco, apoplejía, cardiopatía congestiva, daños en los riñones y aterosclerosis.

Para que su presión arterial alta desaparezca, asegúrese de que está recibiendo suficiente cantidad de estos tres minerales "mágicos".

- **Calcio.** Este mineral que fortalece los huesos mantiene los músculos, inclusive el corazón, fuertes y funcionando de manera eficaz. También trabaja para mantener su presión arterial normal. Algunas buenas fuentes de calcio son la leche y el yogur descremados, las hojas de nabo cocidas, el salmón enlatado y el queso cottage. La mejor manera de comer alimentos ricos en calcio es en pequeñas comidas y combinaciones simples, como cereales con leche. También puede comprar suplementos de calcio. Para absorber el calcio que necesita, debe tener una cantidad suficiente de vitamina D en el cuerpo. La vitamina D se agrega a la mayoría de la leche, pero también puede obtenerla al pasar tiempo afuera. Su cuerpo produce vitamina D, cuando se lo expone al sol. Consulte a su médico, antes de decidir cuánto calcio necesita.
- **Magnesio.** Un estudio nuevo muestra que este mineral puede reducir la presión arterial. En el estudio, se trató a 60 personas que padecen presión arterial alta con un suplemento de magnesio o un comprimido falso. Después de ocho semanas, las personas que tomaban los suplementos de magnesio mostraron una reducción en la presión arterial. Cuanto más alta era la presión arterial, más descendió. Para incorporar magnesio naturalmente, coma pescado y alimentos no procesados. Los aguacates, las semillas crudas de girasol y almendras, las alubias pintas, las arvejas negras, las espinacas, las papas horneadas y el brócoli son buenas fuentes.

- **Potasio.** Cuando se trata de reducir la presión sanguínea, el potasio es un golpe poderoso. Los científicos comenzaron a estudiar los efectos del potasio sobre la presión arterial en 1928. Ahora un estudio muy importante de 300 enfermeras muestra que el potasio puede reducir la presión arterial, incluso si está dentro del rango normal. Algunas buenas fuentes de potasio son los damascos secos, los aguacates, los higos secos, la calabaza, las papas horneadas, las alubias con forma de riñón, el cantalupo, las frutas cítricas y las bananas. También puede comprar suplementos de potasio. Si está tomando un diurético, su cuerpo elimina el potasio junto con los fluidos. Consulte a su médico, si está tomando un diurético que conserva el potasio. En caso contrario, asegúrese de comer más alimentos ricos en potasio. Si padece daños en el riñón, consulte con su médicos, antes de aumentar la ingesta de potasio.

Frene la presión arterial de manera natural

La presión arterial alta lo pone en riesgo de varios problemas de salud. Por eso mantener la presión arterial controlada es un logro importante. Aquí encontrará algunas estrategias simples, pero efectivas:

- **Mantenga controlado su peso. Para las personas con sobrepeso, adelgazar es una de las maneras más efectivas de reducir la presión arterial.**
- **Coma menos grasa. Demasiada grasa y colesterol en la dieta pueden obstruir las arterias dañadas por la presión arterial y causar aterosclerosis.**
- **Controle su ingesta de sal. Si es sensible a la sal, comer menos cantidad lo ayudará a bajar su presión arterial.**
- **Ejercite con frecuencia. Esto es bueno para su salud en general, pero también ayuda a reducir su presión arterial.**
- **Deje de fumar. Una persona que fuma y padece presión arterial alta tiene de tres a cinco veces más probabilidades de morir de una cardiopatía, que un no fumador.**
- **Limite el consumo de alcohol. Incluso sin otros factores de riesgo, beber demasiado alcohol puede causar presión arterial alta. No beba más de 2 onzas de licor, 8 de vino o 24 de cerveza por día.**

Tenga cuidado con el "efecto pomelo"

El jugo de pomelo a la mañana puede ser nutritivo y delicioso, pero podría hacer que su medicamento para la presión arterial se acumule en niveles tóxicos en su cuerpo.

Los investigadores descubrieron hace años el "efecto pomelo" sobre los medicamentos, cuando les dieron jugo de pomelo a voluntarios, para ocultar el sabor de la medicación. Descubrieron que cuando se tomaba el medicamento con jugo de pomelo, éste multiplicaba la cantidad de medicación en la sangre.

Estudios posteriores descubrieron que el jugo de pomelo contiene una sustancia llamada DHB que bloquea los efectos de una enzima, que ayuda a disolver ciertos tipos de medicamentos en el cuerpo. En lugar de metabolizarse, los medicamentos continúan circulando en su cuerpo y se acumulan.

El "efecto pomelo" ha sido beneficioso para algunas personas, inclusive para receptores de transplantes. Aunque el efecto pomelo podría ayudar a hacer más efectivos algunos medicamentos, considere la recomendación de la Asociación Estadounidense del Corazón y — no beba jugo de pomelo al mismo tiempo que toma bloqueantes de canales de calcio.

Lo mismo sucede con las naranjas de Sevilla porque, como el pomelo, contienen DHB. Pero ya que es probable que sólo consuma las naranjas de Sevilla en mermeladas — y una cucharada de mermelada probablemente no contenga suficiente DHB para afectar su medicamentos — el riesgo es reducido.

Otros medicamentos que puede afectar el jugo de pomelo incluyen algunos tipos de comprimidos para dormir, antihistamínicos y ciclosporina. Consulte a su médico o farmacéutico, si el jugo de pomelo podría afectar su medicación.

El *café gourmet* acaba de mejorar

Si su idea de un buen café es una taza caliente de expreso, pero le preocupa la cafeína — relájese. La investigación más reciente prueba que el café expreso no es tan malo como usted piensa.

En realidad, una taza de 2 onzas contiene menos cafeína que una taza regular de café de filtro o instantáneo. Estos tipos de café pueden tener entre 80 y 175 miligramos (mg) de cafeína por taza, mientras que 1,5 a 2 onzas de café expreso sólo contienen de

60 a 120 mg de cafeína. Si el café expreso se hace con granos Arábica en lugar de granos Robusta, tendrá aún menos cafeína.

¿Por qué el café gourmet no contiene tanta cafeína como usted pensaba? En primer lugar, las máquinas de café expreso son rápidas. Los granos no permanecen mucho tiempo en el agua hirviendo, por lo tanto se filtra menos cafeína que en una cafetera de goteo o en café instantáneo. En segundo lugar, el tamaño en el que se sirve es más pequeño que el del café regular.

Agregue leche a su expreso y evitará un posible efecto colateral a largo plazo de la cafeína — un aumento en su necesidad de calcio.

¿Qué sucede con los populares capuchinos y cafés con leche? Sólo tenga presente que un café con leche doble contiene dos expresos. Aparte de eso, esos cafés especiales no son un gran problema en cuanto a la cafeína. Consuma poca azúcar y tome su café con leche descremada, y podrá disfrutar de su café por la mañana o después de la cena con paz de espíritu y sin temor.

Un sustito de la sal que tiene buen sabor reduce la presión arterial

Alrededor del 60 por ciento de las personas que tiene presión arterial alta son sensibles a lasal. Eso significa que cuanta más sal consume, más aumenta la presión arterial. Si es sensible a la sal, la mayoría de los médicos recomiendan que reduzca su consumo diario de sal a 2.000 miligramos (mg) por día, lo cual se traduce en alrededor de una cucharada de postre.

La mayor parte de la sal de su dieta está oculta en los alimentos procesados y en las comidas rápidas. Puede reducir mucho el consumo de sal, simplemente haciendo elecciones más saludables.

El jugo de limón, las hierbas y el vinagre balsámico son sabrosos sustitutos de la sal. También puede reducir el deseo de consumir alimentos salados, dejando de comer sal durante un tiempo. Pero si hay algún alimento que no puede tolerar sin un poco de sal, tiene suerte.

Un tipo de sal de mesa reducida en sodio puede ser la respuesta. La sal Cardia se encuentra disponible en las farmacias y por pedido en Internet y contiene menos de la mitad del sodio de la sal regular. También se ha agregado potasio y magnesio, dos minerales que las personas con presión arterial alta necesitan. Varios estudios médicos mostraron que el uso de la sal Cardia para cocinar y sazonar en la mesa puede reducir tanto la presión arterial sistólica como diastólica. Según los participantes en el estudio, hay algo que distingue a este sustituto de la sal de los demás — tiene el mismo gusto que la sal común.

El Dr. Paul K. Whelton, Decano de la Facultad de Salud Pública de la Universidad de Tulane, es uno de los médicos que llevaron a cabo el estudio de la sal Cardia. Según el Dr. Whelton, "muchas personas están justo sobre el umbral de ser clasificados como hipertensos {que padece presión arterial alta}". Para esas personas, según él, un producto como la sal Cardia marca una diferencia en el control de la presión arterial.

El Dr. Whelton y sus colegas estiman que "una reducción de 2 mm Hg en el nivel promedio de presión arterial en toda la población daría como resultado una reducción del 17 por ciento en la aparición de hipertensión, una reducción del 14 por ciento en la incidencia anual promedio y una reducción del 6 por ciento en la incidencia anual promedio de cardiopatías coronarias". Estas son grandes mejoras para un cambio tan pequeño.

Si es sensible a la sal y tiene presión arterial alta, comer menos sal es el primer paso que podría darle grandes beneficios. Consulte a su médico acerca de la sal Cardia. Podría ayudarlo a que su presión arterial vaya en la dirección correcta.

El tratamiento natural opaca al resto

La luz del sol es vital para mantener una presión arterial normal. Eso se debe a que la vitamina D, la vitamina del sol, ayuda a su cuerpo a absorber calcio, que regula la presión arterial.

Esa es la premisa que los científicos estaban investigando en un estudio reciente de 18 pacientes con presión arterial alta. Durante seis semanas, se expuso a los participantes del estudio a luz ultravioleta B o A en todo el cuerpo, durante períodos breves.

Las personas expuestas a la luz ultravioleta B presentaron una reducción significativa en la presión arterial. Esta es la misma clase de fototerapia que se efectúa sobre pacientes con soriasis, y el efecto es similar a la exposición a luz solar. Los investigadores creen que esta reducción se produjo por la conexión entre el calcio y la vitamina D.

También creen que la luz afecta directamente a la presión arterial. Los estudios han demostrado que la presión arterial tiende a elevarse, cuanto más lejos se esté de la línea del ecuador y que es más alta en invierno que en verano. También tiende a aparecer más a menudo en las personas con piel más oscura, quienes tienen más pigmento en la piel como para resistir la luz solar. Debido a que la producción de vitamina D en el cuerpo depende de la cantidad de luz solar a la que se expone, esto podría explicar tales diferencias en la presión.

Si desea una receta natural para reducir su presión arterial alta, pruebe con una pequeña dosis de luz solar. No exagere como para sufrir una quemadura de sol, pero una caminata de media hora por día bajo el sol es buena por dos razones. Obtendrá ejercicio regular, un buen tónico para la presión arterial y tendrá una dosis de vitamina D.

Esté atento al sodio en el agua

A muchas personas no les agrada el agua "dura". Está cargada con minerales, razón por la cual mancha los accesorios y no sirve para enjabonar bien. Si cree que la solución es un sistema de ablandamiento de agua, — piénselo dos veces. Este proceso elimina el calcio y el magnesio que son minerales buenos para el corazón y agrega sodio al agua.

Un estudio reciente descubrió que la cantidad de sodio en algunas aguas ablandadas podría ser suficiente para afectar la presión arterial en personas sensibles a la sal.

El estudio de Michigan analizó muestras de 59 hogares con agua de pozo ablandada. La concentración promedio de sodio en el agua era de 278 miligramos (mg) por litro (alrededor de un cuarto). El nivel de sodio en el agua de 10 de los hogares superaba los 400 mg por litro. Tenga presente que la ingesta diaria recomendada de sodio es de 2.400 mg o menos.

Algunos sistemas nuevos de ablandamiento de agua usan potasio en lugar de sodio para ablandar el agua. Si es sensible a la sal, pero no tiene problemas para manejar el potasio adicional, uno de estos sistemas podría ser una opción mejor para usted.

Impotencia

Alimentos que enriquecen su vida sexual

Su dieta puede tener un impacto muy importante en su salud sexual. Debido a que más de ocho de cada diez casos de impotencia se pueden adjudicar a causas físicas, cuidar su físico es una de mas mejores maneras de evitar que esto le suceda a usted. Todo comienza con lo que come y lo que deja en la mesa.

Olvídese dela grasa. Los alimentos ricos en grasas pueden afectar en particular su vida sexual. Demasiadas grasas saturadas y colesterol en su dieta pueden generar presión arterial alta y cardiopatías, y puede dificultar la función de los vasos sanguíneos para transportar la sangre donde debe estar durante las relaciones sexuales. En realidad, un conteo elevado de colesterol total duplica el riesgo de los hombres de ser impotentes.

En un estudio, los médicos buscaron la causa de impotencia en 3.250 hombres, de 25 a 83 años. Aquellos cuyo colesterol era más alto que 240 mg/dl tenían el doble de posibilidades de sufrir impotencia, que aquellos cuyos niveles estaban por debajo de 180 mg/dl. Tener muy poco colesterol HDL (bueno) producía el mismo resultado, elevando el riesgo de impotencia de igual manera. De manera que debe controlar lo que come y limitarse a no más de 300 mg de colesterol por día.

Y si eso no es suficiente para enviarlo a comer ensalada durante un tiempo, piense que — muchos de los medicamentos recetados para la presión arterial alta producen impotencia. No confíe en que sus comprimidos para el corazón salvarán su vida sexual.

Coma alimentos "amigables para el sexo". Los mejores alimentos que puede comer para proteger su salud sexual son aquellos que forman una dieta bien balanceada y saludable. Un cuerpo saludable que se siente bien está mejor preparado para una buena vida sexual, que uno cuyo equilibrio nutricional está fuera de control. Y aunque aún no han inventado un sándwich que lo transforme en Romeo, hay algunos alimentos "amigables para el sexo" que no debe ignorar.

- **Frutas y verduras.** Los antioxidantes presentes en la mayoría de las frutas y verduras protegen sus células del ataque de los radicales libres. Las vitaminas A, C y E son las más fuertes para detener a los radicales libres y para evitar que dañen su cuerpo, inclusive las partes que deben estar en excelente forma para las relaciones sexuales. Como ya sabe, las frutas y las verduras pueden ser lo único que jamás tendrá límites para comer, de manera que apunte su carro de compras hacia el pasillo de las verduras.
- **Fibra.** Una de mas maneras en que la fibra lo ayuda sexualmente es al recolectar el colesterol y eliminarlo de su sistema. Como mínimo 30 gramos por día de fibra proveniente de granos, cereales, frutas y verduras pueden ayudarlo a mantener al colesterol fuera de las arterias y a la presión arterial alta (y la frustración) lejos de su vida sexual.
- **Ajo.** Quizá piense que algo con aroma tan fuerte como el ajo dañaría su vida amorosa más de lo que puede ayudar, pero no es así. Algunos estudios muestran que comer sólo medio diente de ajo por día puede bajar su colesterol alrededor de un 9 por ciento. También puede ayudarlo a reducir su presión arterial y mejor flujo sanguíneo significa mejor sexo. El ajo también está disponible en forma de suplemento, en caso de que aún le preocupe su aliento.
- **Ostras** Suena como un cliché y un cuento de las abuelas. Pero la razón por la cual se las considera un afrodisíaco podría ser su contenido de zinc. El zinc es fundamental para la producción de esperma, semen y testosterona, de manera que más zinc en su dieta podría significar más encanto en su vida amorosa. Otras buenas fuentes de zinc incluyen la carne roja y la espinaca verde de hoja.

Seguir una dieta inteligente ayuda a evitar la impotencia en el futuro. Si ya padece este problema, no se avergüence de consultar al médico. Es posible un tratamiento exitoso en el 95 por ciento de los casos, pero sólo el 5 por ciento de los hombres piden ayuda. Una combinación de tratamientos, inclusive los alimentos adecuados, pueden ser justo lo que necesita para reencaminar su vida sexual.

Los ejercicios pélvicos pueden curar la impotencia

De la misma manera en que tiene músculos que le permiten caminar, hablar y respirar, también tiene músculos que afectan su capacidad para lograr y mantener una erección. En muchos casos, volver a poner en forma esos músculos puede eliminar la impotencia de una vez y para siempre.

Los ejercicios de los músculos pélvicos, llamados Kegels, están diseñados para lograr eso. Las mujeres los han practicado durante años para ayudar a afirmar los músculos vaginales, en particular después del parto. Ahora los investigadores han descubiertos que estos ejercicios también ayudan a los hombres.

En un estudio, un equipo de urólogos belgas trataron a 150 hombres que padecían impotencia. Algunos se habían sometido a cirugía y otros hicieron ejercicios Kegel. Un año después del tratamiento, el 58 por ciento de los hombres que hizo los ejercicios Kegels estaban curados por completo o estaban tan satisfechos con las mejoras, que no optaron por la cirugía.

Esta rutina desarrollada por terapeutas en el Hospital Beth Israel de Boston puede ser justo lo que necesita para recuperar el control de su vida sexual.

- Apriete sus músculos pélvicos como si intentara detener el flujo de orina. También sentirá que se contraen los músculos anales pélvicos. Mantenga la contracción durante 10 segundos, luego relájese otros 10 segundos.
- Repita este ciclo hasta 15 veces o hasta que no pueda mantener el ejercicio durante 10 segundos completos.
- Tómese algunos minutos para relajarse.
- Ahora haga una serie rápida. Apriete durante un segundo y relájese otro segundo, 10 veces seguidas.
- Haga 10 series de estos ejercicios y descanse entre cada serie.

Ahora puede hacer estos ejercicios con tanta frecuencia como lo desee o según lo indique su médico. Sea paciente y cumpla el programa y comenzará a notar los beneficios en poco tiempo.

Kegels también se puede usar para combatir otro problema frustrante — la incontinencia. Siga los mismos pasos mencionados, pero agregue esta técnica adicional.

- Al orinar, use los músculos pélvicos para detener el flujo de orina en la mitad. Repita varias veces hasta vaciar la vejiga.

Si hace esto cada vez que orina, la práctica adicional lo ayudará a fortalecer los músculos y el control. Durante las situaciones que causan pérdidas de orina, contraiga los músculos pélvicos como lo hace al practicar Kegels. En muy poco tiempo podrá evitar la mayoría de los accidentes sólo contrayendo sus músculos renovados y más fuertes.

Muerda el árbol herbal adecuado

Desde que se aprobó el Viagra, cientos de miles de hombres se han abalanzado a la farmacia buscando los pequeños comprimidos azules. Otros, preocupados por los informes acerca de las muertes relacionadas con Viagra, se han mantenido alejados. Estos hombres, y quizá usted también, preferirían una solución de hierbas que se ha usado por más de 70 años. Se llama yohimbina, pero sea prudente — ya que tiene un primo que suena igual y que podría ser mortal, si se lo toma por error.

La yohimbina es un tratamiento sólo con receta que está hecho con la corteza de un árbol africano. Antes del Viagra, era el único medicamento contra la impotencia aprobado por la Administración de Drogas y Alimentos. Aunque su eficacia en humanos nunca se ha comprobado del todo, algunos estudios mostraron que tiene posee efectos positivos en la disfunción eréctil, y que funciona mejor que el placebo en las pruebas.

Es probable que vea una solución herbaria similar, llamada yohimba, en su herboristería local. Está hecha con la misma corteza que la yohimbina, pero es mucho más peligrosa. Las reacciones a la yohimba han incluido presión arterial alta, frecuencia cardiaca irregular, vómitos, incluso parálisis y muerte, en caso de sobredosis.

Aunque la yohimbina recetada no es tan peligrosa como su prima la yohimba, causa efectos colaterales en algunas personas, entre ellos: náuseas, mareos, nerviosismo y dolores de cabeza.

De manera que si prefiere la solución herbaria para tratar la impotencia, sea cauteloso. La yohimbina con receta puede ser exactamente lo que necesita. Pero tenga cuidado con los remedios de venta libre que pueden darle más de lo que pidió.

Insomnio

Duerma profundamente sin medicamentos peligrosos

Sin importar la edad, una buena noche de sueño restaura su cuerpo y aclara su mente. Pero si usted es mayor, es posible que le cueste más dormir por la noche o volverse a dormir, si se despierta muy temprano. Los expertos estiman que hasta un cuarta de todas las personas mayores sanas sufren insomnio crónico.

Los comprimidos para dormir pueden parecer la única solución, cuando usted pasa noches incontables dando vueltas en la cama. Pero lo peor que puede hacer es recurrir a los medicamentos para aliviar su falta de sueño. Aunque pueden ser necesarios en algunos casos, a menudo hacen más daño que otra cosa.

No sabotee su sueño con medicamentos. Los comprimidos para dormir son una solución a corto plazo, porque las drogas pierden su eficacia después de algunas semanas. Mientras tanto, pueden causar diferentes efectos colaterales angustiantes, tales como mareos diurnos, sensación de resaca o pesadillas.

Los medicamentos para dormir pueden interferir con sus patrones normales de sueño y, en realidad, causar insomnio como rebote. Esto significa que cuando deje de tomarlos, su problema de sueño empeorará.

Afortunadamente, los científicos han demostrado que hay una manera mejor de dormir lo suficiente. En un estudio de investigación de personas mayores saludables con insomnio, compararon comprimidos para dormir y Entrenamiento Cognoscitivo-de Comportamiento (CBT), un programa de educación y cambios de hábitos.

En la primera parte del estudio, el sueño mejoró para todos los participantes excepto para los que tomaban el placebo, un comprimido para dormir sin ingredientes activos. Pero los seguimientos uno y dos años después mostraron que sólo el grupo de CBT siguió durmiendo mucho mejor.

La terapia cognoscitiva-de conducta puede enseñarle nuevas maneras de pensar acerca del sueño y ayudarlo a quebrar los patrones no saludables que ha desarrollado. Aquí encontrará algunas formas para poner a descansar sus problemas de sueño permanentemente.

Aprecie el sueño y mírelo con una nueva actitud. Usted ha oído que debe dormir ocho horas como mínimo por noche, de manera que no se preocupe si no llega a eso. O cree que cuanto más tiempo pasa en la cama, más descansa, de manera que da vueltas intentando obligarse a dormir. Las creencias equivocadas como estas podrían ser lo que evita que pueda disfrutar de una noche de descanso pacífico.

- No todas las personas necesitan ocho horas de sueño. La manera en la que duerme es más importante que la cantidad de tiempo que pasa durmiendo.
- Pasar mucho tiempo en la cama no lo ayuda a dormir más.
- Los patrones de sueño cambian con la edad. El sueño a la noche se interrumpe más a menudo con períodos de vigilia, y se pasa menos tiempo en sueño profundo. Pero si se siente alerta y con energía durante el día, quizá esté durmiendo lo suficiente.
- Todo lo que sale mal en el día no está relacionado necesariamente con una pérdida de sueño. Busque otras causas y qué es lo que puede hacer para cambiar las cosas.

Cambie su patrón de sueño. Intente limitar su tiempo en la cama, sólo a la cantidad de tiempo que ya está durmiendo. Esto entrenará su cuerpo para dormir y despertar según un cronograma regular.

- Si cree que duerme alrededor de seis horas por noche, aunque esté en la cama ocho, comience a pasar no más de seis horas por día acostado. Permítase como mínimo cinco horas, aún cuando piense que duerme menos.
- Cuando duerme regularmente la mayor parte de las seis horas, agregue de 15 a 20 minutos más a su tiempo en la cama, aumentando regularmente la duración de su sueño nocturno.

Aprenda nuevos hábitos nocturnos. Necesita asociar el dormitorio y el horario de dormir con el sueño, no se preocupe por dormir. Introduzca estos cambios en sus hábitos y vea si mejora su sueño.

- Espere hasta tener mucho sueño antes de ir a la cama.
- Sólo utilice el dormitorio para dormir y para tener relaciones sexuales. No use el dormitorio para leer, mirar televisión ni cualquier otra actividad — inclusive preocuparse — de día ni de

noche. Cualquier cosa que estimule el estado de alerta se debe hacer en otro lugar.

- Si no se queda dormido dentro de los primeros 15 a 20 minutos, salga de la cama y vaya a una habitación diferente hasta que vuelva a sentir sueño. Repita esto tan seguido como sea necesario, al intentar quedarse dormido. No "haga más esfuerzo". No es posible forzar el sueño.
- Levántese a la misma hora todas las mañanas, sin importar lo mucho — o poco — que haya dormido.
- Las siestas durante el día son adecuadas para las personas mayores. Pero limítelas a una hora y no duerma siesta después de las 3:00 PM.

Para obtener más ayuda, intente con un vaso de leche tibia, un masaje en la espalda o una grabación de relajación. En un experimento hospitalario, los investigadores descubrieron que las personas mayores redujeron sustancialmente el uso de comprimidos para dormir, cuando utilizaron estas alternativas más agradables.

Diez maneras naturales de terminar con las noches de insomnio

Algunas personas duermen plácidamente todas las noches. Se levantan renovados y con energía de sobra. Si usted, por el contrario, se arrastra hasta el día siguiente, no se desespere. Estos consejos lo ayudarán a terminar con las noches de insomnio y a sentirse rejuvenecido cada día.

Mantenga un cronograma de sueño regular. Espere hasta tener mucho sueño antes de ir a la cama. Pero tenga un horario regular para dejar las actividades. De esta manera establecerá un ritmo que lo ayudará a desencadenar el sueño. Y levántese a la misma hora todos los días, incluso si no durmió bien la noche anterior. Respete el cronograma también los fines de semana.

Disfrute una rutina relajante antes de ir a dormir. Tome un baño tibio y agregue un toque de esencia de lavanda, si le resulta relajante. Baje las luces y escuche música suave. No mire programas de televisión estimulante ni lea noticias perturbadoras. Y espera hasta la mañana, cuando esté renovado y descansado, para pagar las cuentas.

Haga de su dormitorio un lugar propicio y atractivo para dormir. Asegúrese de tener una almohada y un colchón cómodos. Mantenga el dormitorio oscuro — quizá con persianas o cortinas pesadas. Para evitar que se filtren sonidos molestos, puede comprar una máquina de sonido blanco o usar tapones para los oídos. La mayoría de la gente dice que duerme mejor en una habitación fresca, pero manténgala a la temperatura que sea cómoda para usted.

Haga ejercicio, pero no dentro de algunas horas antes de dormir. Por lo general, las personas que hacen ejercicio regularmente se queden dormidas con más facilidad. Algunas investigaciones del sueño parecen mostrar que la tarde es el mejor momento. Pero que sea temprano. Si hace ejercicio demasiado cerca de la hora de ir a dormir, puede estimularlo en lugar de relajarlo.

Limite la cafeína, el alcohol y la nicotina. No tome más de dos tazas de café por día, ninguna después del mediodía. Y limite el té, las bebidas de cola y el chocolate. También contienen cafeína.

El alcohol facilita el sueño, pero luego aparece la vigilia. De manera que no debe tomar por la noche, si realmente desea dormir bien. Y la nicotina es un estimulante, por eso no debe fumar antes de ir a dormir o durante la noche.

Evite una cena abundante antes de la hora de dormir. Un sistema digestivo ocupado puede interferir con un sueño pacífico. Debe evitar en especial los alimentos muy condimentados a la noche.

Pero un vaso de leche tibia puede ser justo lo que necesita. Incorporará calcio y magnesio, dos minerales importantes para la producción de melatonina, que controla su ciclo de sueño.

Disfrute una taza de té de valeriana. Para lograr una infusión relajante, agregue dos cucharadas de postre de raíz seca de valeriana, en una taza de agua hirviendo. Parece funcionar mejor para el insomnio en las personas mayores. Con el uso ocasional no parece producirse ningún efecto colateral.

No mire el reloj durante la noche. Es mejor no saber cuánto tiempo ha dado vueltas. Si se preocupa por eso, le costará aún más quedarse dormido. Y si el ruido o el dial luminoso del reloj le molestan, sáquelos de la habitación.

Pase más tiempo en el exterior, bajo el sol de la mañana. Podrá dormir mejor por la noche, si recibe luz del sol a primera hora de la mañana. El sol de la mañana aumenta el nivel de melatonina en el cuerpo. Esta hormona ayuda a regular el ciclo del sueño naturalmente.

Practique relajación gradual. Si está demasiado tenso como para dormir, intente relajar los músculos, un grupo por vez. Comience con los dedos de los pies, siga hacia arriba — pies, pantorrillas, muslos, abdomen, caderas y así — hasta llegar el cuero cabelludo. Al llegar a ese punto, debería estar relajado y listo para dormir.

Si desea estar en su mejor forma durante el día, asegúrese de tener calidad de sueño todas las noches. Con estos nuevos hábitos para dormir, pronto estará teniendo dulces sueños.

Cómo dominar al insomnio en vacaciones

Ha soñado con unas vacaciones de verano en las Montañas Rocallosas y de pronto, ahí está. Ahora todo lo que necesita es una buena noche de sueño y estará listo para lanzarse a nuevas aventuras. Pero ya pasó la medianoche y está completamente despierto.

Ajustarse a la altitud. No es sólo su entusiasmo. Las alteraciones del sueño son comunes en grandes altitudes — al menos al comienzo. Puede ser a causa del oxígeno menos denso, que genera cambios en la respiración. A medida que asciende, es más probable que se sienta afectado.

Quizá deba cambiar sus planes y comenzar más despacio. Reducir sus actividades a media jornada durante los primeros días ayudará a su cuerpo a adaptarse a la nueva altitud. La mayoría de las personas se adaptan por completo a nuevas altitudes dentro de dos o tres semanas.

Enfóquese en un nuevo ciclo de sueño. Si viene de otra zona, es posible que sufra el síndrome de los husos horarios. Esto sucede porque su cuerpo sigue en un ciclo de sueño, que no está sincronizado con el sol en la nueva ubicación.

Se adaptará mejor si come, se va a dormir y se levanta según el horario nuevo apenas llega. Y salga al exterior durante el día. La luz del sol ayudará a que su reloj biológico cambie más rápido, en tanto que si se queda adentro, empeorará su síndrome de husos horarios.

Prepárese para lo desconocido. Para que sus primeras noches lejos de casa sean menos estresantes, pruebe con estos estimulantes de comodidad.

- Lleve algunos objetos favoritos con usted — como su almohada o algunas fotografías familiares. Harán que el entorno parezca más familiar.
- Antes de irse a dormir, ajuste las cortinas para evitar que entre la luz.
- Sintonice la radio entre estaciones para lograr "ruido blanco" estático que bloquee los sonidos extraños.

Con algunos ajustes — y un poco de tiempo — las alteraciones del sueño no interferirán con su diversión en vacaciones.

Síndrome del intestino irritable

Nuevo alivio para el síndrome del intestino irritable

Durante muchos años, los médicos recomendaban comer salvado para liberarse de los síntomas dolorosos del síndrome del intestino irritable (SII) y para facilitar la digestión. Pero la investigación sugiere que el salvado puede no ser el mejor remedio para su problema. En realidad, algunos hallazgos indican que hay 5 veces más probabilidades de que haga daño, en lugar de ayudar.

El SII es una afección difícil de diagnosticar, porque los expertos no saben qué la causa, y muchos de sus síntomas imitan otra afecciones. Una persona puede sufrir de inflamación leve y gases, en tanto que otra experimenta calambres graves, diarrea o constipación. Pero si usted es como la mayoría, quizá siga el consejo de los médicos y nutricionistas que le indicaron que incluya en su dieta mucho salvado y otros granos ricos en fibra. Y es probable que termine con un intestino más irritable que nunca.

Elija los alimentos adecuados. En lugar de salvado y otros granos, intente incorporar fibra a través de fuentes más suaves como frutas y verduras cocidas. Los investigadores han descubierto que estas producen mejores resultados con muchas menos posibilidades de dolor abdominal y alteraciones intestinales. El psilio, la cáscara de las semillas seca de cierto tipo de plátano, es otra manera natural de ayudarlo a regularse. Se puede conseguir en productos de venta libre como el Metamucil.

Pruebe con una dieta de "exclusión". Si comer fibras parece hacer más daño que bien, intente con esta dieta especial que alivió los síntomas de los pacientes de SII en un estudio británico. Los investigadores descubrieron que los síntomas mejoraron para aquellas personas cuyas dietas excluían la carne vacuna, los productos lácteos y todos los cereales, excepto el arroz. También es necesario reducir el consumo de levadura, frutas cítricas, bebidas con cafeína y agua del grifo. Pruébelo durante dos semanas y vea de qué manera responde su cuerpo.

Los investigadores británicos creen que ciertos alimentos ricos en fibra causan fermentación adicional en los intestinos, lo cual conduce a más gases e incomodidad intestinal. La fermentación también puede producir otros químicos que afectan los intestinos o el sistema nervioso. Al restringir su dieta, debería producir menos gases, lo cual lo ayudará a aliviar los síntomas.

Controle su estrés. Al reducir el estrés en su vida, es probable que su sistema digestivo también mejore. Su sistema es muy sensible al estrés, y muchos creen que el estrés y las actividades que ponen a prueba su cuerpo en general, son particularmente agresivas con sus intestinos. Pruebe con ejercicios o meditación para ayudar a controlar sus síntomas de SII.

Lleve un diario. Aunque la mayoría de los médicos no creen que las alergias a los alimentos produzcan SII, se sabe que la sensibilidad a las comidas sí lo hace. Una buena manera de determinar qué alimentos pueden causarle molestias adicionales, es llevar un diario de SII. Cuando experimente síntomas, registre lo que ha comido recientemente y sus actividades, además de cualquier tipo de estrés que esté sufriendo. Al llevar este diario, podrá ver los patrones que se van formando y logrará evitar otros brotes al evadir sus causas.

Los diez sanadores a base de hierbas más importantes para el dolor del SII

Si cambiar sus hábitos alimenticios no alivie su incomodidad, es tiempo de medidas alternativas. Pruebe con estas hierbas para ver si pueden ayudarlo a calmar alguno de sus síntomas dolorosos.

Aceite de menta. Puede no parecer una solución calmante, pero muchas personas que padecen SII, así lo atestiguan. En una prueba hospitalaria reciente, los pacientes que tomaron cápsulas de aceite de menta 15 a 30 minutos antes de las comidas, sintieron una reducción del 80 por ciento en los síntomas, inclusive el dolor abdominal y la distensión, los ruidos estomacales y flatulencia.

Al tragar una cápsula especial con recubrimiento entérico, puede estar seguro de que se disuelve en sus intestinos, donde tendrá efectos positivos, y no en su estómago, donde podría producir más irritación. Pruebe tomando uno o dos cápsulas de 0,2 mililitros (ml), tres veces por día, entre las comidas.

Manzanilla. Se ha comprobado que esta hierba ofrece alivio calmante a los síntomas de SII. Para aliviar los calambres y la irritación intestinal, puede hacer reposar las flores secas y beberlo como té, o mezclar una tintura con base de alcohol demanzanilla y agua caliente. Algunos expertos en hierbas recomiendan beberla de una forma u otra, entre tres y cuatro veces por día, entre las comidas.

Linaza. Esta semilla se ha utilizado como laxante durante siglos. Su alto contenido de fibra es un beneficio adicional para todo el sistema digestivo. Para ayudar con la constipación, los gases y el colon inflamado de SII, mezcle una cucharada de postre de linaza entera o machacada en 150 ml de líquido y bébala de dos a tres veces por día. Puede espolvorear un poco de linaza en sus cereales o en la ensalada, para agregar un saludable sabor a nueces.

Dolor en las piernas

Domine el dolor en las piernas

Una de las interrupciones más dolorosas y frustrantes a una buena noche de descanso o a una caminata por la tarde, es un calambre repentino. Desafortunadamente, los calambres en las piernas son muy comunes y los pueden causar problemas en la dieta, la rutina de ejercicio o los patrones de sueño. Las buenas noticias son que, la mayoría de los dolores en las piernas, se trata fácilmente, y se evitan aún con más facilidad.

Beba mucho líquido. La deshidratación es quizá la causa número uno de los calambres. Cuando su cuerpo pierde demasiada agua, tiene una tendencia a avisarle, y los calambres son una manera de hacerlo. Para estar un paso adelante de los calambres, asegúrese de beber como mínimo, ocho vasos de agua por día.

Controle su conteo de minerales. Una dieta adecuada es una gran salvaguardar contra los calambres y otras formas de dolor en las piernas, y varios minerales clave formarán su línea de defensa. Si el dolor en las piernas es un problema para usted, prestar atención a estos minerales le asegurará que los calambres no tenga oportunidad de atacarlo.

- **Potasio.** Probablemente escuchó que las bananas son una buena fuente de potasio. Pero si realmente desea obtener su ración de este mineral importante, pruebe con una taza de damascos o higos secos, o un aguacate rico y maduro. Cada uno de ellos posee más de 1.000 miligramos. El potasio también está disponible en forma de suplemento, como los otros minerales importantes anti-calambres.
- **Magnesio.** Mantenga sus reservas de magnesio con algunas almendras o castañas, damascos, granos integrales, granos de soja o verduras de hoja verde oscura.
- **Calcio.** Lo que es bueno para los huesos es bueno para los músculos, de manera que beba leche. El yogur y otras formas de productos lácteos también funcionan, por supuesto, al igual que las arvejas secas y las alubias, y las verduras de hojas verdes oscuras.

Pruebe con untónico. Las altas dosis de quinina pueden reducir los calambres nocturnos en las piernas, pero también puede provocar efectos colaterales atemorizantes. Por esta razón, la FDA ha prohibido los comprimidos de quinina de venta libre y recetados, para tratar los calambres en las piernas. Pero puede encontrar alivio, si bebe una taza de agua tónica antes de ir a dormir. Un vaso de 8 onzas contiene 27 miligramos de quinina, lo suficiente para dominar los calambres musculares en algunas personas. Si le resulta muy amarga, mezcle el agua tónica con jugo de limón o denaranja.

¿Qué sucede si un calambre se filtra a través de sus defensas? No se desespere. Siga estos pasos sencillos para liberar a sus músculos de este huésped que no ha sido invitado:

- **Mantenga abajo la zona afectada.** Apenas sienta que aparece un calambre, baje esa parte de su cuerpo a un nivel por debajo del resto. Esto mantiene a la sangre circulando con más libertad hacia el área acalambrada. Si el calambre aparece de noche, sólo deje su brazo o pierna colgando, al costado de la cama.
- **Aumente el calor.** Agregar algo de calor a la situación puede ayudarlo a aliviar el dolor. Mantas, baños calientes y almohadillas térmicas pueden funcionar, pero tenga cuidado de que — demasiado calor no expanda sus vasos sanguíneos, lo cual empeoraría los problemas circulatorios.
- **Haga flexiones.** Cuando llegue el calambre, no sostenga el área afectada ni la masajee. En cambio, siéntese y haga flexiones. Ya habrá tiempo más tarde para masajear el músculo dolorido, pero ahora, lo mejor para el músculo es detener el espasmo. Siéntese en la cama, estire la pierna, tome el empeine y estírelo hacia usted. Mantenga la pierna en esa posición hasta que se haya relajado el calambre. Practicar este movimiento de flexión todos los días — con o sin calambre — lo ayudará a mantener los músculos de las piernas en forma y a reducir las posibilidades de sufrir un calambre doloroso.

Defensa sin esfuerzo contra los calambres

Dicen que una onza de prevención, vale una libra de curación. Esto puede o no ser cierto, pero en el caso de los calambres, muy poca preparación es mejor que despertarse a las 2:00 AM con las piernas incendiadas. Use esta técnica especial de elongación para mantener los músculos de sus pantorrillas flexibles y sin dolor.

Descalzo, párese a dos o tres pies de distancia de una pared. Coloque las manos planas sobre la pared, inclínese hacia adelante, con cuidado de mantener la espalda y las piernas derechas y los talones contra el suelo. Si lo está haciendo bien, sentirá el estiramiento sobre los músculos, en la parte posterior de la zona inferior de las piernas. Mantenga esta posición durante un conteo hasta 10, relájese en un conteo de 5 y luego mantenga nuevamente durante otros 10.

"Ejercitar en la pared" para obtener prevención inteligente y a la antigua tres veces al día, lo ayudará a dormir mejor por la noche, y a mantener sus músculos en mejor forma y con mayor flexibilidad.

Diga basta a las piernas doloridas

Si padece dolor en las piernas y sensación de pesadez, encontrará alivio en forma de una nuez grande y marrón, proveniente de un árbol de castaño de Indias. Esta semilla contiene una sustancia llamada escina, que mejora la circulación corporal al fortalecer el tono y la condición de las venas.

Cuando sus venas están en buena forma, la sangre se mueve con más suavidad entre el corazón y las otras partes del cuerpo. De este modo tendrá menos posibilidades de sufrir venas varicosas o retención de líquidos — dos problemas que pueden causar dolor e hinchazón en las piernas.

El castaño de Indias es un remedio a base de hierbas muy popular en Europa donde la Comisión E Alemana, similar a nuestra Administración de Drogas y Alimentos, la ha aprobado para el tratamiento del dolor e inflamación en las piernas, y problemas tales como las venas varicosas.

En un estudio, el extracto de castaño de Indias redujo la inflamación de la parte inferior de las piernas tanto como lo hicieron tratamientos más tradicionales, tales como medias de compresión y medicamentos diuréticos. Se descubrió que la hierba es más conveniente que la compresión y que no drena otros nutrientes del cuerpo, como lo hacen los diuréticos.

El extracto de castaño de Indias está disponible en las tiendas de alimentos naturales. Si desea probarlo, consulte a su médico para que él determine si sus piernas inflamadas y con dolor son síntomas de una afección más grave. Podrían ser una señal de alerta que anuncia problemas hepáticos o de riñón, cardiopatía o embarazo.

Cáncer de pulmón

Combata el cáncer de pulmón con conocimientos nutricionales

Incluso si no fuma, puede padecer cáncer de pulmón. Pero los expertos afirman que si come más frutas y verduras y reduce las grasas, tiene una posibilidad de luchar para evitar esa enfermedad.

En especial las zanahorias contiene un beneficio protector contra el cáncer de pulmón, según un estudio del Instituto Karolinska de Suecia. Los investigadores dicen que es porque poseen un alto contenido de caroteno, un nutriente que su cuerpo convierte en vitamina A. Es un antioxidante poderoso que lucha contra el daño de los radicales libres en su cuerpo — el tipo que causa el cáncer.

Para incorporar la mayor cantidad de beta caroteno a su dieta, elija verduras con colores profundos y oscuros como:

- Frutas — damascos secos, mango, cantalupo y zapallo
- Vegetales — zanahorias, batatas, tomates, espinaca, brócoli, hojas de berza y perejil

Si le resulta difícil incluir estos alimentos en su menú, no se desespere. Mientras que el Instituto Nacional del Cáncer recomienda cinco porciones diarias de frutas y verduras para un máximo de salud, los investigadores han descubierto que comer sólo una porción y media por día, puede reducir su riesgo de cáncer de pulmón en un 40 por ciento. Ese es un gran beneficio para un esfuerzo tan pequeño.

Y no se preocupe, si prefiere los vegetales cocidos en lugar de crudos. Ahora los científicos dicen que está bien usar la sartén y la cacerola, porque las verduras cocidas no son tan malas como creíamos. En un estudio que compara las zanahorias y la espinaca cocidas con los mismos vegetales crudos, las personas absorbían más beta caroteno saludable de las verduras procesadas.

Al mismo tiempo que disfruta más frutas y verduras, no se olvide de reducir el consumo de alimentos grasos. Si su dieta está cargada con grasas saturadas, tiene cinco veces más probabilidades de desarrollar cáncer de pulmón que una mujer que come pocas grasas.

Aprenda a elegir alimentos con bajo contenido de grasas — lea las etiquetas, coma pollo o pescado, y prefiera quesos descremados y otros productos lácteos. Respirará más tranquilo al saber que sus elecciones saludables también ayudan a sus pulmones.

Reduzca el riesgo de cáncer con la superestrella de los minerales

Un nutriente muy humilde puede jugar un papel protagónico en la lucha contra el cáncer de pulmón. Un estudio reciente del Instituto Nacional de Salud Pública de Finlandia descubrió que el riesgo de desarrollar cáncer de pulmón es mayor, si el cuerpo tiene bajo contenido de selenio. Otros estudios han mostrado que este mineral traza antioxidante no sólo disminuye el riesgo de cáncer de pulmón, sino que también beneficia a casi todas las partes del cuerpo.

Sin embargo, no se apresure a comprar suplementos de selenio, ya que algunas personas en países desarrollados tienen deficiencias en este nutriente e incorporar demasiado, podría resultar tóxico. Si come una dieta normal con muchos alimentos no procesados, debería estar bien. Encontrará selenio en muchos granos, frutos secos y vegetales; la carne, en especial en los órganos como el hígado de vaca; y en los mariscos.

Té verde — ¿la respuesta para el cáncer?

¿Por qué los japoneses tienen una tasa inferior de cáncer de pulmón, comparados con los estadounidenses, incluso cuando fuman el doble de la cantidad de cigarrillos? La respuesta está en el fondo de una tacita de porcelana.

El té verde es la bebida tradicional de muchos países orientales, inclusive Japón, donde la tasa de cáncer es mucho más baja que en el mundo occidental. Los científicos creen que existe una conexión.

El té verde (y en menor medida el té negro) contiene antioxidantes fuertes que se llaman polifenoles, que detienen el crecimiento y la expansión de los tumores malignos y combaten el cáncer que ya se ha formado. Incluso pueden matar células cancerígenas sin afectar a las células sanas. Esto significa que si padece cáncer, los polifenoles pueden ayudarlo a vivir más.

Existe evidencia convincente acerca de que el té verde no sólo protege contra el cáncer de pulmón, sino también contra otras clases de cáncer como el cáncer de piel, de estómago, de colon, de mamas, de esófago, gastrointestinal, hepático y pancreático. Quizá la noticia más alentadora es que se pueden notar resultados positivos, sin importar el momento en que se comience a tomarlo. En algunos estudios, el té atacó el crecimiento del cáncer de estómago, incluso durante las últimas etapas de desarrollo.

¿Es necesario beber galones de té para recibir algún beneficio? Los expertos dicen que no. Pero no están de acuerdo en cuanto a una cantidad mágica, porque los diferentes estudios han arrojado resultados diversos.

- Los investigadores de la Universidad de Purdue afirman que se necesita una taza por día para recibir suficiente cantidad del compuesto anticancerígeno, como para marcar una diferencia.
- Otros estudios dicen que tan poco como una taza por semana reducirá en un 50 por ciento el riesgo de desarrollar cáncer de esófago (el tubo que transporta los alimentos desde la garganta hacia el estómago). Beba té verde una vez por semana durante seis meses o más y habrá reducido en un 30 por ciento el riesgo de cáncer de estómago.
- Si realmente desea aumentar sus posibilidades, un estudio del Centro Saitama para la Investigación de Cáncer en Japón indica que 10 tazas por día pueden retardar la aparición de cáncer más de ocho años en las mujeres y tres años en los hombres.

Puede parecer confuso, pero la realidad es que — incluso pequeñas cantidades de té verde parecen ayudar, de manera que sería inteligente de su parte incluir esta bebida en su rutina diaria. Si no le agrada el sabor, pruebe con suplementos. La mayoría de las tiendas de alimentos naturales tienen cápsulas de té verde que contienen extractos estandarizados de polifenoles, los antioxidantes que le otorgan sus poderes curativos al té verde.

También puede restringirse al té negro, si está acostumbrado a tomarlo. Las hojas provienen de la misma planta que el té verde, pero se procesan durante más tiempo y se le permite la fermentación, que destruye algunos de los polifenoles. Sin embargo, los investigadores descubrieron que este tipo de té también reduce el riesgo de ciertos cánceres.

Sin importar la clase de té que beba, al tomarse un tiempo cada día para "tomarse un té", disfrutará una manera tibia y relajada de mejorar su salud.

Degeneración macular

Combata la enfermedad ocularcon un arco iris de alimentos

Un buen sentido de la vista le permite apreciar los colores de un arco iris y quizá lo ayuden a encontrar la olla de oro proverbial. Pero sus ojos se pueden enriquecer aún más, si en cambio llena una olla con frutas y verduras doradas — y anaranjadas, rojas y verdes.

Los alimentos con colores vivos que contienen los carotenoides luteína y zeaxantina, pueden reducir en un 43 por ciento el riesgo de desarrollar degeneración macular relacionada con la edad. Esta afección ocular es la causa principal de ceguera en las personas de más de 65 años. Seguramente querrá asegurarse una visión aguda comiendo alimentos con esos tonos saludables.

Una investigación previa promocionaba a las verduras de hoja verde como la mejor fuente de carotenoides, para ayudar a protegerse contra la degeneración macular. Sin embargo, un estudio reciente descubrió que el maíz contiene el mayor porcentaje de luteína, en tanto que los pimientos anaranjados son la mejor fuente de zeaxantina. Para obtener ambos carotenoides a la vez, coma kiwis, uvas rojas sin semillas o calabacines.

O coma un huevo. Resulta que la yema de huevo es la mejor fuente tanto de luteína como de zeaxantina. Los investigadores sugieren que si ha dejado de comer huevos en el pasado, debería reconsiderarlo. No son sólo buenos para la vista, sino que no son tan dañinos para las arterias como los expertos pensaban en el pasado. Pero para estar seguros, si aumenta el consumo de huevos, puede ser bueno reducir una cantidad equivalente de grasas saturadas en otro producto de su dieta. Intente comer menos carne o productos lácteos enteros.

La Asociación Estadounidense del Corazón sigue recomendando limitar el consumo de huevos a tres o cuatro por semana. Es mejor no cocinarlos en grasa. Puede hervirlos o hacerlos pasados por agua o prepararlos en una sartén apenas rociada con aerosol no graso.

Asimismo, los estudios demuestran que las vitaminas antioxidantes C y E y el mineral selenio pueden proteger su visión de la degeneración macular. El licopeno, otro carotenoide que se encuentra en abundancia en la salsa de tomate, también ha tenido resultados positivos en estudios anteriores. Enfatice el consumo de frutas y verduras coloridos en su dieta y estará incorporando un buen suministro de todos estos nutrientes protectores.

Menopausia

Piense en "natural" para tener una transición suave

A la menopausia a veces se la llama "el cambio de la vida". Entre los 40 y los 50 años, muchas mujeres descubren que no sólo su cuerpo cambia, sino que también lo hacen sus vidas personales.

Síntomas molestos, como insomnio o sofocos, a menudo aparecen cuando comienza la menopausia. Estos varían en intensidad y ceden gradualmente.

"Claramente, no todas las mujeres experimentan la menopausia de la misma manera", afirma Constance Grauds de San Rafael, California, farmacéutica registrada. "En tanto que del 75 al 80 por ciento de las mujeres menopáusicas experimentan uno o más síntomas físicos, sólo entre el 10 y el 35 por ciento se sienten tan afectadas como para consultar al médico."

Además, las afecciones que potencialmente podrían poner en riesgo la vida, como la osteoporosis y las cardiopatías, están esperando para emboscarla. Algunas mujeres eligen tomar hormonas como una manera de reducir estos peligros. Otras buscan maneras diferentes de facilitar la transición, debido a los efectos colaterales de la TRH.

Sofocos. No a todas las mujeres les resultan incómodos esos súbitos "aumentos de energía". Grauds dice: "Si los sofocos le molestan, relájese y disfrute el calor, ya que no son intrínsecamente dañinos para el cuerpo". Pero si desea evitarlos, Grauds recomienda comer alimentos ricos en calcio. También se deben incluir la vitamina E de los granos integrales, los aceites prensados en frío, las verduras de hoja verde y algunos frutos secos — como las almendras, por ejemplo. También es posible que desee evitar todo lo que eleve la temperatura del cuerpo como el café, el alcohol y las especias picantes. Y si fuma, también deberá dejar de hacerlo. Un estudio reciente del Centro Médico de Asuntos de Veteranos de Baltimore descubrió que las mujeres fumadoras tienen más riesgo de tener sofocos, que las no fumadoras.

Exceso de agua. Si evita los alimentos salados y bebe más líquidos, podría evitar la hinchazón, la sensibilidad y la depresión que aparecen con la retención de líquidos. También debe comer alimentos con altos contenidos de agua, como melón, apio y frutas. Beba té de hierbas de barbas de maíz u hojas de diente de león por su efecto diurético.

Sequedad vaginal. Algunas mujeres experimentan este problema durante aproximadamente un año en el comienzo de la menopausia. Puede ser doloroso, si el revestimiento vaginal se inflama. "Puede ayudarse naturalmente," afirma Grauds, "comiendo alimentos con alto contenido de vitamina E y bebiendo mucho líquido."

Insomnio. Puede elegir entre un gran número de hierbas para ayudarlo a conciliar el sueño. Por ejemplo, podría relajarse con una taza de té de valeriana o de flor de la pasión. "Algunas mujeres sienten alivio para el insomnio con lúpulo, manzanilla, bálsamo de limón, avena — cataria e incluso hierba de San Juan", dice Grauds. Puede encontrarlas como hierbas secas, tinturas o cápsulas.

Osteoporosis. La osteoporosis es una afección que quizá comenzó, cuando era una adolescente. Durante esos años de adolescencia, usted se preparó para la calidad ósea que tendrá como un adulto maduro. Considérese afortunada, si su madre la hacía beber mucha leche. Eso significa huesos más fuertes y una mejor chance de evadir los efectos incapacitantes de la osteoporosis. Sin embargo, aún si no creció bebiendo mucha leche, no todo está perdido. Puede comenzar a fortalecer sus huesos hoy. La palabra clave es calcio.

El Consejo Nacional de Investigación ha determinado que una mujer pre-menopáusica saludable necesita entre 1.000 y 1.200 mg de calcio por día. Si es posmenopáusica, necesita hasta 1.500 mg de este mineral que fortalece los huesos. Hay mucho calcio suficiente para todos. Por supuesto, es mejor obtenerlo de fuentes naturales: alimentos lácteos, mariscos como las ostras y las sardinas y vegetales como la col y las hojas de la remolacha. Pero si siente que no puede comer tanto calcio, puede recurrir a los suplementos.

Debido a la reducción de estrógeno durante la menopausia, quizá aumente de peso. Es un hecho triste para la mayoría de las mujeres, pero es simplemente la reacción del cuerpo ante al cambio en las hormonas. Tener más actividad física la ayudará a evitar este problema. Tenga cuidado de hacer dieta en esta etapa. Como mínimo, un estudio indica que la pérdida de peso en las mujeres posmenopáusicas aumenta significativamente la pérdida ósea, y eso implica un riesgo más elevado de osteoporosis.

Cardiopatía. Durante y después de la menopausia, tendrá más riesgo de desarrollar cardiopatías que en cualquier otro momento de la vida. Al ajustar la dieta, puede despedirse de esta preocupación y realmente disfrutar sus años dorados.

Una alimentación saludable para el corazón es simple — pocas grasas, mucha fibra. Pero un estudio ha mostrado que este consejo quizá se deba modificar para las mujeres posmenopáusicas. Aparentemente una dieta rica en carbohidratos y baja en grasas aumenta los factores de riesgo de cardiopatías para estas mujeres. Reemplazar la grasa saturada por la clase monoinsaturada y poliinsaturada que se encuentra en los aceites de oliva, de canola, vegetal y de soja puede funcionar mucho mejor que agregar más carbohidratos a su dieta.

Disfrute la cafeína con moderación

Todos los fanáticos del café, que simplemente deben tomar su taza matutina, pero temen los riesgos para la salud, ahora pueden relajarse. Un poco. Lo que antes se sabía a partir de varios estudios es que beber cafeína, en especial más de dos o tres tazas por día, causaba pérdida de masa ósea en mujeres posmenopáusicas, si incorporaban menos de 800 mg de calcio por día.

Sin embargo, un estudio nuevo y controlado con más cuidado encontró que esto no es cierto. Incluso aquellas mujeres que bebían ocho o más tazas de café por día, no mostraban cambios en la densidad ósea. Por supuesto, la cafeína puede afectarla de otras maneras, por lo cual es mejor limitar la cantidad que se ingiere. Si es una mujer posmenopáusica saludable a quien le agrada una taza de café por la mañana, disfrútela. Pero asegúrese de tomar la cantidad de calcio recomendada y apague la cafetera después del desayuno.

Deje salir el aire de los sofocos

A la mayoría de las mujeres se las ha condicionado a pensar "ocultar el estómago, sacar pecho" desde que eran jóvenes que deseaban atraer algunas miradas. Pero si está soportando las incomodidades de la menopausia, quizá le interesa más refrescar sus sofocos, que excitar al sexo opuesto.

De manera que ahora es tiempo de "dejar que todo fluya", como dicen. Si empuja su abdomen hacia afuera, en lugar de intentar ocultarlo, le dará más lugar para respirar profundamente. Y eso, según los investigadores, puede ser la clave para bloquear esas "sobretensiones de energía".

"Hemos hecho tres estudios publicados sobre respiración lenta y profunda y la frecuencia de sofocos se redujo en un 50 por ciento", dice el psicólogo Robert Freedman de la Facultad de Medicina de la Universidad Estatal Wayne de Detroit. Y agregó que no hay efectos colaterales negativos. Estas son buenas noticias, si usted no puede o no quiere usar tratamiento hormonal para reducir los síntomas de la menopausia.

Según el Dr. Freedman, las mujeres que participaron en los estudios aprendieron a reducir la velocidad de su respiración a la mitad de la frecuencia usual. "Las entrenamos durante ocho sesiones semanales alrededor de una hora por sesión y les decimos que practiquen dos veces por día, durante 15 minutos", dice Freedman. "Después, cuando están en una situación en la cual pueden sufrir un sofoco, como una habitación con alta temperatura, respiran lenta y profundamente".

Si está experimentando el enrojecimiento del rostro y abundante transpiración de los sofocos, esta técnica de "respiración con el abdomen" podría ser justo lo que necesita. Para practicarla:

- Acuéstese boca arriba con las palmas de las manos planas contra el abdomen, los dedos medios casi tocándose.
- Respire lentamente por la nariz, manteniendo el pecho quieto, pero permitiendo que el estómago se expanda. Los dedos se deben separar a medida que inhala. Continúe inhalando hasta que el abdomen alcance una sensación confortable de llenado.
- Comience a exhalar lentamente, también por la nariz. Permita que los músculos del abdomen se retiren hacia atrás, empujando el aire hacia afuera. Notará que los dedos ahora regresar a estar más cerca uno del otro.

Cuando se sienta cómoda con la manera en que el abdomen se siente estando recostada, practique sentada o de pie. De esa manera, podrá usarlo sin importar dónde se encuentre. Antes de que se dé cuenta, estará lista para hacer desaparecer esos sofocos.

Cuatro maneras únicas para ahuyentar los síntomas

¡"Entusiasmo posmenopáusico"! Así es como la antropóloga Margaret Mead describió a la energía renovada que muchas mujeres experimentan, cuando se detienen sus ciclos menstruales. Al llegar al cambio de la vida, es probable que no lo sienta tan angustiante ni física ni emocionalmente, como temía.

En una encuesta nacional de alrededor de 3.000 adultos, se les preguntó a las mujeres posmenopáusicas acerca de qué sintieron cuando sus ciclos menstruales se detuvieron para siempre. Un sorprendente 62 por ciento dijo que sólo sintieron alivio. Otro 25 por ciento informó que no tuvo sensaciones particulares con relación a eso, en tanto que sólo el 2 por ciento se lamentó al alcanzar esa etapa de la vida. El resto, alrededor del 11 por ciento, tuvo sentimientos mezclados.

A las mujeres perimenopáusicas — aquellas en proceso de los cambios menstruales — y quienes era premenopáusicas se les preguntó cómo creían que se sentirían, cuando sus ciclos menstruales desaparecieran por completo.

"La diferencia principal en la etapa menopáusica fue que las mujeres peri y premenopáusicas tenían más tendencia a sentimientos mezclados que las mujeres posmenopáusicas", dijo la Dra. Alice Rossi de la Universidad de Massachusetts, uno de los investigadores.

En la encuesta, auspiciada por la Fundación MacArthur, tanto a hombres como a mujeres se les formularon preguntas acerca de los síntomas relacionados con la menopausia y el envejecimiento. Quizá considere alentadoras sus respuestas.

"La irritabilidad no estaba relacionada con la fase menopáusica. Está relacionada con la edad, a medida que la persona envejece — sea hombre o mujer", dice Rossi.

Y sólo el 30 por ciento de las mujeres informaron que tenían sofocos una vez por semana, incluso entre los 50 y 55 años, los momentos claves para los síntomas durante la transición menopáusica.

Rossi analizó los resultados del estudio, para descubrir qué predice si una mujer experimentará niveles altos o bajos de síntomas menopáusicos. Se podría usar lo que descubrió, para minimizar su propia incomodidad, a medida que se acerca al cambio de la vida.

- **Manténgase saludable.** Las mujeres que calificaban su salud física o mental como regular o moderada tenían más problemas con síntomas, que aquellas que indicaban que su salud era excelente.
- **Reduzca el estrés.** "Altos niveles de estrés en sus roles familiares", afirma Rossi, "desencadenaban puntajes elevados de síntomas para ambos sexos".
- **Siga aprendiendo.** Aquellas personas que tenían mejor educación, padecían menos síntomas. Si siempre deseó regresar a estudiar, este podría ser un buen momento para hacerlo.

- **Trabaje en la imagen que tiene de sí misma.** "Les pedí a las mujeres que calificaran la medida en que sus cuerpos han cambiado...en términos de energía, estado físico, silueta y peso", dice Rossi. Encontró más síntomas informados por quienes se sentían "peor ahora que hace cinco años".

Si usted ha tenido muchos problemas con la menstruación, preste atención especial a estas sugerencias. Rossi notó que las mujeres que experimentaron mucha incomodidad con sus ciclos mensuales tenían más posibilidades de padecer lo mismo con la menopausia.

Síndrome de prolapso de la válvula mitral

Ocho remedios simples que ayudan a aliviar esta condición frustrante

Linda estaba descansando plácidamente en la cama, intentando dormir, cuando su corazón comenzó a palpitar con fuerza. "Sentí como si fuera a saltar y a salir de mi pecho. Podía verlo palpitar a través de mi ropa", dijo. Intentar combatir el pánico sólo empeoró las palpitaciones. ¿Estaba sufriendo un ataque cardíaco? ¿Se estaba volviendo loca? Finalmente su corazón se calmó y se quedó dormida, exhausta. A la mañana siguiente, estaba tan cansada que apenas pudo levantarse de la cama.

Si esta escena le suena familiar, podría estar sufriendo el síndrome de prolapso de la válvula mitral (SPVM). Y aliviar esos síntomas atemorizantes puede ser tan simple como beber más agua, dejar la cafeína y hacer más ejercicio.

Los médicos han sabido durante años que algunas personas tienen una válvula flexible en el corazón, que permite que un poco de sangre fluya de regreso a la cámara superior del mismo. Este "prolapso" se puede escuchar con un estetoscopia como un sonido de clic, a veces acompañado por un soplo. Es más común de lo que usted cree. Tanto como una de cada 10 personas puede padecer esta afección.

Pero es posible que tenga esta válvula de escape cardiaca y que no lo molesten síntomas atemorizantes como dolor en el pecho, palpitaciones cardíacas, mareos, fatiga extrema y ataques de pánico. Ahora los médicos creen que estos y otros síntomas menores surgen por un trastorno del sistema nervioso, denominado disautonomía, que afecta las funciones básicas de su cuerpo.

"No es realmente un problema cardíaco, por lo cual síndrome de prolapso de válvula mitral es quizá un buen nombre para él", dice el Dr. Phillip Watkins, titular del Centro de Prolapso de la Válvula Mitral en Birmingham, Alabama.

Watkins dice que un problema que surge de la disautonomía es bajo volumen sanguíneo, lo cual significa que su cuerpo no tiene tanta sangre como debería. "Si se toma un paciente con prolapso, y se extrae todo el fluido de sus venas y arterias, será sólo el 80 por ciento de lo que debería haber", afirma. Él cree que el bajo volumen de sangre es una causa importante de la mayoría de los síntomas problemáticos de esta afección.

Para evaluar el bajo volumen de sangre, Watkins recomienda tomarse la presión arterial de dos maneras, sentado y luego inmediatamente después de ponerse de pie. Si su presión se desploma al ponerse de pie, su volumen de sangre podría estar demasiado bajo.

Si padece SPVM, su médico podría recetarle medicamentos para controlar los síntomas que afectan su corazón. Pero antes de considerar medicamentos, intente introducir algunos cambios en su estilo de vida. Estos pasos pueden establecer una gran diferencia en la manera en que se siente.

Beba mucha agua. Watkins cree que ese es el paso más críticos de todos. Al beber como mínimo ocho vasos de agua por día (64 onzas), mantendrá su volumen de sangre alto y esto lo ayudará a aliviar los síntomas.

Agregue más sal a su dieta. No debe excederse con la sal, pero comer algunos alimentos más salados mantendrá más fluidos en su cuerpo. Esto debería ayudarlo a evitar una baja presión arterial, mareos y la sensación de desmayo.

Siga una dieta saludable. Un dieta desequilibrada llena de comida chatarra contribuirá con su fatiga.

Deje la cafeína. Ese golpe de potencia de la cafeína en el café, té y bebidas de cola es una droga que estimula su sistema nervioso. La estimulación adicional de su sistema nervioso no es lo que necesita — ya que desequilibrará las cosas aún más.

Coma menos azúcar. Cuando come algo lleno de azúcar, su glucosa en sangre aumenta mucho y estimula su sistema nervioso autónomo. Si se siente cansada y desea un bocadillo para que le dé un poco de energía, la mejor elección es uno que contenga algo de proteínas.

Incorpore suficiente magnesio. Estudios médicos han demostrado una conexión entre la deficiencia de magnesio y los síntomas de SPVM. La mayoría de la gente no incorpora lo suficiente de este mineral, porque sus dietas son ricas en alimentos procesados. Los aguacates, las semillas de girasol, las alubias pinto, las alubias de cabecita negra, las almendras crudas, las verduras de hojas verdes y los granos de cereal integral no procesados son una buena fuente de magnesio. Consulte a su médico, antes de tomar magnesio en forma de suplemento. Demasiado podría ser dañino.

Ejercicio. Con la fatiga que acompaña al SPVM, quizá no tenga muchas ganas de hacer ejercicio. Pero el ejercicio es una de las herramientas más importantes, para mantener su corazón saludable y su sistema nervioso autónomo equilibrado. Comience con un ejercicio aeróbico moderado y vaya aumentando, hasta llegar a una actividad intensa, a medida que empiece a sentirse mejor.

Evite los desencadenantes. Saltear comidas o cansarse y estresarse pueden forzar su salud y empeorar los signos del SPVM. También hacen esto el alcohol, el tabaco, ciertas enfermedades como el resfrío y la gripe, ciertos períodos o etapas de la vida como la menstruación, la menopausia y hasta encontrarse en un ambiente seco y con temperatura elevada. Algunos medicamentos de venta libre y para los senos nasales contienen estimulantes que pueden empeorar los síntomas, de modo que debe verificar las etiquetas.

Aunque esta afección no implica riesgo de vida, puede descontrolarse con su rutina diaria. Saber cómo manejar los síntomas es la clave para volver a encaminar su vida en la dirección normal. Como dice Linda: "Cuánto más sepa acerca del síndrome de prolapso de la válvula mitral, mejor". Que lo eduquen con relación a este síndrome es la mejor manera de tratarlo y de convivir con él".

Para obtener más información, comuníquese con National Dysautonomia Research Foundation en 1407 W. Fourth Street, Suite 160, Red Wing, MN 55066-2108 o visite en línea: <www.ndrf.org>.

Cuide su corazón de una bacteria mortal

Si padece prolapso de válvula mitral y está planeando una visita al dentista, asegúrese de mencionar su afección con anticipación. Su dentista o médico podría necesitar recetarle un antibiótico para ayudarlo a evitar una extraña infección bacteriana llamada endocarditis.

Cualquier clase de trabajo dental que cause sangrado, inclusive las limpiezas, podrían generarle una infección seria que inflamará el revestimiento de sus válvulas cardíacas. Esta afección puede ser mortal, si no se trata. Tomar un antibiótico antes del procedimiento dental evita que la bacteria se adhiera a su corazón.

Esto también se aplica si se va a someter a cirugía o a una evaluación médica, por la cual bacterias podrían ingresar en el torrente sanguíneo. Verifique con su médico para saber si él piensa que necesita antibiótico, antes del procedimiento. Muy poca preparación por adelantado puede ayudarlo a evitar esta enfermedad potencialmente fatal.

Ceguera nocturna

Elija las bayas para tener una visión más aguda

Arándanos, arándanos del tipo Huckleberry, mirtillo o whortleberries — sin importar como quiera llamar a su favorita de esta familias de frutas — su piel oscura oculta el secreto para ver mejor en la oscuridad.

Durante muchos años en Europa, la gente ha alabado al mirtillo por una gran variedad de razones de salud, inclusive mejoras en la visión nocturna. Los pilotos británicos durante la Segunda Guerra Mundial comían mermelada de mirtillo, para que los ayudara a ver mejor al volar en misiones nocturnas.

La química alimenticia canadiense Wilhelmina Kalt, PhD, les da el crédito de los beneficios a los pigmentos — llamados antocianinas. Eso es lo que les otorga el color azul oscuro intenso a todos los primos del arándano. Estos pigmentos son poderosos antioxidantes que contraatacan el daño que los radicales libres le provocan al cuerpo.

"La mayoría de las frutas rojos y púrpura poseen antocianinas", dice Kalt. "El contenido varía. Pero todas las clases de arándano tienen mucha más antocianina que la mayoría de las otras frutas disponibles en EE.UU — como las frambuesas y las fresas, por ejemplo".

Coma mirtillo para mejorar su visión. Kalt ha descubierto en sus estudios que, de todas las frutas de la familia del arándano, el mirtillo tiene la mayor cantidad de antocianinas. Y hasta ahora, es la única que se puede comprar como suplemento.

Aunque algunas personas lo consumen por razones diferentes, el beneficio principal parece ser la visión mejorada. "En mi experiencia personal y hablando con la gente", dice Kalt, "lo que más notan quienes consumen complementos de mirtillo es una diferencia en la agudeza visual".

Y la investigación muestra que las personas que dependen de una buena visión nocturna — los controladores de tráfico aéreo, los pilotos y los conductores de camiones — notan, en verdad, que mejora su visión por la noche, cuando toman los suplementos de mirtillo. Notan que los ayuda a ajustarse con más facilidad y rapidez a la oscuridad. Y los ayuda a recuperarse de los efectos de las luces que encandilan — como las de los faros delanteros de los autos que vienen de frente.

Obtenga los beneficios de los arándanos. El arándano más potente parece ser la variedad de arbusto bajo que crece en estado silvestre en Maine, en la parte este de Canadá. Kalt señala su ventaja comparado con los arándanos de arbustos altos que crecen más al sur.

"El arándano silvestre o arbusto bajo", dice, "tiene más contenido de antocianina libra por libra que los arándanos de arbustos altos y más tupidos." Eso es porque son más pequeños y tienen más piel por onza. Dado que las antocianinas se encuentran en la piel de la fruta, usted obtiene más beneficios antioxidantes.

Su vida útil es breve, sin embargo, de manera que excepto en caso de que viva en una región donde crecen los arándanos, quizá no encuentre frescos. Pero los supermercados los tienen congelados, enlatados o en productos preparados, como pastelillos o mermeladas, durante todo el año.

Los beneficios de los arándanos no terminan con su protección antioxidante. También son bajos en calorías — alrededor de 80 por taza — y son ricos en vitaminas y fibra. Y hay muchas maneras de disfrutarlos. Puede comer pastel de arándanos, crepes y wafles. Puede espolvorear algunos en su cereal matutino. Incluirlos en una taza de yogur o mezclarlo con un saludable licuado de frutas. Le estará haciendo un gran favor a su cuerpo — especialmente a sus ojos.

Mejore su visión nocturna

Después de los 50, a la mayoría de la gente le cuesta ver contrastes. Esto complica conducir un vehículo en la oscuridad y lo hace muy frustrante. Pero un nuevo lente de contacto podría mejorar su visión.

El profesor Josef Bille de la Universidad de Heidelberg en Alemania ha desarrollado un nuevo lente que ayuda a corregir el error de refracción, alrededor de la pupila. Él afirma que lo ayudará a ver contrastes cinco veces mejor, como mínimo. Se beneficiará sobre todo al usar los lentes por la noche, pero pueden ayudarlo siempre que tenga un problema para distinguir contrastes.

Los lentes se venderán como descartables diariamente, pero es posible que deba esperar un par de años, antes de poder encontrarlos en el mercado.

Osteoporosis

Combata la pérdida de masa ósea con estos "secretos" nutricionales

Es probable que crea que sabe todo lo que necesita acerca de la osteoporosis. La han bombardeado durante años con los hechos, los consejos, los estudios más recientes, las últimas dietas. Ahora necesita saber cómo mantener sus huesos fuertes y saludables. Usted sabe que afecta a muchas personas — a más de 200 millones en todo el mundo. Sabe que es la causa principal de las fracturas óseas en las personas mayores.

Pero hay algunas cosas acerca de la osteoporosis que quizá desconozca. Como el hecho de que alrededor del 20 por ciento de los afectados son hombres. O que la mayoría de la gente piensa que incluye la cantidad suficiente de calcio en la dieta — pero están equivocados.

Aquí encontrará algunas noticias que puede usar para mantener fuertes sus huesos.

Agregue variedad. La Academia Nacional de Ciencia fijó 1.200 miligramos (mg) de calcio por día, como la ración diaria recomendada (RDA) para personas de alrededor de 50 años de edad. "Eso equivale a mucha leche — alrededor de tres tazas y media. Y ni siquiera me gusta tanto la leche". La realidad es que los productos lácteos no son la única buena fuente absorbible de calcio.

La Dra. Ann Hunt, profesora asociada de Enfermería de la Universidad Purdue, dice que hay muchas otras fuentes de calcio que muchas personas desconocen. "Las sardinas enlatadas y el salmón con cartílago son maneras excelentes de incorporar calcio a su dieta. Y el cartílago es sabroso y crocante". Otros alimentos que fortalecen los huesos son el jugo de naranja enriquecido, las ostras, los frutos secos, los garbanzos, el brócoli, el tofu, las alubias blancas, los porotos de soja, la berza y las hojas verdes de los nabos. Hunt advierte: "Pero no intente obtener todo el calcio de sólo una de estas fuentes. Necesitaría una gran cantidad de brócoli, por ejemplo, para cumplir los requisitos diarios. En cambio, coma una amplia variedad de frutas y verduras".

Prepare una ensalada. Siempre que piensa en osteoporosis, naturalmente piensa en calcio. Pero hay muchos otros nutrientes que son tan importantes para la salud ósea, como el magnesio, B6 y la vitamina K.

Los investigadores de la Facultad de Medicina de Harvard descubrieron que las deficiencias de vitamina K están relacionadas con huesos frágiles y tasas elevadas de fractura. Estudiaron un alimento, en particular, que contiene vitamina K y que realmente marcó una diferencia en la densidad ósea — la lechuga repollada. Este vegetal humilde de hojas verdes, que ha perdido popularidad ante tipos más exóticos de lechuga, es una manera sencilla y saludable de combatir la osteoporosis.

En el estudio de Harvard, las mujeres que comieron una taza de lechuga, que contiene alrededor de 146 microgramos (mcg) de vitamina K, como mínimo una vez por día, bajaron su riesgo de fractura de cadera en un 45 por ciento. Aunque la RDA para vitamina K es sólo 90 mcg para las mujeres de alrededor de 50 años y 120 mcg para los hombres de esa misma edad, este estudio le indica a la gente en riesgo, que debe incorporar cómo mínimo 100 mcg de vitamina K por día. Los expertos advierten que las fuentes alimenticias naturales de vitamina K como la lechuga están bien, pero que si usted está tomando actualmente aspirina u otro anticoagulante para combatir los coágulos de sangre, debe consultar a su médico, antes de tomar un suplemento de vitamina K.

En general, lo que descubrieron los expertos es que si no incorpora suficiente calcio, es probable que tampoco esté recibiendo otros nutrientes importantes en cantidad suficiente. Intente incorporar tantas vitaminas y minerales como sea posible, a través de alimentos integrales. Use suplementos sólo si no puede incorporar lo suficiente en la dieta.

Disfrute la soja. Tofu, TVP, tempeh, miso — no son su lista de compras más común, pero si está preocupada por la osteoporosis, podría agregar algunos de estos productos de soja a su despensa.

La proteína de soja, que proviene de los porotos de soja, es rica en calcio que fortalece los huesos e isoflavones. Varios estudios han demostrado que incluir proteína de soja en su dieta puede aumentar la densidad ósea. Aunque la soja no parece poder revertir los efectos de la osteoporosis, puede evitarlos.

El interés médico en la soja se generó en primer lugar cuando los científicos descubrieron la baja incidencia de la osteoporosis en los países orientales, como China y Japón, donde la soja es una parte fundamental de la dieta.

Aunque es más baja en grasas, en especial grasas saturadas, que la mayoría de las proteínas animales, la soja aún contiene 19 por ciento de grasa poliinsaturada. Para mantener esos gramos de grasa bajo control, busque productos de soja reducidos en grasa, como leche de soja y tofu reducidos en grasa y reemplace las carnes con alto contenido graso y bajo contenido de fibras, por alimentos a base de soja. No se limite a agregar productos de soja a una dieta estadounidense típica, rica en proteínas. Esto puede generar problemas en los riñones.

Tenga presente que a muchos expertos les preocupa la conexión entre la soja y la pérdida de memoria descubierta hace algunos años. La investigación sugiere que la soja hace que su cerebro envejezca más rápido. Aunque no debe evitar completamente la soja, consulte a su médico acerca del consumo de cantidades moderadas.

Esté atento a la versión de fabricación humana del isoflavone que protege los huesos y que se encuentra naturalmente en la soja. Llamado ipriflavone, este suplemento le otorga al cuerpo los beneficios del estrógeno, sin ninguno de los efectos colaterales negativos. Evita más debilitamiento óseo, pero no causa crecimiento de tejido que pudiera generar cáncer de mamas o uterino.

Tenga cuidado con ciertos alimentos. Algunas sustancias de los alimentos pueden evitar que su cuerpo absorba y use el calcio que sus huesos necesitan, para permanecer fuertes y saludables. Son dos los culpables principales: la fibra, en especial del salvado y de las frutas y verduras ricas en fibras, y el oxalato, que se encuentra en los arándanos, la acelga, el ruibarbo, la espinaca y las hojas de remolacha. No deje de comer estos alimentos nutritivos. Asegúrese de comer una buena cantidad de alimentos ricos en calcio, como los huevos, alubias o leche, junto con los alimentos mencionados anteriormente, para compensar sus efectos negativos.

Las proteínas y el sodio aumentan la cantidad de calcio que su cuerpo libera a través de la orina. De modo que bajar la cantidad tanto de proteína como de sodio en su dieta podría ayudarlo a conservar más del calcio que consume.

Y si bebe café, la cafeína en una taza de café puede aumentar la necesidad diaria de calcio, entre 30 y 50 mg.

Mantenerse en forma significa huesos más fuertes

Después de los 35 años, el cuerpo no puede reconstruir los huesos como lo hacía antes, pero usted puede desacelerar el proceso que drena el calcio — y la fuerza de — los huesos.

Muchos expertos creen que los ejercicios de peso son una buena manera de hacer esto. Estos ejercicios, que hacen que usted trabaje contra la gravedad, evitan que sus huesos se deterioren, según lo muestra el programa espacial. Los científicos dicen que los astronautas pierden masa ósea en el espacio, un entorno sin gravedad, hasta 10 veces más rápido que en la Tierra.

Los ejercicios de peso incluyen entrenamiento de fuerza, subir escaleras, trotar, caminar y bailar. Las actividades como la natación y el ciclismo son excelentes para el corazón y los pulmones, pero no retrasan la pérdida de masa ósea.

En un estudio, mujeres posmenopáusicas que no hacían ejercicio normalmente comenzaron entrenamiento de fuerza, dos veces por semana. Después de un año, su densidad ósea había mejorado hasta el punto en que podían funcionar como si hubieran tenido entre 15 y 20 años menos.

La Dra. Ann Hunt, profesora asociada de Enfermería de la Universidad Purdue advierte: "los ejercicios de peso, tales como caminar, son buenos, pero no fortalecen los brazos. Y hay muchas fracturas osteoporósicas en los brazos y en las — muñecas, en especial. De modo que también necesita hacer ejercicios de peso con los brazos. Eso no significa levantar 300 libras. Significa hacer algunos ejercicios con latas de tomate o incluso sacos de arroz". Usted necesita un entrenamiento completo, pero no necesariamente debe ir a un gimnasio, para lograrlo.

Otro gran programa de ejercicio para personas mayores se llama Pilates — una combinación de yoga y entrenamiento de fuerza.

Le otorga los beneficios de la elongación y equilibrio mejorados, junto con mejor tono muscular y aumento de fuerza. Busque una clase de Pilates en su comunidad.

Y no olvide una de las formas de ejercicio más naturales — el sexo. El Dr. Joel D. Block, que escribió *Secrets of Better Sex*, dice que tener relaciones sexuales regularmente hace que el cuerpo produzca más estrógeno de lo normal. Esto es algo adicional para sus huesos y su corazón, en especial al ingresar en la menopausia.

Consulte a su médico antes de comenzar un programa de ejercicios, si tiene más de 40 años, si ya padece osteoporosis o si tiene otros problemas de salud. Y use el sentido común. Comience despacio, aumente la actividad gradualmente y nunca intente ejercitar si siente cualquier dolor o incomodidad.

La depresión aumenta el riesgo de osteoporosis

Si alguna vez sufrió depresión real grave, es probable que tenga un riesgo más elevado de desarrollar osteoporosis.

Los científicos están intentando determinar la conexión, pero muchos piensan que tienen algo que ver con la hormona cortisol. Cuando las personas se deprimen, sus glándulas suprarrenales funcionan más de lo habitual y producen demasiado cortisol, lo que debilita los huesos y produce pérdida de densidad ósea.

Otros factores relacionados con la depresión también podrían contribuir con la osteoporosis, como no comer correctamente y no hacer ningún ejercicio. Y si su médico le ha recetado medicación para tratar la depresión, consúltelo acerca de los efectos colaterales. Varias drogas que se utilizan para tratar la depresión, pueden producir pérdida de densidad ósea.

Cómo aprovechar al máximo los suplementos de calcio

Una de las preguntas más comunes que le formulan a la Dra. Ann Hunt, profesora asociada de Enfermería en la Universidad de Purdue es: ¿"Qué sucede con los suplementos"? Según Hunt, no todos los suplementos de calcio son iguales y funcionan mejor bajo ciertas condiciones específicas. Aquí encontrará algunas cosas que debe hacer, si decide usar un suplemento.

Verifique la absorción. A la mayoría de los profesionales les preocupa cuánto calcio realmente ingresa al torrente sanguíneo, donde puede beneficiar a los huesos. Esto se denomina absorción. A veces el calcio de ciertos suplementos no puede ingresar en su sistema. El suplemento se queda en su estómago, sin disolverse.

Para evaluar si su cuerpo disolverá y absorberá o no un suplemento de calcio, coloque la tableta en 6 onzas de vinagre o agua tibia. Déjelo reposar durante 30 minutos y revuelva ocasionalmente. Si no está completamente disuelto después de media hora, quizá tampoco se disolverá en su estómago.

Tome pequeñas dosis. Debido a que el calcio no se absorbe muy bien, Hunt recomienda tomar dosis muy pequeñas de suplementos durante el día. "Si toma gran cantidad de calcio", dice, "de todas maneras sólo se absorberá un pequeño porcentaje".

Coma cuando toma el suplemento. Para una mejor absorción, tome los suplementos de calcio con los alimentos. Hunt explica: "El ácido clorhídrico de su estómago ayuda a disolver y digerir su comida. Al envejecer, el estómago produce menor cantidad normalmente. Sin embargo, al comer, el estómago produce ácido adicional, que ayuda a disolver el calcio". Los expertos afirman que la absorción del calcio aumenta en un 10 por ciento, si se lo incorpora con alimentos.

Escoja con inteligencia. Existe gran controversia con respecto a qué clase de suplemento es mejor — carbonato de calcio o el citrato de calcio. La verdad, según Hunt, es que ambos tienen sus ventajas y desventajas. "El carbonate de calcio se absorbe con más facilidad, pero causa mucha incomodidad gástrica, como hinchazón". El citrato de calcio no causa tantos problemas intestinales, pero se absorbe menos. Eso significa que necesita tomar más citrato de calcio, para incorporar los requisitos mínimos de calcio". Lea la etiqueta para saber cuánto del suplemento es calcio absorbible y decida la dosificación con la que se sienta cómodo.

Preste atención a sus D. La vitamina D cumple una función importante en cuánto calcio realmente absorben sus huesos. Los estudios han comprobado que bajos niveles de vitamina D van acompañados por huesos más débiles y frágiles. Por eso es que los expertos sugieren tomar vitamina D con los suplementos de calcio, para ayudar a reducir el riesgo de fracturas óseas. Hunt dice, "Es probable que tome demasiada vitamina D y tenga otros problemas, pero alrededor de 400 a 800 unidades internacionales (UI) sería lo adecuado".

Su cuerpo fabrica vitamina D cuando está expuesto a la luz solar, pero durante el invierno, usted se expone a menos luz solar y puede experimentar pérdida de densidad ósea. Además, las pantallas solares bloquearán parte de la absorción que hace su cuerpo de esta importante vitamina. No es necesario que tome sol en enero o que deje de usar su pantalla solar — sólo asegúrese de tomar vitamina D de buenas fuentes naturales todos los días. La leche fortificada es la fuente alimenticia más rica de vitamina D. También la encontrará en otros productos lácteos fortificados y en cereales; clara de huevo; hígado y pescados grasos, como el salmón, el atún y las sardinas.

Fortifique sus huesos con chocolate

Los amantes del chocolate ahora tienen una razón para darse un gusto sin sentirse culpables. Un nuevo producto similar al caramelo, llamado Viactiv Soft Calcium Chews, puede satisfacer su necesidad de chocolate y también fortalecer sus huesos. Cada unidad contiene 500 miligramos (mg) de calcio, es decir, la mitad de la dosis diaria para una mujer premenopáusica, además de vitaminas D y K, para ayudar a que su cuerpo absorba el calcio. Comer dos cuadraditos por día es una manera dulce de obtener el calcio adicional que su cuerpo necesita.

Sólo asegúrese de no pasarse del límite, en especial si está tomando aspirinas u otros anticoagulantes regularmente. Demasiada vitamina D puede interferir con estos anticoagulantes.

Cáncer ovárico

Una manera deliciosa de evitar el cáncer ovárico

Cuando está en la tienda, ¿pasea por los pasillos tratando de decidir qué preparará para cenar? Si es una mujer mayor que 35 años, asegúrese de incluir en el menú brócoli, zanahorias y un poco de repollo. Estos vegetales pueden reducir el riesgo de desarrollar cáncer ovárico, la cuarta causa principal de muerte relacionada con el cáncer.

La Sociedad Americana del Cáncer estima que se diagnostican aproximadamente 25.000 nuevos casos de cáncer ovárico, y que la mitad de estas víctimas del cáncer morirán.

Aunque aún no exista una forma comprobada de evitar el cáncer ovárico, ingerir ciertos alimentos puede ayudar a reducir el riesgo de desarrollarlo.

Estudios han demostrado que el beta caroteno, un antioxidante que se encuentra en las frutas y verduras verde oscuro y naranja oscuro pueden protegerla contra el cáncer ovárico. Las zanahorias encabezan la lista como el producto que ofrece mayor protección.

Otro antioxidante importante es el selenio mineral. Si quiere aumentar la protección contra el cáncer, asegúrese de ingerir alimentos ricos en selenio como pescado, granos y vegetales. Investigadores de la Universidad Johns Hopkins en Maryland descubrieron que el alto nivel de selenio estaba asociado a un menor riesgo de desarrollar cáncer ovárico.

Los vegetales de la familia de las coles, incluidos las coles de Bruselas, la col rizada y el coliflor, también pueden ofrecer alguna protección.

Usted, durante muchos años, supo todos los beneficios que aportan las frutas y verduras. Esto sólo le da otra razón para incluirlos en la lista del mercado.

Riesgo reciente para los sobrevivientes de cáncer de mama

Los investigadores, durante muchos años, supusieron que existía una conexión entre el cáncer de mama y el cáncer ovárico, y parece que estaban acertados. Un estudio reciente de la Universidad de California, Irvine, confirma que las mujeres que sufrieron cáncer de mama antes de los 50 años, tienen un mayor riesgo de desarrollar cáncer ovárico.

El cáncer ovárico es muy difícil de diagnosticar. Los análisis para detectarlo son poco confiables y los síntomas son imprecisos. Estos síntomas incluyen molestias o inflamaciones en el abdomen inferior, sentirse satisfecho después de comer poco, pérdida de apetito, gases e indigestión, náuseas, pérdida de peso, micción frecuente, constipación y dolor durante las relaciones sexuales.

Además de ser un sobreviviente de cáncer de mama, otros factores de riesgo para el cáncer ovárico incluyen antecedentes personales de cáncer de colon o de endometrio, antecedentes familiares de cáncer ovárico, el no haber tenido niños, la edad y la obesidad. Tomar comprimidos anticonceptivos, tener al menos un embarazo completo y la lactancia reducen el riesgo.

Si tiene algunos de los factores de riesgo del cáncer ovárico, consulte a su médico. Él lo puede ayudar a decidir qué análisis son los apropiados para usted y sabrá qué buscar durante su estudio anual.

Cáncer de próstata

Protéjase contra este asesino de crecimiento lento

Se ha dicho que más hombres morirán *con* cáncer de próstata que *como consecuencia* de éste. Esto se debe a que tiende a afectar a hombres mayores y es típicamente un cáncer de crecimiento lento. Por eso, aunque lo padezca, es probable que se muera por otras causas antes de que el cáncer sea tan grave como para matarlo.

Sin embargo, el cáncer de próstata se cobrar aproximadamente 42.000 vidas al año y es la enfermedad a la que los hombres más le temen. Existen formas de resguardarse de este tipo de cáncer y una de las mejores es modificar los hábitos alimenticios.

Obtenga la protección de las vitaminas y los minerales. Es necesario que posea el equilibrio adecuado de vitaminas y minerales para que su cuerpo sea totalmente saludable. Pero ¿cuáles son las más importantes para la salud de la próstata? La vitamina E es un poderoso antioxidante que puede ayudarlo a combatir el cáncer de próstata evitando el daño que provocan los radicales libres al ADN. En un estudio reciente, los hombres que tomaban 50 mg de vitamina E diariamente tenían un 32 por ciento menos de probabilidades de sufrir los síntomas del cáncer de próstata. Entre las fuentes naturales de la vitamina E encontramos el germen de trigo, las almendras, los maníes y las semillas de girasol.

Estudios demuestran que la vitamina D, la vitamina del sol, también puede ayudar a inhibir el desarrollo del cáncer de próstata, que puede ser la razón de por qué los hombres que viven en los climas del sur tienen una menor probabilidad de desarrollar la enfermedad. El selenio mineral traza es otro nutriente del cual debe debe ingerir una buena cantidad. Un largo estudio reciente en Harvard descubrió que los hombres con la mayor ingesta de selenio tenían menores posibilidades de desarrollar cáncer de próstata que aquellos con la menor ingesta. El selenio se puede encontrar en los granos, los mariscos, la carne de aves de corral, el ajo y las yemas de huevo.

Limite el consumo de grasas. Los hombres que consumen muchas grasas, especialmente grasas saturadas, están buscando problemas. Si ingiere más de 35 gramos de grasas saturadas por día, tendrá un 60 por ciento más de riesgo de desarrollar cáncer de próstata. Las grasas saturadas se encuentran principalmente en productos animales como los lácteos y las carnes rojas, por eso es posible que éstos sean sus alimentos favoritos. Aunque no tenga que eliminar esos alimentos por completo, debe limitar la ingesta de grasas a no más de 30 por ciento del total de las calorías y el 10 por ciento a las grasas saturadas.

Intente ingerir más tomates. Si le encanta la pizza y los espaguetis, usted tiene suerte. Un estudio de Harvard descubrió que el riesgo de desarrollar cáncer de próstata se reducía al 45 por ciento en los hombres que ingerían, al menos, 10 porciones por semana de productos a base de tomate. La pizza, los tomates y la salsa de tomate eran los protectores de la próstata más importantes. Los investigadores creen que la sustancia responsable de este efecto protector es el licopeno, un carotenoide que le da a los tomates su color rojo.

Llénese defibras. Según el Instituto Nacional del Cáncer, la mayoría de las personas deberían doblar la cantidad de ingesta diaria de fibra. Se recomienda de 20 a 30 gramos por día en vez de los 11 gramos que una persona promedio ingiere. Las pruebas muestran que una ingesta saludable de fibra puede ayudar a prevenir distintos tipos de cáncer, incluido el cáncer de próstata. Un estudio reciente muestra que una alta ingesta de granos, cereales y nueces está asociado con un menor riesgo de desarrollar cáncer de próstata.

Elija la soja. Los cánceres relacionados con las hormonas como el de próstata y el de mama causan muchas menos muertes en el Lejano Oriente que en los Estados Unidos. La razón podría ser que los asiáticos tienden a comer más productos de soja como el tofu, el tempeh, la salsa de soja, la leche de soja, el miso y la proteína vegetal con textura. Los investigadores creen que las isoflavonas, que son un tipo de fitoestrógeno (compuestos similares al estrógeno encontrados en las plantas) son responsables del efecto protector de la soja.

Un estudio muestra que la salsa de soja actuó como antioxidante evitando el desarrollo del cáncer. Varios componentes de la salsa de soja redujeron un 66 por ciento los tumores en el estómago en ratas. Y un estudio reciente sobre los Adventistas del Séptimo Día descubrieron que beber leche de soja más de una vez por día generaba una reducción del 70 por ciento del riesgo de desarrollar cáncer.

Tome té verde. Otra parte de la dieta asiática que evita el desarrollo del cáncer de próstata es el té verde. Muchos estudios muestran que el té verde puede ayudar a prevenir muchos tipos de cáncer. En un estudio realizado en tubos de ensayo, los investigadores encontraron que un poderoso antioxidante en el té verde mataba las células del cáncer de próstata tanto en ratones como en humanos, sin dañar las células sanas.

Aunque modificar la dieta para incluir alimentos que ayudan a mantener una próstata saludable no garantiza que evitará el cáncer, es un buen comienzo. Por eso, incorpore frutas, vegetales y granos, y disminuya el consumo de carnes y lácteos con alto contenido graso. Así, mantendrá su próstata saludables durante los años venideros.

Los nuevos estudios detectan el cáncer con anticipación

La detección temprana del cáncer, a veces, puede ser de vida o muerte. En la actualidad, los investigadores han desarrollado un nuevo análisis que puede detectar una única célula indicadora en una muestra de sangre. Esto podría permitirle a los médicos descubrir el cáncer durante sus etapas iniciales, cuando es más fácil de medicar.

Este análisis usa magnetos para detectar las células epiteliales. Éstas son células que están presentes en la piel y en otros tejidos pero generalmente no aparecen en el torrente sanguíneo. Sin embargo, ciertos tipos de tumores, incluidos los tumores de mama y próstata, son conocidos por liberar éstas células a medida que se desarrollan, depositándolas en el torrente sanguíneo.

Los investigadores estudiaron muestras de sangre de 30 personas con cáncer de mama, tres con cáncer de próstata y 13 sin cáncer. Descubrieron que las personas sanas sólo tenían 1,5 células epiteliales por muestra mientras que aquellas con cáncer de mama indicaban un número mucho mayor.

Las personas con cáncer que todavía no se había expandido tenía 15,9 células por muestra mientras que aquellas en que el cáncer se había expandido en forma local tenían un promedio de 47,4 células. Las personas en las que el cáncer había invadido otras partes del cuerpo presentaban un valor de 122 células epiteliales.

Aunque es necesario realizar más investigaciones, los científicos esperan que este estudio detecte el cáncer en forma anticipada(que ahora es posible) y que ayude a realizar un seguimiento y medir el éxito de los tratamientos.

Cómo encontrar el mejor médico

¿No buscaría en las páginas amarillas a su futura esposa o futuro esposo? ¿No es cierto? Probablemente tampoco utilizaría ese método para buscar un nuevo médico. Elegir un médico puede ser tan importante para su futuro como elegir un esposo o una esposa, particularmente cuando está afrontando una enfermedad tan grave como el cáncer. Su vida podría depender de la relación médico/paciente; por eso, tómese el tiempo para tomar la decisión correcta.

Hal Alpiar, autor de *Doctor Shopping: How to Choose the Right Doctor for You and Your Family (Comprar un médico: Cómo elegir el médico correcto para usted y su familia),* explica que tener una lista cuando se elije un médico es más importante que tener una para la tienda. Sin una lista para la tienda, gasta mucho más dinero y se olvida de los elementos que realmente necesita. Lo mismo puede ocurrir cuando busca un médico.

El primer paso es realizar una lista de posibles médicos a los que entrevistará. Es posible que deba abonar la consulta pero la inversión le dará más seguridad y confianza. Éstas son algunas sugerencias sobre cómo encontrar los médicos más calificados.

Pregunte a su médico actual. Si cuenta con un médico de confianza, pídale recomendaciones. Pero tenga cuenta que ellos pueden tener otros intereses que no sean los suyos.

"Sea cuidadoso cuando recibe recomendaciones de otros médicos" menciona Alpiar. "Un médico puede recomendar a otro porque juegan juntos al golf, porque comparten un condominio de vacaciones o porque el otro médico es un investigador de renombre (quizá con poca experiencia clínica)".

Alpiar además advierte que el hospital y otros "servicios" de referencia son muy subjetivos porque sólo incluyen aquellos médicos que están afiliados o que pagan para estar afiliados. "En otras palabras, los servicios de referencia que parecerían ser recursos objetivos, a veces no lo son", explica. "A menudo son formas pagas de publicidad que fingen ser programas de servicio público".

Busque recomendaciones de palabra. Pregúntele a su familia y a sus amigos sobre sus médicos y si están contentos con la atención que reciben. Sin embargo, tenga en cuenta que una persona podría estar muy contento con un médico específico y otra persona podría estar muy disconforme. Como muchas cosas en la vida, el punto de vista es muy importante. Pero si muchas personas recomiendan el mismo médico, la decisión es muy fácil.

Concéntrese en las credenciales. Busque un médico que esté certificado por el concejo, especialmente cuando busca un especialista. Esto significa que ha completado el programa de capacitación y ha aprobado un extenso examen de su especialidad en particular. En la actualidad, la mayoría de los médicos están certificados por el concejo; por lo tanto, si el suyo no lo está, es posible que no haya aprobado el examen o que no se haya tomado el tiempo para asistir a las clases necesarias para su especialidad. De cualquier manera, considere elegir otro médico.

Para verificar si su médico está certificado por el consejo, consulte en la biblioteca el Directorio de Médicos de la Asociación Médica Estadounidense. Contiene información relacionada con la formación de cada médico, las certificaciones del concejo, la información sobre las licencias y las acciones disciplinarias tomadas contra ellos. Además, puede llamar a la Línea gratuita del Concejo Norteamericano de Especialidades Médicas 1-866-275-2267, o visitar el sitio Web en <http://www.certifieddoctor.com/verify.html>.

Esté preparado. Cuando consulte al médico que ha decidido entrevistar, lleve la lista de preguntas. Asegúrese de haber incluido todas sus inquietudes, aún esas cosas que piensa que son tontas o incómodas.

Escriba todas las respuestas del médico y no tenga miedo de interrumpirlo si es necesario. Pregúntele cuantos casos como el suyo suele solucionar y solicite ejemplos, diagramas, experiencias similares y costos. Controle su certificación y si cuenta con una capacitación especial para su situación particular. Pero Alpiar advierte, "Tenga en cuenta que tener un interés especial" en un área de medicina específica o en cirugía no necesariamente convierte al médico en experto o especialista más que tener un interés especial en jonrones convierte a alguien en Mark McGwire".

Otros puntos a considerar cuando elije un médico:

- **Comodidad.** ¿Es fácil llegar al consultorio? Aunque esto no debería ser su primera consideración (es importante que un médico esté cerca), poder llegar al consultorio del médico rápida y fácilmente hace la diferencia para muchas personas.
- **Personal del consultorio.** ¿La recepcionista y las enfermeras son profesionales y amables? A menudo, el personal del consultorio refleja la actitud del médico.

- **Tiempo.**¿Pasa mucho tiempo leyendo revistas en la sala de espera? Es comprensible que a veces el médico se demore con un caso difícil y que usted deba esperar. Si pasa a menudo, es posible que sea un indicador de que el médico siempre da sobreturnos y que no tenga el tiempo para atenderlo como usted merece.
- **Actitud.** ¿El médico fue cordial, atento y dispuesto a contestar preguntas? Aunque un médico sea competente e instruido, si se apresura para atenderlo o parece estar distraído, usted no está recibiendo una atención de calidad. Merece un médico que lo escuche atentamente y que tome decisiones sobre su atención hasta que usted se sienta cómodo.

Lo más importante es que cuanto más responsable sea por su propia atención médica, estará más sano. "Al final, es el cuerpo al que lo pinchan, golpean y medican... por ello, hágase cargo de esa responsabilidad" recomienda Alpiar. "Además, encuentre un médico que desee 'asociarse' con su salud".

Cómo diferenciar un O.D. de un D.O.

¿Se confunde con todas las iniciales que están a continuación del nombre de su proveedor de atención médica? ¿Qué quieren decir esas letras y qué significado tienen para su salud? Conocer cuáles son las credenciales de su médico puede ayudarlo mucho a elegir un proveedor de atención médica con el que se sienta cómodo.

- **Doctor en medicina (M.D.): Estos médicos pueden brindar todo tipo de atención médica, incluida la prescripción médica y algunas cirugías. Finalizan la escuela médica y luego asisten de tres a siete años a clases de medicina avanzada; además deben estar autorizados en el estado en el que ejercen la profesión.**
- **Doctor en osteopatía (D.O.): Los osteópatas reciben un tratamiento similar a los doctores en medicina y pueden brindar atención médica general; sin embargo, se concentran en los movimientos y el tratamiento de problemas musculares, de articulaciones y óseos.**

- **Psicólogo (Ph.D., Psy.D., Ed.D. o M.A.):** Los psicólogos están capacitados para tratar personas con desórdenes mentales y emocionales. Brindan asesoría pero no pueden recetar medicamentos. Ésa es responsabilidad de los psiquiatras, que son doctores en medicina.
- **Optometrista (O.D.)** Los optometristas están capacitados para diagnosticar desórdenes oculares, y recetar gafas y lentes de contacto. En la mayoría de los estados, también pueden recetar medicamentos para tratar los desórdenes oculares pero pueden derivar a los pacientes a oftalmólogos, que son M.D. cuando el problema requiere medicamentos o cirugía.
- **Dentista (D.D.S. o D.M.D.):** Los dentistas tratan condiciones de la boca como caries y enfermedad periodontal. Pueden recetar medicamentos y realizar cirugías en su boca. El dentista puede derivarlo a otro especialista dental, como un cirujano oral (extracciones y cirugías), un endodoncista (tratamientos de conducto) o un periodoncista (enfermedades periodontales).

Fenómeno de Raynaud

Formas naturales de combatir las manos y los pies fríos

Construir un muñeco de nieve, esquiar o dar un paseo en una noche fría y clara son actividades que hacen que el invierno sea encantador. Si sufre de Fenómeno de Raynaud (RP), sin embargo, enfriarse puede convertirse en un largo ataque doloroso. La exposición a temperaturas muy frías puede causar la picazón o el entumecimiento de sus manos y pies.

"Algo tan simple como llenar vasos con hielo durante una cena familiar se convirtió en un gran problema para mí" dice Jennifer, de 23 años, a quien se le diagnosticó Raynaud hace cinco años. "Después de agarrar unos cubos de hielo, mis manos se volvieron blancas, luego medio azulinas y luego rojas. Siento mis manos entumecidas y después empieza el dolor".

Esta sensibilidad extrema al frío afecta al 10 por ciento de la población, generalmente mujeres entre los 15 y los 50 años. El Fenómeno de Raynaud puede aparecer inesperadamente o surgir de otro problema subyacente como la arterosclerosis, lupus o artritis reumatoide. Si trabaja con maquinaria que vibra, toca el piano con frecuencia o sufre del síndrome del túnel carpiano, tiene mayores riesgos. Curiosamente, no sólo el frío provoca una reacción dolorosa; el estrés emocional también puede ocasionarla.

La prevención es su mejor arma para combatir esta situación. Siga estos consejos para disminuir las posibilidades de sufrir dolor en los dedos de las manos y pies.

Abríguese. Estudios médicos en Gran Bretaña demuestran que las temperaturas corporales de aquellas personas que sufren el Fenómeno de Raynaud se reducen más rápido que lo normal. Además, demoran más en volver a calentarse. Es por eso que es importante protegerse del frío en todo momento. Use una chaqueta abrigada, sobrero, guantes y botas cuando esté a la intemperie, durante climas fríos. Cuando esté en el interior, protéjase de las ráfagas de frío tapándose con una frazada abrigada o un acolchado, y usando medias y zapatos o chancletas todo el tiempo.

Use guantes mientras esté dentro del hogar. Proteja sus manos siempre que saque algún alimento congelado del congelador o frutas del cajón de vegetales. Guarde un par de guantes limpios de invierno en la cocina, junto con los agarradores y las toallas con los que puede envolver los elementos fríos mientras extrae el contenido. Jennifer siempre es cuidadosa y envuelve con varias capas de toallas de papel un vaso con agua fría o una bebida sin alcohol fría antes de agarrarla. Los porta bebidas térmicos de poliestireno también son muy útiles.

Mime sus meñiques. Mantenga sus manos limpias y sectas, y evite cortarse, rasparse o golpearse. No las lastime. Si tiene llagas en las manos que no se curan, consulte a su médico.

Aumente el calor con pimienta. La pimienta de cayena picante tiene un efecto que calma el dolor y calienta la piel. Espolvoree un poco sobre sus medias o guantes antes de colocárselos para mantener sus manos y pies más calientes. Sin embargo, primero asegúrese de que no tenga cortes ni raspaduras sobre su piel. Lave bien sus manos al sacarse los guantes y tenga cuidado para no tocar sus ojos o su nariz.

Reduzcael consumo de cafeína. Esta droga común afecta su circulación y puede tener un efecto negativo sobre el Fenómeno de Raynaud. Esto incluye la cafeína presente en el café, el té, el chocolate, las bebidas cola y muchos medicamentos para el resfrío y la tos que contienen descongestivos.

Pruebe el ginkgo. Ginkgo es un remedio a base de hierbas antiguo que mejora la circulación. Puede ayudar a que los vasos sanguíneos se abran para que el torrente sanguíneo llegue mejor a los dedos de las manos y pies. Puede comprar ginkgo como un suplemento alimentario en comprimidos en tiendas de alimentos saludables o tiendas de descuentos.

Mantenga su entorno libre de humo. Si fuma, deje el cigarrillo. Si sus amigos y familia fuman, pídales que no lo hagan cerca de usted. Aspirar el humo del cigarrillo requiere mucho del oxígeno necesario de su cuerpo y achica sus vasos sanguíneos, empeorando aún más los síntomas del RP.

Obtenga información sobre hormonas "útiles". Si ha utilizado una terapia de reemplazo hormonal y desarrolló RP, es posible que exista una conexión. Un estudio médico reciente descubrió que las mujeres que tomaban estrógeno tenían mayor probabilidades de desarrollar el Fenómeno de Raynaud que aquellas que no lo tomaban o aquellas que tomaban estrógeno y progesterona. Si sólo toma estrógeno, consulte con su médico para poder cambiar la receta de hormonas y así evitar los síntomas del RP.

Adáptese. Combata el Fenómeno de Raynaud en forma natural con una técnica desarrollada por los científicos del ejército. Durante este estudio, las personas colocaron sus manos en un balde de agua caliente mientras estaban parados en el frío helado. Hicieron esto durante 10 minutos, tres veces por día, todos los días, durante 18 días. Al finalizar el tratamiento, las personas con Raynaud habían entrenado a los vasos sanguíneos de sus manos para que permanezcan abiertos aún cuando sus cuerpos estuvieran fríos. Los efectos de este tratamiento específico duraron de dos a tres años.

Pruebe la bioretroalimentación. Éste es otro tipo de ejercicio de adaptación en el cual su mente entrena a su cuerpo para mantener los vasos sanguíneos de sus manos y pies abiertos como deberían estar. Puede aprender a "pensar" que los dedos de las manos y los pies están calientes. Consulte a su médico para encontrar a alguien que le pueda enseñar esta técnica.

Alivie el estrés. El estrés puede empeorar el RP aun cuando usted no sienta frío. Aprenda a relajarse y a lidiar mejor con su estrés y es probable que también los síntomas del Fenómeno de Raynaud mejoren.

Evite las causas. Jennifer recomienda en primer lugar, hacer elecciones que no lo enfrentarán a situaciones dolorosas. "No se siente sobre un escritorio frío en un aula ni coloque sus manos sobre un picaportes frío sin algo entre usted y el metal" ella recomienda. "Si ha estado a la intemperie durante climas fríos y desea lavarse las manos al entrar, no utilice ni agua fría ni agua caliente, dolerá mucho. Utilice agua templada".

El mejor plan es mantenerse alejado de ambientes fríos que sabe que le molestarán y darles una oportunidad a estos remedios naturales. Sus manos y pies se lo agradecerán.

Un desafío para la mamá durante la lactancia

Amamantar a su bebé es lo más natural del mundo. La ciencia médica ha aprobado este proceso que le proporciona al recién nacido todos los nutrientes que necesita y los anticuerpos para combatir las infecciones.

Pero para algunas madres primerizas, la lactancia puede ser signo de dolor y estrés. Si sufre del Fenómeno de Raynaud, sus pezones pueden sufrir la misma constricción dolorosa que los dedos de las manos y los pies. Cuando esto ocurra, es posible que esté tentada de simplemente dejar de amamantar.

Pero existen algunos enfoques naturales que puede incorporar para atravesar mejor este período difícil. Esto podría marcar la diferencia en el éxito de la lactancia.

- Mantenga todo su cuerpo caliente. Asegúrese de que está usando suficiente ropa y de que está amamantando en una habitación bien calefaccionada.
- Aplique compresas de calor para ayudar a aliviar el dolor de los pezones.
- Manténgase alejado del humo y de la cafeína. No son buenos para su bebé.
- Aprenda la bioretroalimentación. Esto lo ayudará a mantener los vasos sanguíneos abiertos.
- Practique técnicas de relajación. La lactancia puede ser estresante, especialmente cuando tiene problemas. Si relaja su cuerpo y su mente, tendrá mucho más éxito.

Una conexión improbable con Raynaud

Un estudio médico reciente descubrió una conexión entre el Fenómeno de Raynaud y *H. pylori*, la bacteria que causa las úlceras. Un grupo de personas que sufrían el Fenómeno de Raynaud y una infección de *H. pylori* se les dio una terapia durante una semana para liberarse de la bacteria. Luego, participaron de un estudio de seguimiento durante 12 semanas más.

Sorprendentemente, el Fenómeno de Raynaud desapareció completamente en el 17 por ciento de las personas que se curaron de la infección *H. pylori*. Aún entre las personas que todavía padecían Raynaud, el 72 por ciento sufrió fiebre y ataques leves.

Los científicos especulan que una infección de *H. pylori* produce toxinas y otras sustancias que pueden afectar los vasos sanguíneos. Al eliminar la bacteria, se eliminan esas sustancias y se reducen los ataques de Raynaud.

Sin embargo, las personas infectadas con *H. pylori* no necesariamente sufren de Raynaud; por ello, los científicos consideran otros factores que también pueden influir. Puesto que la conexión exacta es aún un misterio, puede estar seguro de que veremos otros estudios sobre *H. pylori* y Raynaud en el futuro.

Sinusitis

Calme la sinusitis con alivios naturales

¿Qué condición médica hace la vida más difícil que una cardiopatía o un dolor de espalda? ¿Cree que puede ser la sinusitis? Un estudio reciente descubrió que las personas que sufren de problemas crónicos en los senos nasales sufren más dolor y menos placer durante sus actividades diarias que las personas con otras condiciones médicas crónicas.

Los senos nasales son cavidades llenas de aire ubicadas arriba y debajo de sus ojos y nariz. Cuando la mucosa que está en los senos nasales no drena en forma adecuada de estas cavidades, se acumula y se puede infectar. Puesto que puede sentir la nariz tapada en cualquier momento, ¿cómo se puede diferenciar entre un resfrío y un problema grave en los senos nasales? El Departamento de Salud y Servicios Humanos de los Estados Unidos aconseja: Si el problema en los senos nasales interfiere con su vida, lo hace faltar al trabajo o sentir la necesidad de tomar siestas frecuentes o es la fuente de resfríos, infecciones o dolores de oídos regulares, es momento de consultar al médico.

Una forma simple de averiguar si su problema en los senos nasales es grave es hacer la prueba del salto, una técnica en la que el Dr. Basil Rodansky, el inventor de la prueba confía plenamente. Simplemente dé brincos o salte la soga durante algunos minutos y observe los resultados. Si esto causa un dolor fuerte en los senos nasales, probablemente tenga sinusitis aguda y deba consultar al médico, explica Rodansky.

Evitar irritantes y alergenos conocidos puede ayudar a evitar problemas leves en los senos nasales. Cuando aparecen, saber cómo manejarlos puede hacer que su vida sea más placentera.

Duerma profundamente. Investigadores muestran que no dormir lo suficiente puede hacer que sus problemas de los senos nasales sean más dolorosos y prolongados. Sin embargo, dormir demasiado puede tener el mismo efecto. Intente dormir con su cabeza levemente elevada para ayudar a que los senos nasales se drenen durante la noche; si un lado está más tapado que el otro, duerma con ese lado inclinado hacia abajo.

Consígalo. Para muchas personas, el ejercicio suave a fuerte abre los pasajes nasales y facilita la respiración. A otros le tapa los senos nasales aún más. De cualquier manera debería hacer ejercicio; por lo tanto, ¿por qué no prueba esta solución y ve si funciona?

Cuide su aire. Aún el aire limpio puede irritar los senos nasales sensibles, especialmente durante climas fríos cuando el aire está especialmente seco. Utilice un humidificador en el hogar para humedecer el aire y hacer que sea más fácil respirar. Esto ayudará a evitar que los senos nasales se sequen.

Humedezca su cabeza. Algunas personas sienten alivio al colocarse toallas calientes y mojadas directamente sobre los senos nasales, colocar su cara sobre un fregadero lleno de vapor o simplemente respirando en el vapor de una tasa con agua caliente. Para mejorar los resultados, considere agregar aceite de pino, eucalipto o mentol al agua.

Cuide su dieta. Controle su dieta y advierta aquellos alimentos que causan la mala respiración. Cualquier cosa podría ser un alergeno alimentario, pero algunos culpables comunes son el maíz, la leche y el vino tinto.

Por otro lado, algunos alimentos pueden limpiar sus senos nasales. El rábano, el ajo y el pimentón son famosos por eliminar los bloqueos nasales. Mezcle un poco de éstos ingredientes en la sopa o en otros alimentos favoritos para obtener una dosis rápida de alivio.

Visite al farmacéutico. Las soluciones naturales son las mejores; sin embargo; los expectorantes de venta libre son buenos para obtener un alivio rápido. Intente utilizar expectorantes que tengan solo un ingrediente activo; de esta forma sufrirá menos efectos colaterales y será más fácil dejar de usarlo. Nunca tome un expectorante durante más de tres días. Si prolonga la ingesta, el riesgo de desarrollar dependencia puede ocasionar un "efecto rebote" y los síntomas pueden empeorar después de que deje de tomar el medicamento.

Manténgase alejado de los bloqueadores. Un tipo de medicamento que debe evitar son los antihistamínicos. Estos medicamentos básicamente secan sus senos nasales y pueden ocasionar que la mucosa se endurezca, lo que puede brindarle un alivio temporal pero no resolverá el problema real. De hecho, detener el flujo regular de mucosa a través de sus senos nasales puede realmente empeorar el problema.

Limpie su nariz. Puede sonar incómodo, pero muchas personas sienten alivio gracias a las limpiezas nasales que usted puede hacer desde su casa. Simplemente mezcle un cuarto de cucharadita de sal de mesa común con 7 onzas de agua tibia. Con una pera de goma, lance un chorro de solución en su nariz, sienta el alivio y luego enjuague su nariz.

También puede utilizar un dispositivo llamado Neti Pot, un contenedor que expulsa chorros diseñado para colocar agua en su nariz. Después de mezclar la sal y el agua en el contenedor, incline su cabeza hacia un costado sobre el fregadero, coloque la solución en una fosa nasal y permita que fluya. Luego repita el procedimiento con la otra fosa nasal. Después de 30 segundos aproximadamente, utilice un pañuelo de papel o sus dedos para eliminar el excedente de solución que puede haber quedado en los senos nasales. Consulte con la tienda de alimentos naturales para ver si tiene Neti Pot o un producto similar.

Enjuagar su nariz diariamente puede ayudarlo a evitar resfríos o problemas en los senos nasales. En un estudio de la Universidad Estatal de Pensilvania, los investigadores mostraron que realizar un enjuague salino diario redujo significativamente el número de resfríos en los estudiantes de la universidad.

Pruebe un alivio natural. Probablemente existan tantas opiniones sobre los remedios naturales como personas con sinusitis.

- Algunas personas confían plenamente en la digito puntura, mediante la cual se aplica presión directa durante algunos segundos sobre algunos puntos de la cara, como los bordes internos de las cejas, los costados de la nariz y los huesos que están debajo y alrededor de los ojos.
- Se sabe que un masaje leve, especialmente en el área superior de los senos nasales y los músculos entre el pulgar y el dedo índice brinda un alivio.
- Si todo esto falla, intente llorar. (Igualmente, es probable que tenga ganas de hacerlo). Liberar la emoción acumulada también puede aliviar la presión de sus senos nasales.

Este truco es para saber qué funciona mejor para usted y utilizar ese método. Si los remedios caseros fallan y siguen empeorándose, asegúrese de consultar a un médico antes de que la infección provoque daños duraderos.

Tónicos picantes para senos nasales pegajosos

Una solución a base de hierbas podría ser la cura para su enfermedad. Intente éstos para conseguir algo del alivio tan necesario para sus síntomas inquietantes.

Trago fuerte. Mezcle una mitad de diente de ajo con una cucharadita de pimentón, una cucharadita de miel y el jugo de un limón. Beba esta mezcla fuerte tres veces por día durante algunos días; sus senos nasales deberían responder.

Té picante. En una tasa con agua caliente, mezcle una cucharadita de hojas de canela, salvia y laurel con unos chorros de limón concentrado. Beba la cantidad necesaria.

Sopa de pollo. No olvide este antiguo sustituto. Una buena dosis de ajo, cebolla y perejil en su receta favorita ayudará a descongestionar su nariz tapada y hacerlo sentir mejor completamente.

Las bandas "Band-Aid" para la nariz lo ayudan a respirar mejor

Es posible que haya visto a jugadores de fútbol usándolas en televisión. O al corredor serio que pasa por su casa todas las noches. Las tiras nasales, aquellas tiras pequeñas que parecen apósitos en el puente de su nariz, se están empezando a ver en todos lados y con buena razón.

Éstas "bandas nasales" están diseñadas para mejorar la respiración ya que hace una leve presión sobre la cavidad nasal. Las tiras nasales Breathe Right lo comprobaron en dos pruebas alemanas. En un estudio, todos los participantes mostraron una mejoría importante en su respiración nasal. En el otro, un estudio de sueño, las tiras Breathe Right redujeron ampliamente la cantidad e intensidad del ronquido.

¿Esto significa que las tiras nasales pueden solucionar los problemas de flujo de aire en senos nasales tapados o alergias? Es posible. Las tiras pequeñas funcionan como un resorte que abren un poco las fosas nasales. Esto le da más espacio en los pasajes nasales, lo que facilita un poco la respiración. Decididamente no es una solución permanente pero le da el alivio temporal que necesita. Búsquelos en la farmacialocal.

Cáncer de piel

Unos simples pasos pueden preservar su piel

El cáncer de piel se desarrolla generalmente en personas mayores de 50 años, pero comienza cuando se es mucho más joven. Siempre que se exponga al sol sin protección, aumenta el riesgo de desarrollar cáncer de piel, y millones de personas lo hacen todos los días.

La buena noticia es que el cáncer piel generalmente es curable si se diagnostica con la suficiente anticipación. "La diferencia entre la vida y la muerte es un cuarto de pulgada", explica el Dr. Perry Robins, presidente de la Fundación Nacional del cáncer de piel. "Si se lo detecta con anticipación, nadie debe morir". Es por eso que las dos claves para combatir el cáncer de piel son la prevención y la detección temprana.

Comience utilizando protección solar. El peor enemigo de su piel es el sol. Los rayos ultravioletas dañan las células de la piel y puede ocasionar que crezcan incontrolablemente. Proteger su piel del sol debería ser su prioridad número uno.

- Evite tomar mucho sol aún durante el invierno y en días nublados. Sea especialmente cuidadoso entre las 10 a. m. y las 3 p. m., que es cuando el sol está más fuerte. Si debe estar al sol durante este período, utilice mangas largas, un sombrero y anteojos de sol.
- El protector solar es su mejor defensa contra el cáncer de piel. Elija un producto resistente al agua con una factor de protección (SPF) 15 o superior y vuelva a aplicárselo con frecuencia.
- Utilice bloqueadores solares resistentes en áreas vulnerables como nariz, orejas y labios. De hecho, aplicarse lápiz labial dos veces por día reducirán por la mitad el riesgo de desarrollar cáncer de labio. Es necesario que los hombres se acuerden de sus labios también. Existen muchos bálsamos labiales incoloros que contienen protector solar.

Apunte a la detección temprana. Casi todos los cánceres de piel pueden curarse si se detectan suficientemente temprano. Su médico puede eliminar la mayoría de los crecimientos mismo en el consultorio. Solicite que el médico realice una inspección completa de su cuerpo una vez por año, especialmente si es de piel blanca. Entre los exámenes médicos, hágase el hábito de revisarse usted mismo una vez por mes.

- Mire ambos lados de sus manos y en la parte superior e inferior de sus brazos.
- Desvístase completamente y párese frente a un espejo que lo cubra completamente. Mire todo el cuerpo, de adelante y atrás. Levante sus brazos para poder revisar debajo de ellos. Utilice un espejo de mano para las partes traseras que no llega a ver.
- Utilice el espejo de mano para examinar el cuero cabelludo, las orejas y la parte posterior de su cuello. Separe su pelo o utilice un secador de pelo para mirar más detenidamente.
- Revise la parte posterior de sus piernas y las plantas de los pies con el espejo. Además, mire entre los dedos de los pies.

Lo que está buscando es algo nuevo, como un cambio en un lunar o nuevos crecimientos. Esté atento con los lunares con la siguiente lista de ABCD. Podrían ser la forma más mortal de cáncer de piel (melanoma maligno).

- **A por asimetría.** Esto significa que un lado del lunar no es igual al otro.
- **B por borde.** El borde de los lunares debe ser suave. Un lunar con los bordes irregulares, rotos o confusos puede ser una señal de advertencia.
- **C por color.** Un lunar que es una mezcla de colores, incluido azul, rojo, café, negro, blanco o marrón podría ser un melanoma peligroso.
- **D por diámetro.** Si un lunar es más grande que una goma de borrar, haga que su médico lo revise. Podría ser cáncer.

Otros tipos de cáncer de piel incluyen carcinomas de células basales y escamosas. Pueden tener la apariencia de una prominencia perlada o un parche bien delineado con escamas y rojo. Puede pensar que los lunares o parches planos son inofensivos, pero esto no siempre es verdad. Por ello, converse con su médico sobre los crecimientos de la piel nuevos o diferentes que encuentre.

Calcule su protección contra el cáncer

¿Desea saber cuáles son sus posibilidades de desarrollar cáncer de piel? Intente contar la cantidad de lunares que tiene en su cuerpo. Los expertos dicen que es un indicador bastante confiable de las probabilidades que una persona tiene de desarrollar cáncer de piel. En la adultez, la persona promedio tiene de 15 a 20 lunares. Si tiene mayor cantidad, corre el riesgo de desarrollar la enfermedad.

Al revisar los lunares, es importante reconocer la diferencia entre estos tipos de manchas y las pecas, y las manchas por envejecimiento. Los lunares primero aparecen como manchas planas de color marrón oscuro; con el tiempo se elevan y se vuelven redondas, a veces de color marrón claro o rosa.

Las manchas hepáticas o por envejecimiento son parches más grandes, planos y de color marrón que generalmente aparecen después de los 55 años, especialmente en la cara y las manos.

Advertencia: El protector solar puede favorecer al cáncer de piel

Pasa mucho tiempo al sol, pero se embadurna en protector solar; por eso, no tiene que preocuparse por el cáncer de piel ¿no es cierto? Piénselo mejor. Los investigadores han descubierto que un ingrediente principal de los protectores solares de hecho puede aumentar el riesgo de contraer cáncer de piel.

El ingrediente es PBSA y absorbe los rayos UVB dañinos del sol. En las pruebas de laboratorio, cuando se expuso el PBSA a la luz del sol, dañó el ADN; por ello los investigadores consideraron que este tipo de daño causado a las células de la piel podría desarrollar cáncer. Aunque no existen pruebas de que esto ocurra en células humanas, los científicos creen que existe demasiada incertidumbre para justificar el uso de un filtro de rayos UV diferente en los protectores solares que no dañe al ADN.

Aunque los dermatólogos no quieren que deje de usar protectores solares, muchos profesionales tienen dudas sobre la protección solar. Aquí se incluyen algunos puntos que debe considerar al comprar productos de protección solar.

Elija la protección contra rayos UVA correcta. Algunos protectores solares lo protegen de los rayos UVB y a veces de los rayos UVA-II pero no de los rayos UVA-I. Los rayos UVA están asociados a la piel dañada por el sol. La mayoría de las etiquetas de protectores solares no brindan esa información. De hecho, la FDA aún declara que el término "FPS" (factor de protección solar) no debería abarcar la protección contra los rayos UVA.

Revise las etiquetas para controlar si contiene ingredientes que bloquean los rayos UVA. Incluyen óxido de zinc, dióxido de titanio, sulisobenzona, oxibenzona, bensofenona y avobenzona (Parsol 1789). Sin embargo, tenga en cuenta que la FDA cree que ningún método de prueba puede medir consistentemente cuánta protección recibe de estos ingredientes.

No confíe en los números. Probablemente crea que cuanto más alto sea el número de FPS en un producto, puede estar en el sol durante más tiempo. Después de todo ¿no se trata de cómo se comercializa el producto? Los expertos dicen que el problema mayor con los números de FPS es que le dan a las personas un sentido falso de seguridad.

Sí, los protectores solares ayudan a evitar las quemaduras del sol, pero recuerde, una quemadura del sol es la forma que tiene su cuerpo de decir "suficiente". Sin este signo de advertencia temprana, es más probable que se quede al sol dañando la piel durante varias horas en vez de minutos. Esta puede ser una razón de por qué un estudio en alumnos europeos descubrió que las personas que usaban mucho protector solar tenían un mayor riesgo de desarrollar cáncer de piel.

Si está al sol, los expertos recomiendan usar protector solar con un FPS de al menos 15 y volver a aplicárselo con frecuencia, especialmente si está nadando. No confíe en que sólo el protector solar lo protegerá de los rayos ardientes del sol. Al restringir el tiempo que permanece a la intemperie usando indumentaria que lo proteja, incluido un sombrero, se asegurará de que las quemaduras y los problemas de piel no arruinen su tiempo al aire libre.

Noticias soleadas: Las vacunas pueden bloquear el melanoma

"Slip, slap, slop". Este eslogan se creó para que los niños y adultos se protejan de los rayos dañinos del sol. Póngase una remera y un sombrero y embadúrnese de protector solar. Pegadizo pero, ¿marca una diferencia?

Muchos expertos piensan que no. Un estudio de la Clínica Mayo descubrió que desde 1984 a 1992, el número de casos de SCC (carcinoma de células escamosas) en mujeres se había más que duplicado. No son buenas noticias, especialmente si se considera el incremento de la concientización de la gente sobre el cáncer de piel y la gran cantidad de protectores solares disponibles en el mercado.

Pero ahora hay esperanza en la forma de una vacuna experimental que ofrece protección contra el melanoma, la forma más mortal de crecimiento rápido del cáncer de piel. Denominada gm2, esta vacuna usa su propio sistema inmunológico para destruir los tumores. Debe aprobar exámenes rigurosos y pruebas más largas en pacientes antes de poder ser aprobada; sin embargo, por ahora tiene la atención, y el financiamiento, del Instituto Nacional del Cáncer.

Éstas son buenas noticias para el futuro, pero hasta que esta vacuna no esté disponible, tendrá que confiar en los protectores solares y en su propio juicio.

Estrés

Elimine el estrés con una mejor respiración

¿Apurado? ¿Bajo presión? ¿Las preocupaciones lo tienen deprimido? Sólo tranquilícese, relájese y respire profundo. Un consejo simple, pero bueno.

Bajo presión, la mayoría de las personas tienden a respirar con la parte alta del pecho, tomando inhalaciones cortas, poco profundas y rápidas. Esto es apropiado cuando sufre miedo físico. Es parte de la respuesta de "lucha o huida" que heredó de sus ancestros de la época de las cavernas. Si es necesario salir del paso de un auto que va a alta velocidad, por ejemplo, hace moverlo antes de que tenga tiempo de pensarlo.

Pero al lidiar con el estrés que deriva de los problemas laborales o familiares, escaparse o pelearse sólo empeorará las cosas. Una inhalación más lenta y profunda puede ayudarlo a tranquilizarse. Una vez que esté calmo y relajado, podrá pensar primero y luego actuar con mayor sensatez.

El psicólogo y experto en respiración Dr. Gay Hendricks es un defensor de lo que denomina "respiración consciente". En su libro, *Conscious Breathing: Breathwork for Health, Stress Release, and Personal Mastery (Respiración Consciente: trabajo de respiración para la salud, liberación de estrés y dominio personal),* él explica cómo usar su respiración para liberar estrés, manejar las emociones, generar energía y mejorar su salud.

"Podemos en forma consciente tomar inhalaciones más profundas y lentas, y en forma consciente, pueden cambiar la respiración del pecho a la panza", explica Hendricks. "He visto como esta información simple pero eficaz ha cambiado muchas vidas".

Exhale las emociones negativas. Hendricks considera que el trabajo de respiración es especialmente útil al lidiar con las "tres grandes" emociones: miedo, enojo y tristeza. Él dice que cuando siente una emoción, si presta atención, notará un cambio en la respiración. Esta conciencia es su primer paso para afrontar lo que está sintiendo.

Además agrega, cuando esté listo para liberar una emoción, usar la respiración es la forma más rápida. Reconozca cuando siente la emoción en su cuerpo. Con el enojo, por ejemplo, puede sentir el estrés en la mandíbula y en los músculos del cuello. Concentre su atención en esos lugares. Mientras inhala, imagine que está respirando en la tensión. Mientras exhala, permítase sentir que la elimina de su cuerpo.

"Muchas veces es todo lo que se necesita" dice Hendricks. "He presenciado este hecho miles de veces, pero aún me impresiona ver la expresión de las personas cuando se dan cuenta de que pueden controlar sus sentimientos".

Devuelva el entusiasmo a su vida. El estrés puede realmente aniquilar su energía. En esta práctica, Hendricks atiende a mucha gente con el síndrome de fatiga crónica. Les ayuda a usar su respiración para recuperar su vitalidad.

"Un gran beneficio de la respiración consciente" explica, "es que tiene un efecto directo sobre el nivel de energía. Simplemente, si respira efectivamente, tendrá mucha más energía física".

Las investigaciones muestran que la respiración lenta y profunda puede ayudar no solo al estrés sino también a la presión sanguínea, al asma o a la insuficiencia cardiaca congestiva. Aquí se incluyen algunos consejos para aprovechar al máximo su capacidad de respiración natural:

- **Respire por la nariz.** Junto con el aire, inhala mucho polvo y otros irritantes. Su nariz está diseñada para filtrar estos contaminantes, y para humedecer y calentar el aire antes de que llegue a sus pulmones. Aunque a veces puede respirar por la boca, las fosas nasales son el mejor pasaje.
- **Hágalo suavemente.** Los hombres generalmente respiran de 12 a 14 veces por minuto; las mujeres, de 14 a 15 veces por minuto. Los expertos tienden a considerar que más de 15 veces es una señal de estrés. Hendricks explica que con la respiración consciente, la velocidad de la respiración se reduce generalmente para alcanzar aproximadamente entre 8 y 12 respiraciones por minuto. Con menos inhalaciones, sus pulmones no tienen que trabajar tanto. El ritmo cardíaco también disminuirá ya que no tiene que bombear con tan fuerza para llevar oxígeno a su cuerpo.
- **Realice respiraciones profundas.** Mientras la mayoría de las personas respiran con la parte alta del pecho, Hendricks recomienda mandar el aire a la panza. Esto no significa que realmente envía el aire al estómago. Mientras envía el aire a los pulmones, el diafragma se baja y empuja el abdomen hacia afuera

como si estuviera lleno del aire. Con la respiración profunda, el aire alcanza el área baja de sus pulmones donde hay más sangre disponible para transportar el oxígeno a sus órganos.

- **Vacíe por completo los pulmones.** Cuando exhale, presione el abdomen hacia adentro para sacar todo el aire viejo. Así tendrá más espacio para el aire fresco en la próxima inhalación.
- **Permanezca en la zona de tranquilidad.** No se presione para respirar profundamente o para contener su respiración durante tanto tiempo que se vuelva incómodo. Debe ser relajado no inquietante. Con práctica, gradualmente se sentirá cómodo con las respiraciones más largas y profundas.

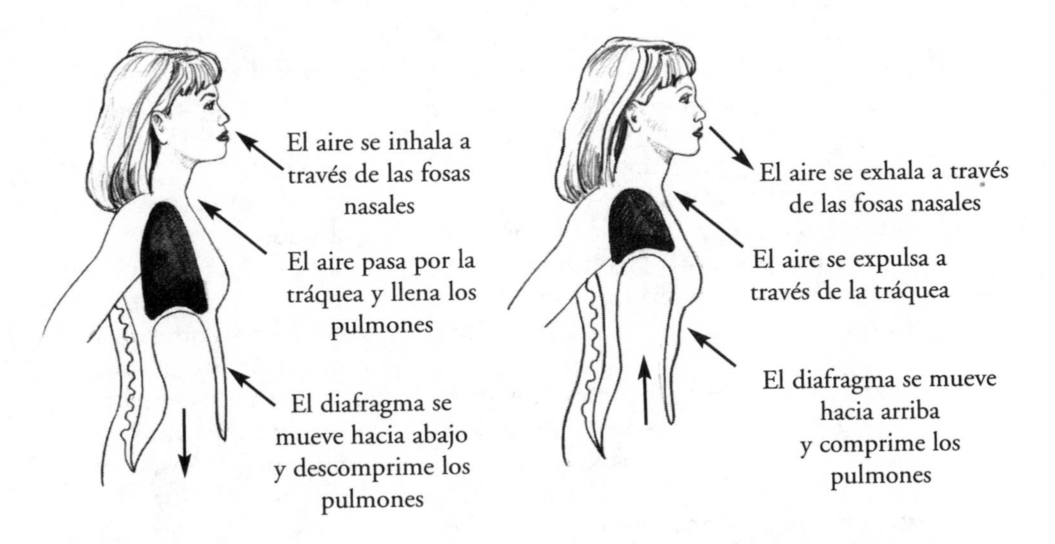

Hendricks cree que la respiración jugará un rol más importante en medicina o en psicoterapia en el siglo 21. La respiración consciente está dentro del control de cada persona y es fácil de aprender. Hágalo parte de su vida diaria y logrará una existencia más relajada y sin estrés.

Las barras de oxígeno pueden ser una moda poco saludable

El actor Woody Harrelson, que actuó como cantinero en el programa de televisión popular "Cheers" ha abierto un nuevo tipo de bar en Hollywood. Por lo tanto, en vez de pedir un trago de alcohol, puede pedir un "trago" de oxígeno.

Bares como el de él están surgiendo a montones en ciudades llenas de smog como Nueva Delhi, Tokio y Nueva York. Por aproximadamente $1 el minuto, puede enchufarse a tubos plásticos y respirar oxígeno. Y si lo prefiere, puede incluirle aromas como naranja, limón o menta. Los promotores prometen que recibirán de todo además de más energía y un pensamiento perspicaz que lo ayudará con alergias, dolores de cabeza, problemas en los senos nasales y hasta resacas. Sin embargo, los expertos no están tan seguros.

En primer lugar, la Ley Federal de Alimentos, Drogas y Cosméticos dice que cualquier tipo de oxígeno utilizado para la respiración y proporcionado por otra persona se considera una droga. Técnicamente, estas barras de oxígeno necesitan una receta para dispensar oxígeno, pero la FDA permite que cada estado haga cumplir sus normas. Además, generalmente surgen problemas con las publicidades falsas y los posibles daños a la salud.

El oxígeno que se obtiene de estas barras puede tener una pureza del 99 por ciento. De hecho, generalmente el oxígeno es la mitad de puro. Aunque bajos niveles de oxigeno como éste probablemente no causen daños a personas normalmente saludables, no hay pruebas de que el suplemento de oxígeno curará estados graves y, de hecho, si tiene ciertos problemas de salud, las barras de oxígeno podrían ser muy peligrosas. Los riesgos son reales para personas con asma, enfisema, cardiopatías y otros problemas pulmonares. Piense además en la falta de regulación de las barras de oxígeno. Nadie controla si el equipo se limpia regularmente y si funciona adecuadamente. Es posible que esté inhalando aceites, alérgenos, bacterias y otros contaminantes que podrían ocasionar problemas o infecciones respiratorios.

Religión: Buena para el cuerpo y alma

En la antigüedad, los médicos sabían que la fe y las creencias de las personas los mantenían vivos cuando la ciencia médica fallaba. Luego, como las nuevas vacunas eliminaron enfermedades devastadoras como la polio y la viruela, las personas comenzaron a pensar que la ciencia médica tenía todas las respuestas. Se perdió el elemento de la fe en la salud y la sanación.

Ahora el péndulo está balanceándose nuevamente y la profesión médica está considerando seriamente cómo las oraciones y las creencias religiosas puedan afectar la salud de los pacientes y la recuperación de esas enfermedades. Estudios científicos recientes han demostrado algunas formas en que la fe funciona en la medicina.

- **Lo ayuda a sobrellevar el postoperatorio.** En New Hampshire, los médicos estudiaron a 232 ancianos durante el período crítico de seis meses posterior a la cirugía cardiaca. Dos de los predictores de supervivencia más importantes formaban parte de una comunidad y tenían fe religiosa. Las personas que no contaban con esto tenían mayores probabilidades de morir en esta época.
- **Cura su corazón.** Otro estudio mostró que los pacientes cardíacos incluido en las oraciones de un grupo de oración casero tenían muchas menos posibilidades de necesitar antibióticos o de sufrir complicaciones por la cirugía y por ende, tenían menos posibilidades de morir. Esto era verdad aunque los pacientes cardíacos no sabían que eran incluidos en grupos de oración.
- **Vence la alta presión arterial.** Ser una persona religiosa puede realmente protegerlo de esta grave condición. Muchos estudios han demostrado que las personas religiosas activamente tienden a tener una presión sanguínea más baja. En un estudio realizado en Carolina del Norte a 112 mujeres, la espiritualidad era más importante que la dieta, la actividad física, el fumar y el tomar alcohol. Los investigadores creen que la clave puede ser la sensación reconfortante de la fe. Entre otras cosas, mejora la capacidad de lidiar con el estrés.

Obtenga los beneficios de la fe. La espiritualidad puede mejorar la salud hasta tal punto que las personas religiosas tienen un índice de mortalidad menor que las personas que no son religiosas. Y no es necesario asistir a servicios formales para obtener esos beneficios; también puede ser una persona espiritual en forma privada. Pero si sí asiste y es parte de una comunidad religiosa más amplia, su salud estará protegida aún más.

Después de estudiar más de 5000 religiosos durante 28 años, los investigadores de California descubrieron que las personas religiosas que participaban de sus comunidades de fe tenían menos probabilidades de morir de cualquier causa. Aquellas personas que asistían a los servicios generalmente eran las más sanas de todas.

Los científicos piensan que la gente que frecuentemente participa de servicios religiosos puede tener mejores condiciones de salud, mayores encuentros sociales y más probabilidades de permanecer casados. Estos son todos los factores que lo mantienen saludable.

Discuta la fe con su médico. Las investigaciones muestran que la mayoría de las personas desean hablar sobre su fe con su médicos, pero en el pasado, los médicos no deseaban hacerlo. Esto está cambiando ya que más evidencia muestra que la fe es un factor en la salud y la sanación. Algunas escuelas médicas están agregando la espiritualidad a sus planes de estudio. Con el tiempo, cada vez más médicos tomarán consciencia de los efectos que tiene la religión sobre la vida de los pacientes y empezarán a querer discutirlo.

Ponga su fe a trabajar. Saber que la fe es un beneficio para su salud ya es reconfortante, pero existen algunos pasos activos que puede llevar a cabo.

- **Hágase el tiempo para rezar.** Cada día, dedíquele el tiempo a la práctica de su fe religiosa. Rece o medite sobre su fe de la forma que le sea cómoda y apropiada. Al comienzo del día es un momento excelente para esta práctica privada pero cualquier momento que pueda reservarse regularmente está bien.
- **Únase a un grupo.** Un grupo de estudio de la Biblia o un grupo de estudio intelectual que se reúne regularmente para compartir fe e ideas es una buena fuente de apoyo social. Tener ese tipo de amigos en su vida es de vital importancia. Un estudio médico sueco reciente de pacientes cardíacos mujeres entre los 30 y 60 años mostró que aquellas sin apoyo social tenían mucho mayor riesgo de tener las arterias tapadas e infartos.
- **Pase tiempo con familia y amigos.** A veces representa mucho esfuerzo reunirse con personas a las que aprecia, pero es importante para salud y para su felicidad. Si realmente no puede salir de su casa, llamados telefónicos regulares pueden mantener los beneficios del apoyo social.

- **Practique el perdón y la calma.** La mayoría de las religiones más importantes contienen un elemento de éstos conceptos. Si puede olvidar las penas pasadas y sentirse en paz con el presente, puede reducir el estrés de su vida y todos los problemas de salud que le podrían ocurrir.

Una forma sexy de combatir el estrés

Si alguien le preguntara "¿Con qué frecuencia tiene relaciones sexuales?, usted podría responder con una sonrisa "Siempre que puedo". Aunque pueda estar haciendo un chiste, la verdad es que ¡usted está en lo cierto!

Una vida sexual saludable puede contribuir ampliamente a su salud general, lo puede ayudar a sentirse joven y enérgico, y a mantener la llama encendida en su relación. Es uno de los mejores paliativos del estrés y aporta muchos otros beneficios que no se pueden vencer.

Elimina la tensión acumulada. Como muchas otras formas de ejercicio, el sexo elimina el estrés en forma natural. Lo hace hacer ejercicio y aflojar prácticamente todos los músculos de su cuerpo; elimina la tensión que se puede haber acumulado durante un largo día. Asimismo, brinda un dulce descanso para su mente ya que libera su atención de los desafíos de su vida y lo concentra, al menos durante un rato, en algo mucho más placentero.

Lo protege contra el dolor. Todo tipo de dolor, especialmente los dolores crónicos, pueden hacerlo sentir más estresado. El sexo combate el dolor ya que lo modela y lo hace sentir bien en general pero, además, ataca el dolor en un nivel más profundo. Como la mayoría del ejercicio, alienta al cerebro a producir endorfinas, los químicos que elevan realmente la tolerancia al dolor. Un mayor nivel de endorfinas en su cuerpo significa un menor nivel de dolor en su vida.

La actividad sexual además desafía sus músculos y articulaciones, ejercita la rigidez y lo mantiene ágil. Si tiene artritis, tener un buen estado físico y ser flexibles puede ayudarlo a controlar sus síntomas. La flexibilidad también en su mejor protección contra lesiones graves en caso de accidentes.

Mejora su estado físico. El exceso de peso puede contribuir a sentirse estresado. Y como una manera de mantenerse en forma, la actividad amorosa es difícil de vencer. Los expertos dicen que la actividad sexual quema aproximadamente 300 calorías. Eso significa que podría perder 12 libras durante el próxima año sin cambiar su dieta o sin hacer más ejercicio. Sólo necesita disfrutar "momentos valiosos" con su pareja tres o cuatro veces por semana.

La Dra. Susan Lark, autora de *The Estrogen Decision,* explica que el sexo ayuda a sus ovarios a producir más andrógenos, que son las hormonas que estimulan su deseo. Y la llama adicional que le agrega a su relación también podría ser el mejor y más lindo elemento para combatir el estrés.

Apoplejía

Tenga cuidado con los disparadores ocultos de las apoplejías

¿Qué tienen en común roncar, beber cerveza y tomar aspirina o descongestivos? Créalo o no, pueden causarle una apoplejía. Conocer riesgos inesperados y ocultos como estos y saber cómo afrontarlos podría salvar su vida.

Controle su respiración. El ronquido de su pareja podría ser tan fuerte que usted está listo para dormir en otra habitación. Pero espere. Antes de dejarlo solo, asegúrese de que no está sufriendo de un trastorno del sueño posiblemente mortal. El ronquido permanente podría ser un signo de apnea del sueño, una situación peligrosa que podría ponerlo en serio riesgo de una apoplejía masiva.

Durante el ataque de una apnea del sueño, deja de respirar momentáneamente. La lucha por respirar provoca que la presión sanguínea se dispare y se dañen las arterias carótidas que transportan la sangre al cerebro. Poner estas arterias críticas en riesgo lo pone en serio riesgo de sufrir una apoplejía.

La apnea del sueño se presenta con mayor frecuencia en personas con sobrepeso y puede ser tratada. Si sospecha que usted o un ser querido puede sufrir de apnea del sueño, consulte a su médico o visite una clínica del sueño lo antes posible.

Deshágase de los descongestivos. Si utiliza medicinas de venta libre para liberar esa nariz tapada, reconsidérelo. Las investigaciones muestran que el uso prolongado de un descongestivo común denominado pseudoefedrina puede disparar una apoplejía, especialmente en aquellas personas que sufren de migrañas o del Fenómeno de Raynaud. Si está utilizando esta medicina y presenta uno o más factores de riesgo de apoplejía, debería preguntarle a su médico sobre alternativas.

Reduzca la ingesta de cerveza. Demasiado alcohol abre la puerta a muchos problemas de salud pero aquellas personas que toman mucha cerveza se deberán preocupar más cuando se trata de riesgo de sufrir apoplejías. Un estudio en la Clínica de la Universidad de Innsbruck en Austria descubrió que la personas que tomaban más de cuatro cervezas por día tenían más acumulación de grasas en las arterias que van al corazón. Este tipo de bloqueo puede ocasionar una apoplejía isquémica. El estudió encontró que las personas que tomaban mucha cerveza tenían un factor de riesgo aún mayor que las personas que fumaban 20 cigarrillos o más por día.

Evalúe las ventajas y desventajas de la aspirina. Durante años, usted consideró el consejo de tomar aspirina para ayudar a controlar el riesgo de sufrir enfermedades cardíacas. Aunque este podría ser un sano consejo para proteger su corazón, los médicos han descubierto que podría no ser tan bueno para el cerebro.

Los investigadores en las universidades de Johns Hopkins y Tulane analizaron 16 estudios en los que participaban personas que habían sufrido apoplejías hemorrágicas. Este tipo de apoplejía se produce cuando una arteria debilitada explota en el cerebro. Ellos descubrieron que a pesar de que la aspirina reduce la probabilidad de sufrir un infarto o apoplejía isquémica, podría aumentar el riesgo de sufrir un ataque hemorrágico.

Los investigadores concluyeron que los beneficios que la aspirina le aportaba al corazón probablemente superaban el peligro de producir una apoplejía. Pero esto puede no ser verdad para todas las personas. Si usted presenta un riesgo especial de sufrir una apoplejía hemorrágica, asegúrese de consultarlo con el médico antes de iniciar una rutina de ingesta diaria de aspirina.

¿Una apoplejía está presente en su futuro?

Un vaso sanguíneo bloqueado en el cerebro o en el cuello es la causa de apoplejía más frecuente. Representa aproximadamente ocho de diez "ataques cerebrales". Las apoplejías hemorrágicas, aunque no son tan comunes, son generalmente más severos y a menudo son fatales. No se olvide de estos factores de riesgo para impedir ambos tipos de apoplejías.

- **Antecedentes de apoplejías. Si ya ha sufrido una apoplejía, o si es común en su familia, debe considerarse una persona de alto riesgo y prestar mucha atención a otros factores de riesgo.**
- **Presión arterial alta. Es el peor factor de riesgo; la hipertensión aumenta la presión de sus arterias e**

incrementa la posibilidad de que se produzca una hemorragia.

- **Cardiopatía.** Un corazón enfermo que realiza más esfuerzo aunque sin resultado puede incrementar mucho el riesgo de sufrir una apoplejías.
- **Diabetes.** Esta enfermedad puede destruir los vasos sanguíneos de todo el cuerpo, incluidos los del cerebro. Si los niveles del azúcar en sangre son altos en el momento de sufrir una apoplejía, los daños pueden ser más severos. Mantener la diabetes controlada es la mejor manera de prevenir una apoplejía.
- **Estilo de vida no saludable.** Mucha sal, una dieta pobre, fumar y falta de ejercicio ayudan a preparar el terreno para la apoplejía y para los desórdenes que a menudo conducen a la apoplejía.
- **Raza.** Los africanos americanos tienen, estadísticamente, un riesgo más alto. Algunos estudios han mostrado que otras minorías también pueden tener un riesgo elevado.

Cinco formas de impedir una apoplejía

Protegerse contra apoplejías es más que sólo evitar disparadores que se sabe que pueden provocarlas. Responsabilizándose de su dieta y estilo de vida, reducirá aún más las posibilidades de sufrir una apoplejía.

Elija las grasas cuidadosamente. Algunas grasas son más saludables que otras y algunas hasta pueden protegerlo contra las apoplejías. Para la mejor defensa, elija nueces, aceite de soja y aceite de canola. Contienen ácido alfa-linolenico, que se ha descubierto que presenta un menor riesgo de producir apoplejías. Un puñado de nueces o una cucharada de aceite de soja o canola diario es suficiente para brindarle este importante beneficio.

Beba leche. ¿Alguna vez escuchó que una vaca haya tenido una apoplejía? Es posible que la causa sea la leche. Los investigadores han descubierto que cuanta más leche tome, tendrá menores probabilidades de sufrir una apoplejía. De hecho, las personas que no toman leche duplican el índice de apoplejías de las personas que ingieren al menos 16 onzas por día.

Los investigadores no están seguros de por qué la leche tiene este efecto ya que el calcio que se encuentra en productos no lácteos no produce el mismo resultado. Podría ser que la leche tenga un ingrediente no identificado que ayuda a prevenir las apoplejías. O quizás, las personas que participaron del grupo de estudio que tomaban leche tenían una mayor conciencia general de su salud. Sin embargo, tomar cuatro tazas por día al menos satisfará los requisitos de calcio diarios. Y también puede fortalecer su cuerpo contra posibles apoplejías.

Consuma un poco de bananas. Un profesor de Harvard descubrió que las bananas, además del valor del potasio, reducen el riesgo de sufrir apoplejías. Un estudio realizado durante ocho años publicado por la Asociación Estadounidense del Corazón, descubrió que los hombres que ingerían el mayor nivel de potasio, tenían la menor incidencia de apoplejías. Como ocurre con la leche y el calcio, usar suplementos de potasio no tendrá el mismo impacto. Debe comer las frutas y los vegetales. Pruebe con bananas, espinaca, tomates y naranjas para ingerir una buena dosis de mineral antiapoplejías.

Tome un vaso de vino. Los estudios han mostrado que la ingesta moderada de alcohol puede reducir el riesgo de sufrir una apoplejía. Un nuevo estudio explica que si va a tomar alcohol, el vino debe ser su bebida elegida.

El Dr. Thomas Truelsen del Instituto de Medicina Preventiva en Copenhague condujo un estudio que descubrió que las personas que tomaban vino todos los días tenían un 32 por ciento menos de probabilidades de sufrir una apoplejía que las personas que directamente no tomaban vino. El estudio no encontró el mismo beneficio para las personas que tomaban cerveza o licores.

Por supuesto, si usted no bebe alcohol, no debe empezar simplemente para reducir el riesgo de sufrir una apoplejía. Puede hacer muchos otros cambios que no son tan perjudiciales.

Realice ejercicio pero no exagere. El ejercicio es uno de los pilares básicos de una buena salud, pero mucho ejercicio no siempre es bueno. De hecho, cuando se trata de apoplejías, hasta ahora el ejercicio sólo puede reducir el riesgo, según un informe de Harvard.

En un estudio realizado en 11 000 hombres durante 20 años, los investigadores descubrieron que quemar de 1000 a 3000 calorías por semana reducía el riesgo de sufrir una apoplejía. Pero realizar ejercicio más fuerte y durante más tiempo no lo reducía. El estudio también mostró que para que el ejercicio sea efectivo, éste debía ser al menos moderadamente agotador; por ejemplo, caminar en vez de jugar a los bolos.

Puede quemar cerca de 1000 calorías caminando rápido durante 30 minutos cinco o seis veces por semana. O si le gusta estar en compañía, busque un compañero para disfrutar un par de horas de dobles de tenis o noches de baile. Ambos obtendrán los beneficios de la protección contra apoplejías.

Prevenga apoplejías con un zapateo

Es posible que no pueda bailar, pero la Asociación Nacional de Apoplejías (NSA) desea que al menos zapatee para poder averiguar si está en riesgo de sufrir una apoplejía.

Simplemente midiendo el latido de su corazón con un zapateo regular, puede averiguar si tiene fibrilación atrial (FA), una condición en la que el corazón late fuera de ritmo. Este latido irregular puede ocasionar coágulos sanguíneos que pueden quedar sueltos y viajar hasta el cerebro, aumentando cinco veces la probabilidad de que sufra una apoplejía. La fibrilación atrial es tratable; sin embargo, si se la diagnostica con anticipación es posible que evite una apoplejía relacionada con la FA.

La Asociación Nacional de Apoplejías está entusiasmada con esta técnica de autoevaluación que puede ayudar a evitar algunas de las 80 000 apoplejías que la FA causa anualmente. "Estamos tratando de aumentar la conciencia social sobre las apoplejías y de hacer todo lo que podemos para que la gente aprenda a prevenirlos" dice Steve Smock de la NSA.

Aquí se muestra como hacer para que esta técnica de zapateo le funcione:

- Coloque los primeros dos dedos de su mano derecha sobre su muñeca izquierda y encuentre su pulso.
- Controle su reloj pulsera o de pared durante un minuto; golpee su pie al ritmo de su pulso. ¿El zapateo es constante como el tic-tac del reloj? ¿O es desparejo con latidos adicionales o faltantes?

Si nota que el pie zapatea como un caballo descontrolado, consulte a su médico para realizar una evaluación más completa. Además debe consultarlo si tiene problemas para encontrar su pulso o para zapatear al ritmo. Esta técnica se debe realizar en forma adecuada para que pueda tener una idea más precisa de su riesgo de sufrir apoplejías.

TMJ

7 maneras de evitar el rechinamiento de los dientes

¿Sabía que sus dientes, en promedio, pueden morder con una fuerza de 162 libras por pulgada cuadrada (psi)? Si eso le parece mucho, imagínese una fuerza de 975 psi (el récord de rechinamiento de dientes). No es sorprendente que esta situación, denominada bruxismo pueda ocasionar daños dentales graves.

El bruxismo también puede ocasionar TMJ (trastorno de la articulación temporomandibular). Las articulaciones temporomandibulares a cada lado de su cabeza unen las mandíbulas superior e inferior entre sí y con el cerebro. Permiten que su mandíbula se abra y cierre, que rote y se mueva hacia delante y hacia atrás.

Cuando estas articulaciones se dañan, puede ocasionar dolores en sus orejas, dientes, cuello o cabeza. Algunos de los demás síntomas del trastorno TMJ son sonido de chasquido o fractura al abrir la boca o al masticar, dolor al bostezar e incapacidad de abrir la boca totalmente. Aunque existen muchas causas posibles del TMJ, el bruxismo responde a muchos casos.

Además de correr el riesgo de desarrollar TMJ, las personas con bruxismo grave tendrán dientes que parezcan planos en la superficie porque los han desgastado. También se puede desgastar el esmalte de los dientes, exponiendo así la dentina, que es la parte interna de los dientes. Los dientes se vuelven muy sensibles, especialmente a temperaturas extremas de frío y calor.

Todos los problemas dolorosos a los que puede conducir el bruxismo hacen que sea dolorosamente obvio que es necesario encontrar una forma de detener el rechinamiento.

Reduzca el estrés. La mejor manera de eliminar el rechinamiento de los dientes es liberarse del estrés que lo está provocando; sin embargo para la mayoría de las personas es un hecho de vida inevitable. Por el contrario, buscar formas efectivas que tratarlo puede ayudar. (Consulte el capítulo de *Estrés* para obtener sugerencias sobre cómo lidiar con el estrés y la ansiedad).

Puesto que la mayoría del rechinamiento de dientes se produce durante la noche, un ritual relajador para irse a dormir como tomar un baño caliente o leer pueden ayudar. Si está muy estresado, una terapia podría ser la mejor solución.

Cambie su posición de sueño. La posición en la que duerme puede marcar la diferencia. La mejor manera de dormir es boca arriba con almohadas o toallas enrolladas debajo de sus rodillas y cuello. Esta posición le permite descender la mandíbula para relajarla. Si no puede dormir boca arriba, duerma de costado con apoyos debajo de su cabeza, hombro y brazo. No se recomienda dormir boca abajo.

Pida que alguien lo despierte. Generalmente, uno no se da cuenta de que está rechinando los dientes mientras duerme hasta que su pareja se queja de que el ruido no lo deja dormir. Si este es el caso, pídale a su pareja que lo despierte cuando se da cuenta de que está rechinando los dientes. Esto puede ayudar a interrumpir el ciclo y lo condicionará a dejar de hacerlo antes de ser despertado.

Realícese un protector bucal. Su dentista se lo puede hacer, similar a los que utilizan los boxeadores, pero más pequeño. Este dispositivo puede evitar o no que rechine los dientes, pero al menos protegerá sus dientes contra daños más graves.

Coma alimentos blandos. El bruxismo produce que los músculos de la mandíbula se agoten y sobreejerciten. Déles un respiro comiendo alimentos suaves y evitando los alimentos duros y que necesitan mucha masticación como los bagels.

Evite la goma de mascar. Es posible que piense que la goma de mascar lo ayudará a aliviar el estrés que lo hace rechinar sus dientes, pero usa los mismos músculos de la mandíbula sobreejercitados; por eso, está mejor sin ella.

Utilice su imaginación. Las imágenes visuales y las técnicas de relajación pueden ayudar a reducir el estrés y a aflojar esa mandíbula apretada. Piense en relajar sus mandíbulas con los labios cerrados y los dientes separados. Intente esta técnica aproximadamente 50 veces por días hasta que se sienta cómodo. Luego imagínese durmiendo con la mandíbula en esa posición; enseguida se librará del rechinamiento nocturno.

Enfermedades de dientes y encías

12 consejos para dientes más blancos y saludables

Su sonrisa es una de las primeras cosas que la gente ve. Si desea tener una primera impresión brillante y placentera, practique una buena higiene oral. Aquí encontrará algunos consejos que lo ayudarán a mantener sus dientes blancos y saludables.

Confíe en su dentista. La enfermedad periodontal es la causa más común de la pérdida de dientes. De hecho, aproximadamente el 75 por ciento de los norteamericanos sufre de alguna enfermedad que roba la sonrisa. La infección periodontal comienza en sus encías pero puede trasladarse a los tejidos que sostienen los dientes en su lugar y desparramarse en su torrente sanguíneo. Las primeras etapas son dolorosas. Es posible que no sepa que lo tiene hasta que es demasiado tarde. Los controles dentales regulares son esenciales para evitar esta enfermedad. Visite a su dentista al menos una o dos veces al año.

Mejore su rutina diaria. Los dentistas ya no lo sólo le indican "cepille sus dientes". La nueva consigna es "limpie su boca". Cepillarse, pasarse hilo dental y limpiarse la lengua deberían ser una parte básica de su rutina diaria.

Sepa cómo pasarse el hilo dental. Utilice hilo dental encerado o no al menos una vez por día para limpiar el espacio entre los dientes. Suavemente mueva el hilo dental hacia arriba y hacia abajo alrededor de cada diente. Aunque muchas personas prefieren el soporte para hilo dental, estudios muestran que una herramienta costosa no es necesaria para pasar el hilo dental en forma adecuada.

Vuélvase un experto en cepillado. Con tantos cepillos y cremas dentales para elegir, un paseo por el pasillo del área dental en la farmacia puede ser una experiencia vertiginosa. Si se siente abrumado, pídale a su dentista que lo aconseje. La mayoría le recomendarán un cepillo de dientes de cerdas blandas.

Se ha demostrado que los cepillos de dientes eléctricos reducen la placa, especialmente en las personas que tienen problemas para cepillarse en forma adecuada. Simplemente elija un complemento suave.

Seleccione una crema de dientes con fluoruro que combata la gingivitis y la placa como Crest Gum Care y Colgate Total. Esté atento a las cremas dentales, enjuagues bucales y gomas de mascar que contengan CaviStat, un elemento que combate las caries sin fluoruro. Este nuevo compuesto recientemente patentado contiene calcio, que restaura los minerales en su cuerpo y arginina, un aminoácido presente en la saliva que neutraliza los ácidos bacteriales. CaviStat tiene pendiente la aprobación de la FDA.

Aléjese del estrés. Estudios en ratas han demostrado que el estrés aumenta la cantidad y gravedad de las caries. Por eso relájese, disfrute la vida y déle un descanso a sus dientes.

Masque goma sin azúcar. La saliva enjuaga los restos de alimentos de sus dientes, lo que ayuda a protegerlos de las caries. Masticar aumenta la cantidad de saliva que usted produce.

Reduzca la cantidad de azúcares y almidones. Elegir alimentos nutritivos es una parte importante para evitar las caries y las enfermedades periodontales. Saber qué evitar es tan importante como saber qué comer. La bacteria que causa la placa en su boca le encantan los azúcares y almidones. De hecho, después de que como alimentos ricos en azúcares o almidones, esta bacteria atacará activamente sus dientes durante al menos 20 minutos. No es necesario dejar de comer estos alimentos, simplemente limpie su boca después de haberlos comido. Puede sorprenderse al saber que las frutas, la leche, el pan, los cereales y algunos vegetales contienen azúcares o almidones.

Limite las colaciones entre comidas. Al hacer una comida completa, produce mucha saliva que lava las bacterias y los ácidos de su boca. Cuando come una colación, no producirá mucha saliva. Esto significa que los restos de alimentos quedan entre sus dientes. Si debe comer una colación, elija una saludable como una fruta, un vegetal crudo, queso, un yogur y cepille los dientes después de haberla comido.

Beba mucha agua. El agua no solo lo ayudará a eliminar las toxinas del cuerpo sino también enjuagará las bacterias de su boca y estimulará su propia producción de saliva eliminadora de bacteria.

Evite los elementos que manchan los dientes. Los productos como vino tinto, té, café, moras y tabaco mancharán sus dientes. Si no puede dejar de tomar su tasa matutina de café, recuerde que el café mancha menos que el té. Las personas que toman té deben elegir los tés de hierbas de colores claros ya que manchan menos que otros tés. Cuando tome líquidos de color oscuro, utilice una bombilla. Evita que el líquido toque sus dientes y provoque manchas.

Evite los alimentos agrios. Estos alimentos abren los poros del esmalte de los dientes y permiten que las manchas decoloren los dientes. Para hacer que el té o el café sean menos agrios, agréguele leche.

Sea cauteloso con los blanqueadores de venta libre. La mayoría de los dentistas no recomiendan los productos blanqueadores de venta libre. Piensan que este procedimiento debería ser supervisado por un profesional. Si compra un blanqueador de venta libre, asegúrese de que tenga el Sello de aceptación de la ADA. Esto significa que cumple con los estándares de seguridad y efectividad de la Asociación Odontológica Estadounidense.

Cómo cuidar los dientes sensibles

Si el agua helada lo hace sobresaltarse y el té caliente le provoca temblores de dolor, probablemente tenga dientes sensibles. Esto no significa que deje de comer postres helado y sopas hirviendo. Sólo significa que sus dientes necesitan un cuidado especial.

- **Cepíllese los dientes y pásese el hilo dental. Esto eliminará las bacterias que causan la gingivitis y las enfermedades periodontales, dos situaciones que hacen que las encías retrocedan y expongan la raíz sensible.**
- **No se cepille fuerte. Al fregarse con su cepillo de dientes, ya está cepillando el tejido de las encías que cubre y protege la raíz de los dientes. El cepillo de dientes ALERT tiene una luz de advertencia que se enciende cuando está cepillando con mucha fuerza.**
- **Utilice una crema dental que tenga ingredientes especiales para dientes sensibles. El cloruro de estroncio causa que los minerales de la saliva se endurezcan en los poros de las raíces expuestas de los dientes, protegiendo los nervios interiores. El nitrato de potasio realmente anestesia los nervios de los dientes.**

- **Evite los alimentos ricos en ácidos, como cítricos, refrescos y té. Abren los poros del esmalte de los dientes y exponen los nervios.**
- **Acuda al odontólogo. El conoce muchos procedimientos que pueden ayudarlo con sus dientes sensibles.**

Actuar rápido puede salvar el diente lastimado

Si un accidente o una lesión rompe un diente permanente, reemplazarlo puede ser un procedimiento traumático y costoso. Salvar sus dientes naturales lo hará a usted y a su billetera mucho más felices. Sin embargo, para lograrlo, debe pensar y actuar rápidamente.

Una vez que el diente se salió de su cavidad, las células de la raíz comienzan a secarse. Cuanto mayor sea el tiempo que están expuestas, menores serán las posibilidades de "volver a implantarlo" en su boca. Generalmente, las posibilidades de éxito caen un 1 por ciento por cada minuto el diente está fuera de su cavidad.

El Dr. Tommy Turkiewicz, un odontólogo del área de Atlanta, dice que el tiempo es la clave para salvar el diente. "La solución perfecta sería volver a implantar el diente antes de que transcurran 30 minutos. Pero si aún no han transcurrido dos horas, todavía tiene posibilidades". Si se sobrepasa ese tiempo, un tratamiento de conducto será necesario.

Puesto que el tiempo es vital, vaya a su dentista lo antes posible, no a la sala de emergencias, aconseja Turkiewicz. La mayoría de las salas de emergencia le volverán a colocar el diente en la cavidad y le indicarán que visite a su odontólogo, lo que significa que está perdiendo tiempo valioso.

¿Y qué hacer con el diente mientras va al odontólogo? Lo mejor se mantenerlo en su entorno natural; por eso, colóquelo nuevamente dentro de su propia cavidad. Primero, sosténgalo por la corona, nunca por las raíces, y enjuáguelo con agua o agua con sal. Luego, suavemente, insértelo en la cavidad.

Turkiewicz advierte que debe tener mucho cuidado al volver a colocar el diente. "Aquí todo es sensible. No querrá romper nada mientras lo está colocando. Por eso, suavemente colóquelo en la cavidad pero no muerda sobre él". Si no puede volver a colocarlo en la cavidad, él aconseja que simplemente lo apoye en la parte de la mejilla.

Si eso no funciona, lo puede transportar en:

- Solución salina
- Leche fría, envuelta en hielo
- Productos comerciales adquiridos en la farmacia como Solución salina balanceada de Hank (HBSS).

Estos productos ayudarán a preservar el diente hasta que pueda obtener ayuda.

Es difícil pensar claramente durante una emergencia dental, pero saber qué hacer y hacerlo rápidamente puede facilitar mucho su recuperación.

Cómo adaptar su cepillo de dientes para un uso fácil

Si sufre de artritis o alguna otra enfermedad que le imposibilita usar sus manos, intente estos consejos que lo ayudarán a facilitar una buena higiene dental.

- **Coloque el mango de su cepillo de dientes dentro de una bola pequeña hecha de goma, esponja o poliestireno.**
- **Pegue un rulero de esponja en el extremo del cepillo de dientes.**
- **Pegue un agarre para bicicletas en el mango del cepillo de dientes.**
- **Alargue el mango con un rulero, un depresor de lengua o un palo de helado.**
- **Utilice un cepillo de dientes eléctrico.**
- **Utilice un dispositivo que sostenga el hilo dental por usted.**
- **Fije su cepillo de dientes a su mano con una banda ancha de goma, una banda elástica o cinta.**
- **Haga un bucle en el hilo dental para que sea más fácil sostenerlo.**

Úlceras

Elimine la bacteria causante de úlceras con dulzura

La miel se ha utilizado durante miles de años para sanar quemaduras y heridas, pero no fue hasta este siglo que los investigadores descubrieron cómo ayudaba esa cosa pegajosa. Ahora que saben que muchas variedades de la miel pueden eliminar las bacterias. En particular, la miel hecha con flores específicas de Nueva Zelanda tiene sorprendentes cualidades antibacterianas.

La miel activa de manuka es quizá la mas importante ya que se probó que mata *Helicobacter pylori*, la bacteria que se piensa que causa úlceras. Los investigadores recomiendan comer miel una hora antes de las comidas, sin tomar líquido, y luego a la hora de acostarse. Unte aproximadamente una cucharada en un pedazo de pan. Esto mantendrá la miel en el estómago por más tiempo, dándole el máximo beneficio.

Puede encontrar esta miel de manuka en tiendas naturistas, pero es más probable que deba solicitarla directamente a los apicultores de Nueva Zelanda. Existen varios distribuidores, pero su mejor opción es utilizar una computadora y buscar en Internet para comparar los precios. Simplemente busque el término "miel activa de manuka", y aparecerán varias opciones de pedidos.

Verrugas

Formas populares para eliminar las verrugas

La palabra "verrugas" puede hacerlo pensar en sapos y brujas pero realmente no tienen nada que ver con esto. Estos crecimientos irritantes provienen de un virus y pueden aparecer en sus manos, pies o en cualquier otro lugar que ese virus se instale debajo de la piel

Las verrugas generalmente son de color piel y rugosas pero también pueden ser suaves, oscuras y planas. Incluso pueden crecer para dentro en vez de para afuera si están en la planta del pie. Ese tipo se conoce como verrugas plantales. Por lo tanto es importante asegurarse de que está lidiando con una verruga y no con otro problema como durezas, callos o incluso un crecimiento cancerígeno.

Puesto que las verrugas provienen de un virus, generalmente desaparecerán solas una vez que el virus haya seguido su curso. Por esta razón, muchos médicos aconsejan no tocarlos. Si decide extraerlos por el medio tradicional, puede esperar cualquier cosa desde soluciones que queman la piel, tratamientos químicos de congelado hasta quemaduras láser.

Sin embargo, en muchos casos, los remedios caseros pueden ser igual de efectivos para solucionar el problema. Aunque estas soluciones no han sido demostradas científicamente, se dice que funcionan igual que los tratamientos médicos.

Tómese sus vitaminas. Todo lo que necesita son unas pocas tabletas de vitaminas y agua para mezclar estos remedios que disuelven las verrugas.

- Las vitaminas A y E son especialmente buenas para los problemas de la piel y pueden aplicarse directamente en la verruga. Simplemente abra una capsula, vierta el líquido sobre la verruga y frótelo una vez por día. La desaparición de la verruga puede demorar meses, por eso, sea perseverante.

- La vitamina C es otro producto efectivo para eliminar las verrugas. Solo pulverice algunas tabletas y mézclelas con agua para formar una pasta; luego aplíquela directamente sobre la verruga. Cubra la zona con un vendaje para que la pasta no desaparezca.

La vitamina C puede irritar su piel; por ello, trate de colocar la mezcla sólo sobre la verruga.

Incorpore estas vitaminas a su dieta regular para ayudar a evitar las verrugas de un principio. Además, asegúrese de que ingiere muchos nutrientes que ayudan a eliminar las verrugas como beta caroteno, zinc, sulfuro y las vitaminas del complejo B.

Revise su botiquín. Las aspirinas funcionan igual que la vitamina C si las pulveriza y convierte en una pasta. El ácido salicílico de este paliativo ayudará a disolver la verruga.

Juegue con los alimentos. Algunas de las curas más confiables y extrañas para las verrugas provienen de los alimentos que ingiere. Y han sido las más exitosas siempre que la sabiduría y el sentido común vayan de la mano.

- **Bananas.** Probablemente no piense en ellas como un remedio médico pero muchos médicos confían plenamente en el tratamiento de la piel de la banana. El Dr. Matthew Midcap, un M.D. de West Virginia afirmó un 100 por ciento de efectividad en la cura de las verrugas plantales con bananas, aún en los casos en los que los métodos tradicionales habían fallado. Simplemente corte un pequeño pedazo de piel de banana madura y colóquelo sobre la verruga, con la parte blanca pastosa hacia abajo. Encinte la piel firmemente en su lugar y úsela todo el día. Cambie la piel todos los días después de bañarse. Los químicos presentes en la piel suavizarán y aflojarán la verruga, y con el tiempo la eliminarán.
- **Piñas.** Mientras recolecta las frutas tropicales, no pase por alto las piñas. El jugo de piña es rico en ciertas encimas poderosas que son un medio efectivo para disolver las verrugas. Sólo embeba un pedazo de algodón en jugo de piña fresco y aplíquelo sobre la verruga.
- **Papas.** Una rodaja de papa cruda contiene químicos similares para combatir las verrugas. Coloque una rodaja sobre la verruga varias veces por día.

Vaya a su jardín. Un autotratamiento final proviene de su césped o jardín (aunque no esté contento de encontrarlo ahí). Abra el tallo de un diente de león, y aplique el jugo blanco y lechoso directamente sobre la verruga tres veces por día. Una vez transcurrido un período de 7 a 10 días, la verruga se volverá negra y se caerá.

Como ocurre con todos los virus, un tratamiento exitoso dependerá del estado de salud y del sistema inmunológico como también del virus. No se dé por vencido si un método no funciona para usted; nunca podrá estar seguro de qué curará su verruga en particular. Pero puede descubrir que estos remedios caseros son lo que necesita para hacer desaparecer el problema.

Control del peso

Maneras sencillas de estimular su metabolismo y quemar grasas

¿Le cuesta quemar grasas? ¿Es una de esas personas que parecen aumentar de peso, sólo por pasar por una panadería e inhalar el aroma? Si su cuerpo parece aferrarse a cada caloría que le da, recupere el buen ánimo. Hay maneras de estimular el metabolismo y de lograr que su cuerpo queme esas calorías, en lugar de acumularlas.

El metabolismo consta de tres partes: metabolismo de reposo, que es la energía necesaria para mantener la respiración, la frecuencia cardiaca y la presión arterial (la cantidad de calorías que se queman en reposo); la energía que usted usa para digerir los alimentos, la energía requerida (o las calorías quemadas) al hacer ejercicio.

Su tasa metabólica de reposo (RMR) justifica entre el 50 y 60 por ciento de las calorías que quema por día, de manera que mantenerla alta lo ayudaría a bajar algunas libras o a no volver a subirlas. Desafortunadamente, al envejecer, su tasa metabólica de reposo tiende a desacelerarse, lo cual significa que necesita menos calorías para mantener el mismo peso. El problema es que la mayoría de las personas no come menos al envejecer, y como sus cuerpos están quemando menos calorías, aumentar de peso es el resultado final.

Afortunadamente, la investigación ha descubierto maneras de mantener elevada la RMR, para que pueda quemar más calorías, incluso sólo cuando está mirando televisión.

No sea tan estricto. Las dietas muy estrictas podrían ayudarlo a bajar de peso más rápido, pero también pueden hacer que su metabolismo baje drásticamente, lo cual generaría aún más aumento de peso, tan pronto como abandone su dieta. Puede evitar esto al bajar lentamente su ingesta de calorías y haciendo ejercicio para equilibrar cualquier reducción en la RMR. Un estudio descubrió que hacer dieta reduce la RMR en alrededor de 200 calorías por días, pero al combinar ejercicio con la dieta, la RMR sólo se redujo 75 calorías.

Fortifique su metabolismo. Una de las razones principales por las cuales el metabolismo se deteriora con la edad es que la masa corporal sin grasa, también tiende a deteriorarse al envejecer. Un libra de tejido muscular quema alrededor de 35 calorías por día, pero una libra de grasa sólo usa alrededor de dos calorías por día. Un programa de entrenamiento de fuerzano sólo estimulará su metabolismo y lo ayudará a bajar de peso, también lo fortalecerá a usted y a sus huesos.

Si necesita ayuda para comenzar, consulte a un entrenador físico o lea *Strong Women Stay Young y Strong Women Stay Slim* por Miriam Nelson, Ph.D. y Sarah Wernick, Ph.D. Estos libros contienen consejos detallados acerca de cómo comenzar un programa de entrenamiento de fuerza.

Beba mucha agua. Quizá haya notado que beber un vaso grande con agua helada antes de la comida, lo ayuda a sentirse lleno y a comer menos. El agua también puede ayudarlo a aprovechar al máximo su ejercicio, para desarrollar más músculos que queman grasas.

Un estudio descubrió que los corredores que sufrían deshidratación leve tardaban más tiempo en correr una carrera, que aquellos que bebían bastante agua. Asegúrese de beber mucha H_2O, en especial antes de las comidas y de hacer ejercicio.

Coma como un caballo. Nadie le sugeriría que coma tanto como un caballo para elevar su metabolismo, pero la investigación ha descubierto que "pastar" o comer comidas más frecuentes y pequeñas, podría estimular su metabolismo.

Un estudio reciente descubrió que las mujeres de alrededor de 60 años queman un 30 por ciento menos grasa después de una gran comida de 1.000 calorías, que las mujeres de 20 años. Sin embargo, cuando las mujeres comieron una comida más pequeña de 500 calorías y luego un bocadillo de 250 calorías, ambos grupos de edad quemaban la misma cantidad de grasa.

Si divide sus calorías para el día en tres o cuatro comidas ligeras, en lugar de dos o tres pesadas, es probable que queme más de lo que incorpora.

Elija el momento adecuado para darse un gusto. Si es mujer, puede aprovechar cierto momento en su ciclo menstrual, para darse un gusto con algunas calorías adicionales. La investigación ha descubierto que durante la fase lútea (de 21 a 25 días después de que ha comenzado el flujo), la cantidad de energía necesaria para absorber los nutrientes aumenta un 20 por ciento.

Para la mayoría de las mujeres, esto significa que pueden comer alrededor de 100 calorías adicionales por día, durante este momento, sin aumentar de peso. Por supuesto, si no ingiere esas calorías adicionales, podría *bajar de* peso.

Elija los carbohidratos en lugar de las grasas. Las grasas contienen más calorías que los carbohidratos — 9 por gramo, comparadas con 4 por gramo. Las grasas además pueden desacelerar su metabolismo, porque están diseñadas para almacenamiento a largo plazo, por lo cual se queman más lentamente. Los carbohidratos están preparados para el uso más rápido de energía, por lo cual se queman más rápido.

Comer muchos carbohidratos puede aumentar su RMR. Un estudio descubrió que los vegetarianos que obtenían el 62 por ciento de sus calorías a partir de carbohidratos, tenían RMRs que eran 11 por ciento más elevadas que las personas que sólo obtenían el 51 por ciento de sus calorías de los carbohidratos.

De manera que coma los alimentos adecuados y manténgase activo, y así ayudará a su metabolismo a elevarse. Y es una manera sencilla de ayudarse a bajar de peso y a mantenerse en forma.

Una BONITA manera de perder peso

Si enloquece a sus amigos moviéndose nerviosamente todo el tiempo, ahora tiene una buena excusa — está intentando bajar de peso.

Los investigadores hicieron que 16 personas comieran de más durante dos meses, para poder medir lo que sucedía con esas calorías de exceso. ¿Se almacenarían como grasa en exceso o se quemarían?

Descubrieron que el factor más importante para predecir el aumento de peso entre quienes comieron de más, era lo que llamaban el factor NEAT (termogénesis de actividad sin ejercicio). Esto es con cuánta frecuencia durante el día una persona cambia de posición, se mueve, elonga — en otras palabras, se mueve nerviosamente.

Todos los que comieron de más en el estudio subieron de peso, pero ese aumento varió entre 2 y 16 libras, y los sujetos que más se movieron, aumentaron menos de peso. Los investigadores especulan que el factor NEAT se presenta en algunas personas, cuando comen de más compensar las calorías adicionales, en tanto que otros sólo se quedan quietos y permiten que la grasa tome el control.

De modo que si ha comido un poco más de lo que debería, sólo mueva los pies, los dedos y libérese de esas calorías adicionales.

Pérdida de peso rápida — un camino rápido hacia cálculos biliares

Nunca es fácil bajar de peso. Pero los médicos afirman que hasta puede ser doloroso, en especial sigue dietas cíclicas o dietas yo-yo. Esto se debe a que un estudio nuevo muestra que las personas que pierden peso continuamente y lo recuperan, tienen un 70 por ciento más de probabilidades de sufrir cálculos biliares.

Los cálculos biliares son pequeños trozos de materia — por lo general colesterol endurecido — que se forman en la vesícula biliar, una órgano pequeño que almacena bilis para ayudarlo a digerir grasas. Los cálculos pueden se extremadamente dolorosos, en especial si se alojan en el conducto que libera bilis a los intestinos. Dado que la vesícula biliar en realidad es un lugar de almacenamiento, el médico resuelve la mayoría de los problemas extirpando el órgano completo.

El sobrepeso es una de las causas principales de cálculos biliares, de modo que liberarse de ese peso adicional ayuda a reducir el riesgo. Pero es importante bajar de peso lentamente y de manera tal que pueda mantenerse. De otro modo, como muestra el estudio, la pérdida de peso hace más daño que beneficio.

El estudio siguió a 47.000 mujeres durante 16 años, registrando los cambios de peso y los problemas de cálculos biliares. Quienes siguieron dietas cíclicas moderadas — y atravesaron períodos de pérdida de 10 o más libras, sólo para recuperarlas con rapidez — tuvieron un 31 por ciento más de probabilidad de tener cálculos biliares, que quienes mantuvieron su peso estable. Para las mujeres que siguieron dietas cíclicas severa, esa cifra se elevó al 68 por ciento.

Las mujeres, en especial entre 20 y 60 años, tienen el doble de riesgo de desarrollar cálculos biliares, si se las compara con los hombres. El embarazo, los comprimidos anticonceptivos y la terapia de reemplazo hormonal pueden aumentar los riesgos aún más. Ciertos grupos étnicos, tales como los estadounidenses nativos y los mexicanos estadounidenses, también tienen un riesgo elevado.

Si tiene riesgo de desarrollar cálculos biliares, en particular si está intentando perder peso, pruebe con algunas medidas preventivas para detenerlos, antes de que comiencen.

- **Ayúdese con la fibra.** La fibra se une con el colesterol y ayuda a eliminarlo de su sistema, para que no se adhiera y se endurezca en su vesícula biliar.

- **Combínelo con el agua.** El agua hace maravillas contra el colesterol, porque ayuda a disolverlo antes de que tenga oportunidad de causar problemas. Asegúrese de beber entre seis y ocho vasos con agua por día.
- **Pruebe con mucha vitamina C.** Algunos expertos creen que una deficiencia de vitamina C lo hace más propenso a sufrir cálculos biliares. Si come muchos alimentos ricos en vitamina C como frutas cítricas, podría protegerse de los ataques de la vesícula biliar.
- **No saltee comidas.** Estar sin comer durante períodos extensos, disminuye las contracciones de la vesícula biliar. Si la vesícula no se contrae con la frecuencia necesaria, es más probable que se formen cálculos biliares.
- **Evite las dietas de ultra bajas calorías.** Si come muy poca grasa, la vesícula biliar no tendrá razones para contraerse y vaciar su bilis. Necesita una comida o bocadillo de alrededor de 10 gramos para que la vesícula se contraiga normalmente.

Sólo recuerde, mantener su peso en un nivel razonable para comenzar, es la mejor manera de evitar los cálculos biliares. Pero si esas libras de exceso lo acorralan, intente bajarlas con lentitud e inteligencia. Si desea comenzar un programa estricto para bajar de peso, consulte a su médico. Quizá él decida que usted puede beneficiarse con ursodiol, un medicamento que ayuda a evitar cálculos biliares.

Un *espejo* de su éxito

Si está decidido a controlar su peso, quizá deba colgar espejos en la cocina y en el comedor. Estudios recientes sugieren que enfrentar su propia imagen comiendo, podría ayudarlo a reducir la grasa.

Dos psicólogos de la Universidad Estatal de Iowa, Stacey Sentyrz y Brad Bushman, consultaron a estudiantes para evaluar el gusto de tres clases de queso crema: sin grasas, descremado y regular. La mitad de los estudiantes estaban en una habitación con un gran espejo — la otra mitad en una habitación sin espejo. Los estudiantes de la habitación con el espejo comieron el 32 por ciento menos de todo el queso crema con grasa, que aquellos que no estaban obligados a mirarse a sí mismos mientras comían.

En otro estudio, los psicólogos colocaron mesas en un supermercado para que los compradores probaran margarina para untar con grasa, reducida en grasa y sin grasa. Una mesa tenía un espejo grande y la otra no. Los compradores de la mesa que tenía el espejo comieron menos del producto con grasa.

Por lo tanto, cuelgue un espejo en el refrigerado, en el recipiente de las galletas o donde sea que lo ataque la tentación. Quizá enfrentarse a su peor crítico le dé el incentivo que necesita para hacer elecciones más saludables.

Cinco maneras seguras para reducir su cintura

La gente bromea y hace comparaciones con neumáticos de repuesto y ventanas balcón. Pero el riesgo de cardiopatías, diabetes y cáncer no es un tema gracioso. La grasa que rodea su cintura eleva las probabilidades de sufrir una de estas enfermedades. Alguna amiga que tenga libras adicionales en otros lugares, como en las caderas, tiene un riesgo menor. Afortunadamente, hay maneras de eliminar el exceso de equipaje que amenaza su salud.

Aprenda a amar las verduras. La mejor manera para lograr esa figura delgada es comer muchas verduras. Ese consejo proviene de científicos que siguieron durante 10 años la "expansión" de 80.000 personas de mediana edad. En un estudio auspiciado por la Sociedad Estadounidense de Cáncer, descubrieron que quienes comieron como mínimo 19 porciones de vegetales por semana, tenían menos probabilidades de aumentar de peso en la cintura, que quienes comían pocas verduras.

Si le parece mucho, pruebe con algo un poco diferente para que las comidas saludables le resulten más interesantes. Lenore Greenstein, nutricionista de Naples, Florida, recomienda los alimentos como las alcachofas y el chile para obtener variedad, al intentar mejorar su figura.

"Para quienes vigilan su cintura, una alcachofa entera es una buena opción con sólo 55 calorías", dice Greenstein, "pero eso es sin la mantequilla ni la salsa holandesa". Pruebe condimentándola con algún caldo vegetal o de pollo, con mostaza o con mayonesa reducida en grasas".

Greenstein señala que otra ventaja de las alcachofas es el tiempo que lleva comerlas. "Lo ayudará a llenarse y a controlar su apetito," según ella.

Los jalapeños picantes o los pimientos tailandeses también son una buena elección. Contienen mucha capsaicina, que estimula su metabolismo y acelera la capacidad de su cuerpo para quemar esas calorías.

Que la cena sea una comida ligera. Cuando tiene mucha comida en el estómago, ésta presiona los músculos del mismo, empujándolos hacia afuera. Si la cena es abundante y pesada y se va a dormir, es aún más fácil que los alimentos presionen estos músculos, después de relajarse.

Si hace esto regularmente, es probable que desarrolle una barriga antiestética. Por otro lado, comer más a menudo, pero en pocas cantidades, debería ayudarlo a aplanar el abdomen.

Coma, no beba, ese bocadillo dulce. El Dr. Richard Mattes, profesor de alimentos y nutrición de la Universidad de Purdue, señala que en los últimos años, los estadounidenses han consumido más cantidad de bebidas dulces. Y que al mismo tiempo, nuestras cinturas se han expandido. Ha encontrado algunas pistas en su investigación, con relación a la razón por la cual está sucediendo esto.

En un experimento, cuando les dio a las personas alimentos para que comieran, por lo general comían menos en otros momentos del día. Pero eso no sucedía cuando les daba algo para beber. Seguían comiendo las mismas cantidades en otros momentos, y como estaban ingiriendo calorías adicionales, aumentaban de peso.

De modo que si come un postre por la tarde, por ejemplo, es más probable que coma menos en la cena. Pero si su gusto adicional es un refresco de cola azucarado o una limonada dulce, quizá ingiera tantas calorías como siempre, a la hora de la cena. Mattes sugiere controlar la ingesta diaria de calorías, en especial cerca de las vacaciones o las fiestas de fin de año. Las celebraciones a menudo requieren un consumo más elevado de bebidas. Como resultado, incluso si evita el buffet, podría estar subiendo libras adicionales.

Si le agrada comer algo adicional entre comidas, mejor será que elija un bocadillo sólido. Pero si realmente prefiere algo líquido, Mattes recomienda un té sin azúcar, café o refresco dietético. "Al beber un refresco bajas calorías", dice, "puede disfrutar el sabor y la sensación, sin agregar calorías adicionales".

Elimine esas pulgadas del cinturón. Un grupo de personas de entre 60 y 70 años, anteriores "holgazanes", comenzaron a trotar o a caminar rápido durante 45 minutos, cuatro veces por semana. Después de nueve a 12 meses, sus cinturas se redujeron entre una pulgada y una pulgada y media. Y los investigadores dicen que lo que perdieron era grasa, no masa corporal sin grasa.

De modo que si se encuentra sentado mirando cómo se expande su zona media, es tiempo de levantarse y entrar en actividad. Y mientras hace esto, mantenga el abdomen hacia adentro, en especial al correr. Puede no ser sencillo, pero dejar que su estómago rebote y cuelgue, debilita sus músculos abdominales. Esto es especialmente cierto, si corre desgarbado.

Y no olvide estirar los isquiotibiales, después de correr. Endurecer estos músculos en la parte posterior de los muslos lo ayudará a evitar una lordosis, que puede evidenciar aún más, esa barriga antiestética.

Ejercite su energía para esconder la barriga. Algunos expertos recomiendan ejercicios de peso — como flexiones modificadas — 30 minutos por día, tres o cuatro veces por día. Creen que este tipo de ejercicio lo ayudará a perder más grasa de la que se forma en esas pulgadas adicionales, alrededor del área media del cuerpo.

Otros ejercicios mejorarán su postura y lo ayudarán a evitar que el estómago sobresalga. Las sentadillas fortalecen los abdominales superiores y las inclinaciones pélvicas hacen lo mismo por los abdominales inferiores. Y cualquier ejercicio que fortalezca su región lumbar, lo ayudará a mantener el estómago hacia dentro.

Con estos hábitos saludables, podrá reducir el abdomen. Y ya no lo confundirán con el Buda sonriente, — si no con una persona feliz, que sonríe todo el recorrido y se encamina hacia una vida más larga y saludable.

Elija arvejas para incorporar proteínas bajas en grasas

¿Sabía que una taza de arvejas verdes tiene más proteínas que un huevo grande? Y eso es sin la grasa y el colesterol.

La nutricionista Lenore Greenstein de Florida sugiere comer arvejas nutritivas todo el año. Las arvejas frescas, dice, son buenas para comer crudas en ensalada o salteadas. Seleccione la variedad "pequeña" para tener a mano en el congelador.

Y ella dice: "las arvejas secas partidas, que se mantienen congeladas durante varios meses, se pueden usar para preparar sopas y caldos, ya que son una excelente alternativa vegetariana a las carnes y otras proteínas de origen animal".

Obtener más proteínas de fuentes vegetales es una buena idea. Un estudio de la Sociedad Estadounidense de Cáncer descubrió que quienes comían más de tres porciones de carne por semana, agregan grasa adicional en la zona de la cintura. Esto aumenta el riesgo de cardiopatías, diabetes y algunos tipos de cáncer.

Jugo de frutas — el arma secreta de las personas que hacen dieta

¿Busca una manera deliciosa y segura de reducir calorías adicionales en su dieta? Pruebe con un vaso de jugo de naranja refrescante (u otra fruta) antes de las comidas.

Según un estudio de Yale, beber un vaso de jugo de frutas rico en fructosa, entre media y una hora antes de comer, puede ayudarlo a comer menos y a sentirse lleno. El estudio les dio a personas con sobrepeso, un refresco dietético endulzado con aspartamo, una solución de agua con glucosa, una solución de agua con fructosa o agua sola antes de almorzar. La fructosa es el tipo de azúcar que se encuentra en las frutas.

Los hombres que recibieron las bebidas con fructosa comieron casi 300 calorías menos en el almuerzo y las mujeres comieron un promedio de 431 calorías menos, comparadas con las personas que bebieron el agua sola.

La bebida en sí misma contenía alrededor de 200 calorías, lo cual significa que cada persona ahorró entre 100 y 231 calorías. ¡En las tres comidas del día, eso podría ahorrarle como mínimo 2.100 por semana!

Si agregara un poco de pectina en su jugo de naranja, podría reducir aún más las calorías. La pectina es un carbohidrato complejo, hecho con cierto tipo de frutas maduras, que se usa para enriquecer mermeladas y jaleas.

Un estudio descubrió que quienes bebían un vaso de jugo de naranja con una pequeña cantidad de pectina agregada, se sentían más satisfechos y comían menos. Otros estudios mostraron que la pectina puede afectar favorablemente los niveles de azúcar y colesterol.

Si ha recurrido a supresores de apetito de venta libre o recetados para controlar sus hábitos alimenticios, es bueno saber que un vaso ocasional de jugo de frutas delicioso antes de las comidas, podría ser una alternativa saludable.

Potencie su dieta

Una manera de obtener más potencia nutricional de los alimentos es fortificarlos con vitaminas y otros nutrientes poderosos. En la actualidad, los científicos están haciendo eso para que usted obtenga más valor nutricional por su dólar.

Por ejemplo, los investigadores de la Universidad de Nevada han cultivado una planta cuyas semillas rinden ocho veces más vitamina E que las semillas de la planta normal. Si este proceso se puede repetir en otras plantas de aceites de semillas, como maíz, soja y canola, en poco tiempo tendríamos fuentes muchos más ricas de la mayoría de nuestras vitaminas más esenciales.

El Centro de Mejora de Vegetales de la Universidad de Texas A&M ha creado una zanahoria más dulce que contiene más beta caroteno, un nutriente que se convierte en vitamina A en su cuerpo. Y según el Departamento de Agricultura, pronto estarán disponibles en la sección de productos frescos de los supermercados, los súper tomates cargados con 10 a 25 veces más de beta caroteno.

Otro nutriente, llamado inulina, se encuentra en alimentos como el ajo, la raíz de achicoria, el puerro y las alcachofas de Jerusalén. Los investigadores afirman que los alimentos fortificados con inulina nos ayudarán a aprovechar los efectos beneficiosos de este poderoso carbohidrato. Estos incluyen la lucha contra el cáncer de colon y la prevención de problemas digestivos como la constipación y la colitis.

Lo más probable es que usted comience a ver más y más de estos "alimentos funcionales" Al aprovechar estas frutas y verduras súper fortificadas, podrá seguir una dieta nutritiva y bien equilibrada.

Fuentes

Acné

Acne, American Academy of Dermatology <http://www.aad.org> recuperado 12 de marzo de 1999

Alternative Medicine (23,414:22)

British Medical Journal (316.7133:723)

Fix It, Clean It, and Make It Last: The Ultimate Guide to Making Your Household Items Last Forever, FC&A Publishing, Peachtree City, Ga., 1998

Medical Journal of Australia (153.8:455)

Natural Medicines and Cures Your Doctor Never Tells You About, FC&A Publishing, Peachtree City, Ga., 1995

Nursing 99 Drug Handbook, Springhouse Corporation, Springhouse, Penn., 1999

U.S. Pharmacist (21.4:66)

Alergias

Allergic Rhinitis <http://www.pharm.sunysb.edu/classes/hbh330-331/MorrisLecture/Allergy/AllergicRhinitis.htm> recuperado 15 de marzo de 1999

Allergy Proceedings (12,2:113)

Annals of Allergy (63,6[Part 1]:477)

Antihistamine Class Monograph, Healthtouch Drug Information <www.healthtouch.com> recuperado 19 de marzo de 1999

How to Cool Hay Fever, The Physician and Sportsmedicine <http://www.physsportsmed.com/issues/1997/07jul/hay.htm> recuperado 15 de marzo de 1999

Jonathan Bernstein, M.D., Assistant Professor of Allergy and Immunology, Universidad de Cincinnati Escuela de Medicina

Journal of Allergy and Clinical Immunology (86,6[Part 1]:954)

Survive Ragweed by Limiting Exposure
<http://www.allergyasthma.com/archives/allergy06.html>
recuperado 15 de marzo de 1999

Vaccination Can Prevent Allergy Symptoms, Public Communications, Inc.
<http://www.newswise.com/articles/VACCINAT.PCI.html>
recuperado 11 de diciembre de 1998

Your Body's Many Cries for Water, Global Health Solutions, Inc., Falls Church, Va., 1997

Mal de Alzheimer

American Journal of Epidemiology (141,11:1059 and 142,5:515)

Annals of Neurology (36,1:100)

Possible New Risk Factor for Alzheimer's Disease, Alzheimer's Association
<www.alz.org/news/rtriskfactor.htm> recuperado 11 de marzo de 1999

Science (265,5177:1464)

Angina

Angiogenesis May Be Stimulated By EECP Therapy, EECP.com news
<http://www.eecp.com/news/release_1198.htm>
recuperado 16 de marzo de 1999

Archives of Family Medicine (6.3:296)

Arthritis Today (13.1:58)

Facts About Angina, National Heart, Lung, and Blood Institute,
<http://www.nhlbi.nih.gov/cardio/other/gp/angina.htm>
recuperado 18 de marzo de 1999

Geriatric Nursing (17,2:60)

Medical Tribune, Internist and Cardiologist Edition (37,11:6)

Money (27,4:114)

Pharmacy Times (63.3:30)

Psychology Today (31,6:16)

The Journal of the American Medical Association (275.15:1143 y 279.15:1200)

Time (52.21:93)

U.S. Pharmacist (24.2:1999)

Unstable Angina, Medscape <http://www.medscape.com/govmt/AHCPR/patient/UnstableAngina.html> recuperado 16 de marzo de 1999

USA Today (Dec. 8, 1998, 10D)

Artritis

American Family Physician (55.1:22)

Annals of Internal Medicine (125.5:353)

Annals of the Rheumatic Diseases (56,7:432)

Archives of Internal Medicine (156.18:2073)

Arthritis and Rheumatism (39,4:648 and 41,1:81)

Arthritis Today (10,1:12,22; 10,3:34; 11,3:41; 12,5:46; 13,1:12,21; y 13,3:6)

Clinical Pharmacology and Therapeutics (63,5:580)

Dr. Paul Lam, Sydney, Australia

Epidemiology (7.3:256)

Fitoterapia (68.6:483)

Geriatrics (51,11:63 and 53,2:84)

Herbal Medicine, Beaconsfield Publishers Ltd., Beaconsfield, Inglaterra, 1991

Infectious Medicine (14,8:637)

Journal of the American College of Nutrition (13.4:351)

King's American Dispensatory, Eclectic Medical Publications, Sandy, Ore., 1993

Medical Update (20.6:4)

Molecular and Cellular Biochemistry (169,1:125)

MSM Methylsulfonylmethane Facts Page
<http://www.worldimage.com/products/msm/msmfacts.html>
recuperado 19 de marzo de 1999

Natural Way (4,6:34)

Postgraduate Medicine (93.1:89)

Salmonella, USDA Bad Bug Book
<http://vm.cfsan.fda.gov/~mow/chap1.html>
recuperado 1 de abril de 1999

Salmonella Enteritidis Infection, Centers for Disease Control
<http://www.cdc.gov/ncidod/publications/brochures/salmon.htm>
recuperado 1 de abril de 1999

Tai Chi for Arthritis, Arthritis Victoria
<www.arthritisvic.org.au/management/exercise/taichi.htm#trained>
recuperado 7 de enero de 1999

The American Journal of Clinical Nutrition (67.1:129)

The Honest Herbal, The Haworth Press, Binghamton, N.Y., 1993

U.S. Pharmacist (18.8:20 y 23.8:66)

Asma

Archives of Physical Medicine and Rehabilitation (73,8:717)

Biochemical Pharmacology (54,7:819)

Conscious Breathing: Breathwork for Health, Stress Release, and Personal Mastery, Bantam Books, Nueva York, 1995

Environmental Nutrition (18.12:3)

Hamilton and Whitney's Nutrition Concepts and Controversies,
West Publishing Company, St. Paul, Minn., 1994

Herbal Medicine, Beaconsfield Publishers Ltd., Beaconsfield, Inglaterra, 1988

Herbs of Choice: The Therapeutic Use of Phytomedicinals, The Haworth Press, Binghamton, N.Y., 1994

Journal of Asthma (35,8:667)

Natural Medicines and Cures Your Doctor Never Tells You About, FC&A Publishing, Peachtree City, Ga., 1998

Pharmacy Times (62.1:77)

Pneumologie (48,7:484)

Recommended Dietary Allowances, National Academy Press, Washington, 1989

Super LifeSpan, Super Health, FC&A Publishing, Peachtree City, Ga., 1997

The Honest Herbal, The Haworth Press, Binghamton, N.Y., 1994

The Lawrence Review of Natural Products, Facts and Comparisons, St. Louis, Mo., 1994

The Nutrition Desk Reference, Keats Publishing, New Canaan, Conn., 1995

The PDR Family Guide to Nutrition and Health, Medical Economics Co., Montvale, N.J., 1995

USDA Nutrient Values
<http://www.rahul.net/cgi-bin/fatfree/usda/usda.cgi>
recuperado 24 de noviembre de 1997

Pie de atleta

Athlete's Foot <http://www.aad.org/aadpamphrework/AthletFoot.html> recuperado 15 de marzo de 1999

Emergency Medicine (28,11:25)

Dolor de espalda

American Family Physician (52.5:1341.1347)

Back in Shape: Prevention and Treatment of Back Pain, Tennessee Medical Association <www.medwire.org> recuperado 22 de marzo de 1999

Back Pain, Medical Information Series, Arthritis Foundation, P.O. Box 19000, Atlanta, Ga. 30326

Medical Update (14,10:4)

Natural Medicines and Cures Your Doctor Never Tells You About, FC&A Publishing, Peachtree City, Ga., 1996

Oh My Aching Back — What You Should Know About Preventing and Treating Low Back Pain, The Journal of the American Medical Association Patient Page <www.ama-assn.org> recuperado 22 de marzo de 1999

The Health Answer Book: The Complete Guide to Symptoms, Causes, and Natural Cures for Hundreds of Health Problems, FC&A Publishing, Peachtree City, Ga., 1997

Mal aliento

Environmental Nutrition (19.12:3)

Health News (13,6:4)

Natural Health, MDX Health Digest (24,2:56,58)

Nature's Prescriptions: Foods, Vitamins, and Supplements That Prevent Disease, FC&A Publishing, Peachtree City, Ga., 1998

The Atlanta Journal/Constitution (4 de febrero de 1999, F9)

The Health Answer Book: The Complete Guide to Symptoms, Causes, and Natural Cures for Hundreds of Health Problems, FC&A Publishing, Peachtree City, Ga., 1997

Infecciones de la vejiga

Answers to Your Questions About Urinary Tract Infections, American Foundation for Urologic Disease, 1993

Science News (151,17:255)

The Health Answer Book: The Complete Guide to Symptoms, Causes, and Natural Cures for Hundreds of Health Problems, FC&A Publishing, Peachtree City, Ga., 1997

The Journal of the American Medical Association (271.10:751)

The Lawrence Review of Natural Products, Facts and Comparisons, St. Louis, Mo., 1994

The New England Journal of Medicine (339, 10:700)

Urinary Tract Infection, Nidus Information Systems, Inc., Nueva York, 1998

Cáncer de mama

American Institute for Cancer Research Newsletter (No. 59)

American Journal of Epidemiology (147.4:333)

Archives of Internal Medicine (158.1:41)

British Journal of Cancer (73,5:687)

Cancer Epidemiology, Biomarkers and Prevention (6.11:887)

Cherry Hamburgers Lower in Suspected Carcinogens, Newswise <http://www.newswise.com/articles/1998/12CHRYBURG.ACS.html> recuperado 23 de abril de 1999

Journal of the National Cancer Institute (88,6:340 y 90,22:1724)

National Cancer Institute <http://www.nci.nih.gov> recuperado 10 de sept. de 1998

The Journal of the American Medical Association (278.17:1407 y 279.7:535)

What You Need to Know About Breast Cancer, National Institutes of Health Publication No. 93-1556

Quemaduras

American Academy of Dermatology news release (20 de marzo de 1999)

Burn Facts, Nortrade Medical, Inc. <http://www.burnfree.com> recuperado 11 de mayo de 1999

Environmental Nutrition (21.2:8)

Kitchen Wise, Honolulu Fire Department <http://www.htdc.org> recuperado 11 de mayo de 1999

Natural Medicines and Cures Your Doctor Never Tells You About, FC&A Publishing, Peachtree City, Ga., 1998

Pharmacy Times (64.5:53)

Scott M. Dinehart, M.D., Associate Professor of Dermatology, Universidad de Arkansas

Síndrome del túnel carpiano

Arthritis Today (11.3:9)

British Medical Journal (316.7133:731)

Consumer Reports on Health (10.2:8)

Current Medical Diagnosis and Treatment, Appleton & Lange, Stamford, Conn., 1997

Exercises May Prevent Carpal Tunnel Syndrome, American Academy of Orthopaedic Surgeons <http://www.aaos.org> recuperado 15 de marzo de 1999

Preventing Wrist Pain and Strain, Dreyfuss Hunt, Inc., P.O. Box 35280, Boston, MA 02135

Sitting Posture: The Overlooked Factor in Carpal Tunnel Syndrome, Dennis Zacharkow, P.T. <http://www.zackback.com> recuperado 15 de marzo de 1999

The American Medical Association Encyclopedia of Medicine, Random House, Nueva York, 1989

The Journal of the American Medical Association (280.18:1601)

The Lancet (351.9095:41)

The Physician and Sportsmedicine (26.5:15)

Cataratas

Annals of Epidemiology (6,1:41))

Cataract Information for Patients, National Eye Institute <http://www.nei.gov> recuperado 19 de febrero de 1999

Cataracts Don't Respect Age, Third Age News <http://www.thirdage.com> recuperado 10 de diciembre de 1998

EyeNet, American Academy of Ophthalmology <http://www.eyenet.org> recuperado 15 de febrero de 1999

Nature's Prescriptions: Foods, Vitamins, and Supplements That Prevent Disease, FC&A Publishing, Peachtree City, Ga., 1998

Ophthalmology (105,5:831 y 105,9:1751)

The American Journal of Clinical Nutrition (64,5:761 y 66,4:911)

The Journal of the American Medical Association (280.8:714)

Cáncer cervical

Cancer Epidemiology, Biomarkers and Prevention (1.2:119)

Cervical Cancer, The American Cancer Society <http://www3.cancer.org> recuperado 1 de abril de 1999

Cervical Cancer, The National Women's Health Information Center <http://www.4women.org> recuperado 29 de marzo de 1999

Folic Acid, The National Women's Health Information Center <http://www.4woman.gov> recuperado 29 de marzo de 1999

USDA Nutrient Database <http://www.rahul.net/cgi-bin/fatfree/usda> recuperado 1 de abril de 1999

Colesterol

American Druggist (215,2:22)

FDA Talk Paper (20 de mayo de 1998)

Healthy Heart Handbook: Control Your Cholesterol, Lower Your Blood Pressure, and Clean Your Arteries — Naturally, FC&A Publishing, Peachtree City, Ga., 1999

Hippocrates (12.7:14)

Ketchup: Good for hamburgers and your health <http://www.post-gazette.com:80/businessnews/19981217ketchup2.asp> recuperado 17de diciembre de 1998

Lipids (33,10:981)

Medical Sciences Bulletin (Número 244)

Perilla: Botany, Uses and Genetic Resources, David M. Brenner <http://newcrop.hort.purdue.edu/newcrop/proceedings1993/V2-322.html> recuperado 2 de marzo de 1999

The Atlanta Journal/Constitution (18 de junio de 1998, G3)

The Journal of the American Medical Association (272.17:1335)

The Lawrence Review of Natural Products, Facts and Comparisons, St. Louis, Mo.

Dolor crónico

American Journal of Medical Science ((298,6:390)

Archives of Physical Medicine and Rehabilitation (78.11:1200)

Arthritis Today (12,4:48 y 12,6:27)

Eccentrics, Dr. David Weeks <http://www.authorsspeak.com/weeks_0196.html> recuperado 13 de abril de 1999

Laughter research conducted at LLUMC, Loma Linda University & Medical Center <http://www.llu.edu/news/today/mar99/sm.htm> recuperado 13 de abril de 1999

Prolo Your Pain Away! Curing Chronic Pain with Prolotherapy, Beulah Land Press, Oak Park, Ill., 1998

Prolotherapy <www.caringmedical.com> recuperado 24 de marzo de 1999

The Atlanta Journal/Constitution (17 de abril de 1999, E3)

What is Prolotherapy? <http://www.prolotherapy.com> recuperado 24 de marzo de 1999

Resfríos y gripe

Alternative Medicine: The Definitive Guide, Future Medicine Publishing, Inc., Puyallup, Wash., 1993

Centers for Disease Control and Prevention <http://www.cdc.gov> recuperado 12 de febrero de 1999

FDA Consumer (30.8:15)

Hippocrates (12.11:26)

Journal of Alternative and Complementary Medicine (1,4:361)

PDR for Herbal Medicines, Medical Economics Company, Inc., Montvale, N.J., 1998

Pharmacy Times (64.10:62)

Preliminary Study Proves Centuries of Herbalists Right About Echinacea, University of Florida's Institute of Food and Agricultural Sciences

Educational Media & Services news release <http://www.ifas.ufl.edu/~newsifas/99_0303.html> recuperado 7 de abril de 1999

The Journal of the American Medical Association (277.24:1940 y 279.24:1999)

The Lawrence Review of Natural Products, Facts and Comparisons, St. Louis, Mo.

Tyler's Herbs of Choice: The Therapeutic Use of Phytomedicinals, The Haworth Press, Inc., Binghamton, N.Y., 1999

Cáncer de colon

A Clove of Garlic a Day May Keep Cancer Away, MSNBC <http://www.msnbc.com> recuperado 14 de abril de 1999

American Family Physician (59.2:261)

American Journal of Epidemiology (148.8:761)

Annals of Internal Medicine (128,9:713 y 129,7:517)

Anticancer Drugs (8,5:470)

Anticancer Research (16,5A:2911)

Biomedical and Environmental Sciences (11,3:258)

British Journal of Cancer (76,5:678 y 79,7-8:1283)

Calcium Supplements May Reduce Colon Cancer Risk,
University of Iowa College of Medicine <http://www.newswise.com>
recuperado 18 de enero de 1999

Cancer (80,5:858)

Cancer Epidemiology Biomarkers and Prevention (6,9:677 y 6,10:769)

Cancer Letters (95,1-2:221)

Carcinogenesis (19,8:1357)

Chopping and Cooking Affect Garlic's Anti-Cancer Activity, Penn State
<http://www.psu.edu> recuperado 18 de marzo de 1999

Code of Federal Regulations: 21 CFR 101.76

Consumer Reports on Health (10.9:6)

Emergency Medicine (31.2:93)

Epidemiology (9,4:385)

Food and Chemical Toxicology (36,9:761)

General Vegetarian Diet Information For All Ages,
The American Dietetic Association <http://www.healthtouch.com>

Geriatrics (51.12:45)

Hunan I Ko Ta Hsueh Hseuh Pao (22,3:246)

Journal of Cancer Research and Clinical Oncology (118,6:447)

Journal of Cellular Biochemistry (27S:100)

Journal of Investigative Dermatology (111,4:656)

Journal of Laboratory and Clinical Medicine (130,6:576)

Nutrition and Cancer (29,2:152 y 30,2:85,163)

Pharmaceutical Research (9,12:1668)

Proceedings of the National Academy of Sciences (95.19:11301)

The Atlanta Journal/Constitution (15 de septiembr de 1998, F1)

The New England Journal of Medicine (340.3:169)

Vegetarian Diet Pyramid, Cornell University
<http://www.news.cornell.edu> recuperado 29 de marzo de 1999

Constipación

Clinician Reviews (8,4:130)

Gut (38,1:28)

Health News (3.13:4)

Journal of the Royal Society of Medicine (87,1:9)

The American Journal of Clinical Nutrition (62.6:1212)

Depresión

Acta Neurologica Scandinavica Supplementum (154:7)

American Health (16,5:26)

American Journal of Medicine (83,5A:81,89)

Archives of Family Medicine (5,5:259 y 6,5:445)

Archives of General Psychiatry (55:161)

Archives of Internal Medicine (156.5:521)

Blood Purification (7,1:39)

British Medical Journal (313.7052:253)

Health Psychology (14,4:341)

Journal of Psychiatric Research (24,2:177)

National Vital Statistics Report (47:4)

Newsweek (133,12:65)

Psychiatry Research (56,3:295)

Psychotherapy and Psychosomatics (59,1:34)

The American Journal of Clinical Nutrition (62.1:1)

The Lancet (351.9110:1213)

The Physician and Sportsmedicine (23.9:44)

Tufts University Health & Nutrition Letter (14.12:8)

Virus may promote mood disorders, Mental Health Net & CMHC Systems <http://www.cmhc.com> recuperado 27 de mayo de 1999

Your Health (37,8:26)

Diabetes

A Podiatrist's Experience with Collagen, The Wound Care Institute, Inc. <http://woundcare.org/newsvol1n2/n2za.htm>
recuperado 9 de marzo de 1999

American Journal of Pain Management (9,1:8)

Annals of Internal Medicine (130.2:89)

Biochemical and Biophysical Research Communications (244,3:678)

Diabetes Care (20,4:537 y 21:1266)

Diabetes Facts and Figures, American Diabetes Association <www.diabetes.org/ada/c20f.asp> recuperado 22 de marzo de 1999

Diabetes Info, American Diabetes Association <www.diabetes.org/ada/c20a.asp> recuperado 12 de marzo de 1999

Geriatrics (51.11:19)

Journal of the American College of Nutrition (17.6:595)

Louise Peck, Assistant Professor, Department of Foods, Science and Human Nutrition, Universidad Estatal de Washington

Nature's Prescriptions: Foods, Vitamins, and Supplements That Prevent Disease, FC&A Publishing, Peachtree City, Ga., 1998

Nutrition Recommendations and Principles for People With Diabetes Mellitus, American Diabetic Association <www.diabetes.org>
recuperado 23 de marzo de 1999

Sean Ison, Pedorthist, McMahon Shoes, Dunwoody, Ga.

The Journal of the American Medical Association (277.6:472 y 280.2:202)

What is Diabetes? <http://diabetes.com/L3TABLES/L3T100117.htm>
recuperado 11 de marzo de 1999

Diverticulosis

British Journal of Surgery (78,2:190)

Diverticulosis and Diverticulitis, NIH Publication No. 97-1163, National Digestive Diseases Information Clearinghouse, 2 Information Way, Bethesda, MD 20892-3570

Hamilton and Whitney's Nutrition Concepts and Controversies, West Publishing Company, St. Paul, Minn., 1994

The Medical Advisor: The Complete Guide to Alternative and Conventional Treatments, Time-Life Books, Alexandria, Va., 1996

Reacciones a los medicamentos

Archives of Internal Medicine (158.20:2200)

British Medical Journal (313.7072:1624)

Herbs for Health (3,5:34,39)

Hippocrates (12,6:46)

The Journal of the American Medical Association (271.20:1609)

Time (152,21:58)

U.S. Pharmacist (23.5:80)

Ojos secos

Archives of Ophthalmology (115,1:34)

Dry Eye in Sjogren's Syndrome, J. Daniel Nelson, M.D., FACS <www.sjogrens.org/eye.htm> recuperado 30 de marzo de 1999

Pharmacy Times (63,12:41 y 62,4:40)

U.S. Pharmacist (23.1:38)

What's the best way to put in eye drops? Health Centre Online <www.pharmasave.com/faq.eyedrops.htm> recuperado 11 de febrero de 1999

Boca seca

New York Times, MDX Health Digest (138,47:965)

Oral Care for Patients with Sjogren's Syndrome, National Sjogren's Syndrome Association <http://www.sjogrens.org/oral.htm> recuperado 30 de marzo de 1999

The Health Answer Book: The Complete Guide to Symptoms, Causes, and Natural Cures for Hundreds of Health Problems, FC&A Publishing, Peachtree City, Ga., 1997

What is Sjogren's Syndrome <http://www.sjogrens.com/whatis.htm> recuperado 30 de marzo de 1999

Piel seca

Acta Dermato-Venereologica (72,5:327 y 71,1:79)

Archives of Dermatology (134.11:1401)

Dermatology (194,3:247)

Healthline (13,11:6)

Herbs of Choice: The Therapeutic Use of Phytomedicinals, The Haworth Press, Inc., Binghamton, N.Y., 1994

Procter & Gamble news release (22 de marzo de 1999)

Hipertrofia prostática

Archives of Internal Medicine (158,21:2349)

The Journal of the American Medical Association (280.18:1604)

Fatiga visual

Computer RX, Eye Clinic of Fairbanks <www.eyeclinicfbks.com/ComputerGlasses.htm> recuperado 22 de febrero de 1999

Dr. Richard Lee, Ophthalmologist, Oakland, Calif.

Kathleen Largo, Researcher, Peachtree City, Ga.

Caídas

Don't let a fall be your last trip, American Academy of Orthopaedic Surgeons <http://www.aaos.org> recuperado 12 de marzo de 1999

Journal of Psychosomatic Research (33,2:197)

Journal of the American Geriatric Society (41.3:329)

The Journal of the American Medical Association (273.17:1341)

Journals of Gerontology. Series B, Psychosocial Sciences and Social Sciences (52,5:242)

Karen Sifton, Tai chi instructor, State University of West Georgia, Carrollton, Ga.

Mike Ellis, Tai chi student, State University of West Georgia, Carrollton, Ga.

Precautions can prevent falls in the home, Medscape <http://www.medscape.com> recuperado 16 de marzo de 1999

The New England Journal of Medicine (339.13:875)

Fibromialgia

Dottie Abbott, estudiante de Tai Chi, Carrollton, Ga.

Fibromyalgia Basics, Fibromyalgia Network <www.fmnetnews.com> recuperado 14 de enero de 1999

Rita Evans, LCSW, CCM, DeKalb Medical Center, Decatur, Ga.

U.S. Pharmacist (22,12:41)

Dolor de pie

The Health Answer Book: The Complete Guide to Symptoms, Causes, and Natural Cures for Hundreds of Health Problems, FC&A Publishing, Peachtree City, Ga., 1997

The Associated Press (octubre de 1994)

The Physician and Sportsmedicine (25,2:6 y 26,2:24)

Medical Tribune (38.6:32)

Alternative Medicine Digest (22:24:00)

Falta de memoria

Encyclopedia of Nutritional Supplements, Prima Publishing, Rocklin, Calif., 1996

Environmental Nutrition (21.10:1)

Journal of the American Geriatric Society (46,10:1199 y 46,11:1407)

Natural Medicines and Cures Your Doctor Never Tells You About, FC&A Publishing, Peachtree City, Ga., 1998

Natural Way (4,6:69)

Nature's Prescriptions: Foods, Vitamins, and Supplements That Prevent Disease, FC&A Publishing, Peachtree City, Ga., 1998

Neurology (41,5:644)

Neuroscientists Tie Stress to Memory Lapses, University of California, Irvine <http://www.newswise.com> recuperado 11 de marzo de 1999

Super LifeSpan, Super Health, FC&A Publishing, Peachtree City, Ga., 1997

Vitamin Deficiency May Cause Memory Problems, Net Health <http://www.alzhheimers.com> recuperado 5 de abril de 1999

Gota

Advances in Experimental Medicine and Biology (431:839)

American Family Physician (59.4:925)

FDA Consumer (29.2:19)

Fleischerei (43,12:1122)

Hamilton & Whitney's Nutrition Concepts and Controversies, West Publishing Company, St. Paul, Minn., 1994

Nippon Rinsho (54,12:3369)

Therapeutische Umschau (52,8:524)

Pérdida de cabello

American Family Physician (51.6:1527)

Archives of Dermatology (134.11:1349)

Dr. Amy McMichael, Dermatologist, Wake Forest University

Hair Today, Gone Tomorrow: Early Diagnosis is the Key to Treating Hair Loss in Women, American Academy of Dermatology news release, 21 de marzo de 1999

Into Thin Hair, American Academy of Dermatology (www.aad.org) recuperado 15 de marzo de 1999

Postgraduate Medicine (85.6:53)

Dolores de cabeza

American Family Physician (47.4:799)

British Medical Journal (314.7091:1364)

Cephalalgia (16,4:257 y 18,10:704)

Clinical Psychiatry News (26,11:9)

Consumer Reports on Health (5,7:72)

Diet and Headache, National Headache Foundation <www.headaches.org> recuperado 15 de agosto de 1997

Headache (34,10:590)

Headache Quarterly (9:159)

Headache — Guide to Treatments, Mayo Clinic Health Oasis <www.mayohealth.org> recuperado 31 de marzo de 1999

Headache, Mayo Health Oasis <www.healthnet.ivi.com> recuperado 21 de julio de 1997

Impurities confirmed in dietary supplement 5-hydroxy-L-tryptophan, FDA Talk Paper, Food and Drug Administration, 31 de agosto de 1998

International Archives of Allergy and Immunology (110,1:7)

Message for Users of 5-HTP, Mayo Clinic <http://www.mayo.edu/news/5HTP/Users.html> recuperado 8 de abril de 1999

Nature's Prescriptions: Foods, Vitamins, and Supplements That Prevent Disease, FC&A Publishing, Peachtree City, Ga., 1998

Nutrition Research Newsletter (14,2:25; 15,10:109; y 15,11/12:122)

The Lancet (2.8604:189)

The Lawrence Review of Natural Products, Facts and Comparisons, St. Louis, Mo., 1994

The National Headache Foundation, 5252 N. Western Ave., Chicago, IL 60625

Pérdida de audición

American Family Physician (46,3:851; 47,5:1219; y 48,2:254)

Earwax, The Natural Remedies Encyclopedia <http://www.pathlights.com/nr_encyclopedia> recuperado 26 de marzo de 1999

Emergency Medicine (24.15:165)

Geriatrics (53.8:69)

Hamilton and Whitney's Nutrition Concepts and Controversies, West Publishing Co., St. Paul, Minn., 1994

Journal of Gerontological Nursing (19,4:23)

Journal of Longevity (4,5:31)

Medical Tribune for the Family Physician (34,22:2)

Postgraduate Medicine (91.8:58)

The American Journal of Clinical Nutrition (69,3:564)

The Journal of Nutrition (120,7:726)

The Lancet (351,9113:1411 y 352,9136:1240)

U.S. Pharmacist (18,4:101 y 18,12:26)

Cardiopatía

American Heart Journal (134.5:974)

American Journal of Cardiology (77.14:1230)

American Journal of Epidemiology (148.5:445)

American Journal of Physiology (275,[2]:R1468)

Arteriosclerosis, Thrombosis, and Vascular Biology: Journal of the American Heart Association (18,12:1902)

British Medical Journal (317.7161:775 y 317.7167:1253)

Cardiology Clinics (14,2:263)

Chest (114,6:1556)

Circulation (97:1461)

Dean Hutsell, Meteorologist, National Weather Service

Dr. Dean Ornish's Program for Reversing Heart Disease, Random House, N.Y., 1990

Estrogen boosts risk in women with heart disease <dailynews.yahoo.com> recuperado 17 de marzo de 1999

European Heart Journal (19SC:C12)

Exercising Just Three Days May Provide Heart Attack Protection, Science Daily news release <http://www.sciencedaily.com/releases/1998/12/981208133715.htm> recuperado 11 de diciembre de 1998

Forensic Science International (79,1:1)

Healthy Heart Handbook: Control Your Cholesterol, Lower Your Blood Pressure, and Clean Your Arteries — Naturally, FC&A Publishing, Peachtree City, Ga., 1999

International Journal of Epidemiology (15,3:326)

Journal of the American College of Cardiology (31,6:1226)

Medical Journal of Australia (155,11:757)

Psychology Today (31,6:20)

Psychosomatic Medicine (60.6:697)

Science News (155:70)

The Journal of the American Medical Association (277,20:1521 y 280,23:2001)

The New England Journal of Medicine (329,23:1677; 336,21:1473; 336,23:1678; y 339,19:1394)

This Week's Forecast May Be a Heart Attack, American Heart Association press release, 9 de noviembre de 1998

Acidez

Archives of Family Medicine (4,8:718)

Medical Tribune for the Internist and Cardiologist (36,21:6 y 39,9:13)

Pharmacy Times (62,5:106)

Hemorroides

Diseases of the Colon and Rectum (38,5:453)

Drug Newsletter, Facts and Comparisons, St. Louis, Mo.

Emergency Medicine (25.8:19)

Environmental Nutrition (18,2:1)

Medical Update (18.2:3)

Modern Medicine (58,7:56)

Nature's Prescriptions: Foods, Vitamins, and Supplements That Prevent Disease, FC&A Publishing, Peachtree City, Ga., 1998

Postgraduate Medicine (92.2:141)

The Health Answer Book: The Complete Guide to Symptoms, Causes, and Natural Cures for Hundreds of Health Problems, FC&A Publishing, Peachtree City, Ga., 1997

Hipo

Complete Guide to Symptoms, Illness & Surgery,
The Body Press/Perigree Books, Nueva York, 1989

Emergency Medicine (28.3:94)

Hiccups, Healthline Magazine <www.health-line.com>
recuperado 26 de marzo de 1999

The Lancet (338.8765:520)

The Physician and Sportsmedicine (23,5:18)

Your Good Health, Harvard University Press, Cambridge, Mass., 1987

Presión arterial alta

AMBI Nutrition Products: Cardia® Salt
<http://www.ambiinc.com/nutrition/salt/cardia.html>
recuperado 19 de febrero de 1999

AMBI Nutrition Products: Clinical and Scientific Information About Cardia® Salt <http://www.ambiinc.com/nutrition/salt/cardia2.html>
recuperado 19 de febrero de 1999

American Journal of Hypertension (8,12:1184)

British Medical Journal (309.6952:436)

Caffeine <http://www.halifax.cbc.ca/streetcents/habits/caffeine.html>
recuperado 24 de junio de 1997

Geriatrics (51,6:19)

How to Prevent High Blood Pressure, National Heart, Lung, and Blood Institute <http://www.nhlbi.nih.gov> recuperado 18 de junio de 1999

Hypertension (30,2:150; 31,1:131; y 32,2:260)

Journal of Applied Physiology (85,1:154)

Paul K. Whelton, M.D., Dean of the School of Public Health, Tulane University, Nueva Orleans

Postgraduate Medicine (100.4:75)

Potassium, Healthlink Online Resources <http://www.healthlink.com/au> recuperado 22 de junio de 1999

The chemistry of caffeine and related products <http://www.seas.upenn.edu/~cpage/caffeine/FAQ1.html> recuperado 20 de marzo de 1998

The Doctor's Complete Guide to Vitamins and Minerals, Dell Publishing, Nueva York, 1994

The Journal of the American Medical Association (277.20:1624)

The Lancet (352.9129:709)

UVB Phototherapy, Department of Dermatology, Waikato Hospital, Hamilton, New Zealand <http://www.dermnet.org.nz/dna.uvb/uvb.html> recuperado 26 de febrero de 1999

Impotencia

Archives of Sexual Behavior (25,4:341)

British Journal of Clinical Practice (48,3:133)

Informed Decisions: The Complete Book of Cancer Diagnosis, Treatment, and Recovery, American Cancer Society

International Journal of Impotence Research (9,3:155)

The Prostate Answer Book, FC&A Publishing, Peachtree City, Ga., 1998

Insomnio

American Nephrology Nurses Association (24,6:672)

Annals of Pharmacotherapy (32,6:680)

Journal of the American Geriatric Society (46,6:700)

Pharmacology, Biochemistry, and Behavior (32,4:1065)

Postgraduate Medicine (79.2:265)

Sleep and the Traveler, National Sleep Foundation, <www.sleepfoundation.org> recuperado 21 de abril de 1999

Super LifeSpan, Super Health, FC&A Publishing, Peachtree City, Ga., 1997

The Enchanted World of Sleep, Yale University Press, New Haven, Conn., 1996

The Journal of the American Medical Association (281.11:991)

Síndrome del intestino irritable

Journal of Gastroenterology (32,6:765)

Mayo Clinic Health Letter (17,2:4)

Nature's Prescriptions: Foods, Vitamins and Supplements that Prevent Disease, FC&A Publishing, Peachtree City, Ga., 1998

The Complete German Commission E Monographs, Therapeutic Guide to Herbal Medicines, American Botanical Council, Austin, Texas, 1998

The Lancet (352.9135:1187)

Dolor en las piernas

FDA Orders Stop to Marketing of Quinine for Night Leg Cramps, Food and Drug Administration Updates <www.verity.fda.gov> recuperado 24 de junio de 1999

Natural Medicines and Cures Your Doctor Never Tells You About, FC&A Publishing, Peachtree City, Ga., 1996

The Health Answer Book, FC&A Publishing, Peachtree City, Ga., 1997

Tyler's Herbs of Choice: The Therapeutic Use of Phytomedicinals, The Haworth Herbal Press, Binghamton, N.Y., 1999

Cáncer de pulmón

American Journal of Epidemiology (148,10:975)

Food, Nutraceuticals and Nutrition (22,11:2)

International Journal of Cancer (78,4:430)

Medical Tribune (39,9:13)

Mutation Research (402,1-2:307)

Natural Medicines and Cures Your Doctor Never Tells You About, FC&A Publishing, Peachtree City, Ga., 1995

Researchers discover how green tea may prevent cancer, Purdue University Health News (enero de 1999)

Super LifeSpan Super Health, FC&A Publishing, Peachtree City, Ga., 1997

Tufts University Health & Nutrition Letter (15,6:2)

Degeneración macular

Eggs, American Heart Association, 7272 Greenville Ave., Dallas, TX 75231-4596

The British Journal of Ophthalmology (82,8:907)

Menopausia

American Journal of Obstetrics and Gynecology (167,2:436)

Dr. Robert R. Freedman, Department of Obstetrics and Gynecology, Universidad Estatal Wayne, Detroit, Mich.

Constance Grauds, R.Ph., President of the Association of Natural Medicine Pharmacists, San Rafael, Calif.

Journal of Women's Health (7,9:1149)

Menopause: natural process or curable ailment?, Constance E. Grauds, R.Ph. <www.naturalland.com> recuperado 26 de abril de 1999

Dra. Alice S. Rossi, Sociology Professor, Universidad de Massachusetts, basado en una encuesta de la Research Network on Successful Midlife Development, auspiciada por The John D. and Catherine T. MacArthur Foundation, llevada a cabo en 1995

Síndrome de prolapso de la válvula mitral

American Heart Journal (129,1:83)

American Journal of Cardiology (79,6:768)

Journal of the American Dental Association (128,8:1142)

Mitral Valve Prolapse Treatment, Mitral Valve Prolapse Center, Birmingham, Ala. <http://www.mvprolapse.com/treat.htm> recuperado 6 de enero de 1999

Pacing and Clinical Electrophysiology (19,11[2]:1872)

Postgraduate Medicine (100,1:284)

Taking Control: Living With the Mitral Valve Prolapse Syndrome, Kardinal Publishing, Loveland, Ohio, 1996

The American Medical Association Encyclopedia of Medicine, Random House, Inc., Nueva York, 1989

What is Dysautonomia? National Dysautonomia Research Foundation, P.O. Box 21153, Eagan, MN 55121-2553

Ceguera nocturna

Fitoterapia (67,1:3)

New contacts looking up for over-50 set <www.thirdage.com/cgi-bin/NewsPrint.cg> recuperado 10 de diciembre de 1998

Over 60 Studies Link the Blue in Wild Blueberries to Health <www.wildblueberries.com> recuperado 1 de marzo de 1999

Wild Blueberry Association of North America, 59 Cottage St., P.O. Box 180, Bar Harbor, ME 04609

Wilhelmina Kalt, Ph.D., Food Chemist, Atlantic Food and Horticulture Research Center, Kentville, Nova Scotia, Canadá

Osteoporosis

Alternative Medicine Digest (18:14)

Alternative Medicine Review (4,1:10)

Ann H. Hunt, Ph.D, Associate Professor of Nursing, Purdue University, West Lafayette, Ind.

Calcium: Important at Every Age, Texas Department of Health <www.tdh.state.tx.us> recuperado 31 de marzo de 1999

Canadian Space Agency news release (29 de octubre de 1998)

Exercise for Your Bone Health, Texas Department of Health <www.tdh.state.tx.us> recuperado 31 de marzo de 1999

Healthy Heart Handbook: Control Your Cholesterol, Lower Your Blood Pressure, and Clean Your Arteries — Naturally, FC&A Publishing, Peachtree City, Ga., 1999

Ipriflavone: The New Bone Builder, Nutrition Science News <www.nutritionsciencenews.com> recuperado 6 de abril de 1999

Journal of the American College of Nutrition (15.6:553)

Nature's Prescriptions: Foods, Vitamins, and Supplements That Prevent Disease, FC&A Publishing, Peachtree City, Ga., 1998

Osteoporosis, American Academy of Orthopaedic Surgeons <www.aaos.org> recuperado 31 de marzo de 1999

Super LifeSpan, Super Health, FC&A Publishing, Peachtree City, Ga., 1997

The American Journal of Clinical Nutrition (68,6S:1364S y 69,1:74)

The Journal of the American Medical Association (272.24:1909)

The New England Journal of Medicine (335,16:1176)

Viactiv <http://www.viactic.com/produces/viactiv/productinfo.html> recuperado 24 de febrero de 1999

Cáncer ovárico

American Journal of Epidemiology (130.3:497)

Cancer Epidemiology, Biomarkers and Prevention (5,9:733)

Journal of the National Cancer Institute (88,1:32)

Nutrition and Cancer (15,3-4:239)

What Every Woman Should Know About Ovarian Cancer, National Ovarian Cancer Coalition Ovarian Cancer Fact Sheet <http://www.ovarian.org> recuperado 31 de marzo de 1999

Ovarian Cancer Controversy: When and How To Use Available Screening Methods, Medscape Women's Health <http://www.medscape.com> recuperado 31 de marzo de 1999

Ovarian Cancer: Screening, Treatment, and Followup, National Institutes of Health Consensus Development Conference Statement <http://text.nlm.nih.gov> recuperado 31 de marzo de 1999

Study Shows Increased Risks of Ovarian Cancer, University of California, Irvine <http://www.newswise.com> recuperado 25 de marzo de 1999

Cáncer de próstata

Cancer Causes and Controls (9.6:553)

Doctor Shopping: How to Choose the Right Doctor for You and Your Family, Health Information Press, Los Ángeles, 1996

Hal Alpiar, President and CEO, Businessworks, Point Pleasant, N.J.

Journal of the National Cancer Institute (90,6:440; 90,16:1219; y 90,21:1637)

Proceedings of the National Academy of Sciences (95,8:4589)

Who's Who in Health Care, National Institute on Aging Information Center, P.O. Box 8057, Gaithersburg, MD 20898-8057

Fenómeno de Raynaud

Angiology (46,1:1 y 46,7:603)

Annals of Internal Medicine (129.3:208)

Archives of Dermatology (119,5:396)

Arthritis Today (11,6:8)

British Medical Journal (314,7081:644)

Cayenne, David L. Hoffman, M.N.I.M.H. <http://www.healthy.net/library/books/hoffman/materiamedica/cayenne.htm> recuperado 26 de enero de 1999

Digestive Diseases and Sciences (43,8:1641)

Journal of Rheumatology (12,5:953)

Journal of the Southern Orthopaedic Association (5,1:37)

Nipple vasospasm — a manifestation of Raynaud's phenomenon and a preventable cause of breastfeeding failure <http://www.gp.org.au/cls/raynaud.html> recuperado 6 de enero de 1999

Scandinavian Journal of Rheumatology (25,3:143)

Super LifeSpan, Super Health, FC&A Publishing, Peachtree City, Ga., 1997

The American Medical Association Encyclopedia of Medicine, Random House, Inc., Nueva York, 1989

Vascular Medicine (2,4:296)

Sinusitis

American Family Physician (53.3:877)

American Journal of Rhinology (11,5:399)

Emergency Medicine (28.5:118)

European Journal of Medical Research (3,8:367)

FDA Consumer (26.8:20)

Mother Earth News (160:38)

Otolaryngology: Head & Neck Surgery (113,1:104)

Salt water rinse may prevent colds <www.dailynews.yahoo.com> recuperado 22 de septiembre de 1998

Sinus Survival: A Self-Help Guide for Allergies, Bronchitis, Colds, and Sinusitis, Jeremy P. Tarcher, Inc., Los Ángeles, Calif., 1988

The Big Book of Health Tips, FC&A Publishing, Peachtree City, Ga., 1996

Cáncer de piel

American Family Physician (49.1:91)

British Medical Journal (310,6984:912 y 312,7047:1621)

Cancer Causes and Controls (7,4:458)

Cancer Facts & Figures — 1995, American Cancer Society, 1599 Clifton Road N.E., Atlanta, Ga. 30329–4251

Cutis (56,6:313)

FDA Consumer (29,6:10)

Medical Tribune for the Internist and Cardiologist (35,1:2; 36,5:19; y 37,2:11)

Medical Update (14,10:1)

Natural Medicine (4,3:321)

Natural Medicines and Cures Your Doctor Never Tells You About, FC&A Publishing, Peachtree City, Ga., 1995

Nature Medicine (3,5:510)

Public Health Reports (108,2:176)

Reducing Your Risk of Skin Cancer, American Institute for Cancer Research, 1759 R Street, N.W., Washington, D.C. 20069

Skin Care and Aging, National Institute on Aging Age Page <www.nih.gov/nia/health/pubpub/skin> recuperado 7 de julio de 1998

Sunscreen Drug Products for Over-the-Counter Human Use, Monograph, Part III, Federal Register, Department of Health and Human Services, Food and Drug Administration (58,90:28242)

Sunscreen Ingredient Causes DNA Damage in Light, American Chemical Society news release, 12 de diciembre de 1998

Sunscreens Miss Many Harmful Rays <www.msnbc.com/news> recuperado 1 de septiembre de 1998

The Health Answer Book: The Complete Guide to Symptoms, Causes, and Natural Cures for Hundreds of Health Problems, FC&A Publishing, Peachtree City, Ga., 1997

The Atlanta Journal/Constitution (16 de dic., 1998, F3)

Estrés

American Journal of Public Health (87,6:957 y 88,10:1469)

Breathing FAQ — Frequently Asked Questions <www.breathing.com/faq.htm> recuperado 3 de febrero de 1999

Conscious Breathing: Breathwork for Health, Stress Release, and Personal Mastery, Bantam Books, Nueva York, 1995

European Heart Journal (19,11:1648)

Gay Hendricks, Ph.D., The Hendricks Institute, Santa Bárbara, Calif.

Journal of Family Practice (39,4:349)

Medical schools to examine role of religion, Maranatha Christian Journal <http://www.pe.net/mcj/news/news2268.htm> recuperado 11 de enero de 1999

Preventive Medicine (27,4:545)

Psychosomatic Medicine (57,1:5)

Social Science and Medicine (29,1:69)

Super LifeSpan, Super Health, FC&A Publishing, Peachtree City, Ga., 1997

The Big Book of Health Tips, FC&A Publishing, Peachtree City, Ga., 1996

Apoplejía

Brain Basics: Preventing Stroke, National Institute of Neurological Disorders and Stroke, National Institutes of Health, Bethesda, MD 20892

Circulation (98,12:1198)

Emergency Medicine (28,11:78)

Journal of Oral and Maxillofacial Surgery (56,8:950)

National Stroke Association <www.stroke.org/Press_Releases/ 980811-selfscreen.html> recuperado 18 de marzo de 1999

Stroke (29,5:900; 29,9:1806; 29,10:2049; 29,12:2467; y 30,1:1)

The Journal of the American Medical Association (280.22:1930)

The Lancet (349,9059:1150)

TMJ

American Family Physician (49,7:1617)

Bruxism: A Fact Sheet for Patients, Academy of General Dentistry <http://www.nysagd.org/bruxism/htm> recuperado 29 de abril de 1999

Enfermedades de dientes y encías

Adult Oral Health, Oral Health Information, ADHA Online <ww.adha.org> recuperado 23 de marzo de 1999

Cosmetic Techniques, American Dental Association <www.ada.org> recuperado 23 de marzo de 1999

Current News Relevant to Dentistry, Joel B. Schilling, D.D.S. <http://idt.net/~jjjss/itn.html> recuperado 23 de marzo de 1999

Journal of Behavioral Medicine (3,3:233)

Journal of Clinical Dentistry (8,6:159)

Journal of Clinical Periodontology (23,9:873; 24,2:115; y 24,4:260)

Journal of the California Dental Association (26,3:186)

Journal of the Canadian Dental Association (64,5:357)

Keeping a Healthy Mouth: Tips for Older Adults, American Dental Association <www.ada.org> recuperado 23 de marzo de 1999

Natural Medicines and Cures Your Doctor Never Tells You About, FC&A Publishing, Peachtree City, Ga., 1995

Newsday (12:224 y PSA-2277)

Senior Oral Health, ADHA Online <www.adha.org> recuperado 23 de marzo de 1999

Taking Care of Your Teeth and Mouth, National Institute on Aging Age Page <www.aoa.dhhs.gov> recuperado 23 de marzo de 1999

The Truth About Tooth Whitening/Tooth Bleaching Systems, The Dental Zone <www.saveyoursmile.com> recuperado 23 de marzo de 1999

Tommy Turkiewicz, D.M.D., Peachtree City, Ga.

What To Do About Sensitive Teeth, The Dental Zone <www.saveyoursmile.com> recuperado 23 de marzo de 1999

Your Diet and Dental Health, American Dental Association <www.ada.org> recuperado 23 de marzo de 1999

Úlceras

Journal of Applied Bacteriology (73,5:388)

Journal of Pharmacy and Pharmacology (43,12:817)

Nature's Prescriptions: Foods, Vitamins, and Supplements That Prevent Disease, FC&A Publishing, Peachtree City, Ga., 1998

Verrugas

Miracle Healing Foods, Prentice Hall, Paramus, N.J., 1999

Plastic and Reconstructive Surgery (68,6:975)

The Medical Advisor: the Complete Guide to Alternative and Conventional Treatments, Time-Life Books, Alexandria, Va., 1996

Warts, American Academy of Dermatology, 930 N. Meachum Road, P.O. Box 4014, Schaumburg, IL 60168-4014

Control del peso

American Journal of Public Health (87,5:747)

Annals of Internal Medicine (130,6:471)

Clinical Cardiology (11,9:597)

Dieting and Gallstones, NIH Publication No. 94-3677, National Institute of Diabetes and Digestive and Kidney Diseases, 9000 Rockville Pike, Bethesda, MD 20892

Dr. Richard Mattes, Professor of Foods and Nutrition, Universidad Purdue

Hamilton and Whitney's Nutrition Concepts and Controversies, West Publishing, St. Paul, Minn., 1994

Human Nutrition, Mosby, St. Louis, 1995

International Journal of Obesity and Related Metabolic Disorders (19,S7:S8)

International Journal of Sports Medicine (6,1:41)

Jerusalem artichoke may help ward off cancer, Minneapolis/St. Paul CityBusiness <http://www.amcity.com:80/twincities/stories/092898/story8.html> recuperado 28 de septiembre de 1998

Journal of Applied Psychology (83,6:944)

Journal of Gerontology (47,4:M99)

Journal of the American College of Nutrition (16,5:423)

Lenore S. Greenstein, Registered Dietitian, Naples, Florida

Medicine and Science in Sports and Exercise (17,4:456)

Metabolism (43,5:621)

New Tomato Breeding Lines Pack in Beta Carotene, U.S. and World News <www.sddt.com/files/librarywire/98/11/03/ch.html> recuperado 11 de marzo de 1999

Physiological Behavior (59,1:179)

Proceedings of the Society for Experimental Biology and Medicine (180,3:422)

Science (282,5396:2098 y 283,5399:212)

Strong Women Stay Young, Bantam Books, Nueva York, 1998

The American Journal of Clinical Nutrition (51,3:428; 66,4:860 y 66,5:1110)

The Health Answer Book: A Complete Guide to Symptoms, Causes, and Natural Cures for Hundreds of Health Problems, FC&A Publishing, Peachtree City, Ga., 1997

The Journal of the American Medical Association (273,6:503)

The New Mighty Maroon Carrot, Texas Neighbors <http://165.91.48.7/vic/Press%20Release/new_mighty_maroon_carrot_.htm> recuperado 11 de marzo de 1999

The Obesity Factor, American Institute for Cancer Research Newsletter <www.aicr.org> recuperado 25 de febrero de 1999

Índice

B

C

F

G

H

I

J

K

L

M

N

O

P

Q

R

S

T

Y

Z